2025
年度版

みんなが
欲しかった！

社労士 全科目横断 総まとめ

TAC出版
TAC PUBLISHING Group

はじめに

本書は、社会保険労務士試験の合格水準に到達するために覚えておきたい重要事項を整理し、知識の定着を促すことを目的として編集したものです。

学習が進むほど科目内または科目間の類似事項により頭の中が混乱し、点数が伸び悩むといったことは多くの受験者が直面する壁の１つだと思われます。また、学習範囲の中には各法律をまたがったいくつもの共通事項があり、それらを個別に覚えるには必要以上の時間を要することとなります。

このことから、社会保険労務士試験を効率的に攻略していくためには、

① 類似事項を整理し、頭の中の混乱を解消すること
② 共通事項はまとめて覚え、無駄な時間を削ること

これらが不可欠です。本書はこれらを最大限効率よく行えるように制作しました。本書を活用することにより、「重要事項の整理」「理解の促進」「効率的な学習」が可能となっていくでしょう。

2017年度版よりフルカラーのレイアウトに全面リニューアルし、おかげ様で本書は、多くの方にご利用いただくことができました。今年の改訂では、最新の法改正への対応を中心に、加筆・修正を行いました。同シリーズである「みんなが欲しかった！　社労士の教科書」との連携も強化し、セットで活用していただくことでより学習効果が実感できるようになりました。

本書で横断的に全科目を総整理することで、学習範囲の内容がしっかりマスターできるでしょう。今の試験合格に必要な情報量をキープしつつも、使いやすいコンパクトな仕様で学習する場所を選ばないという点も本書の特長の１つです。「いつでも」「どこでも」「疑問が生じたその時に」本書を開き、横断整理をすることで、学習効果はより高いものとなるでしょう。

2024年度の社会保険労務士試験の合格率は6.9%で、厳しい試験に見えるかもしれませんが、本書のようなコンパクトな教材で、基本事項をモレなく、丁寧に確認してください。正しく知識を身につけていれば、必ず合格できる試験です。

本書を最大限に活用し、2025年度の社会保険労務士試験で合格の栄冠を勝ち取ってください。

2024年11月
TAC社会保険労務士講座

本書の特長

本書は「みんなが欲しかった！」シリーズの「社労士の教科書」「社労士の問題集」をひと通り終えたあとにご活用いただくと絶大な効果を発揮する、知識総仕上げ教材です。

社労士試験で学習する膨大な量の情報を、本試験で使える知識にしっかり整理し、固めることにこだわって制作しました。

ポイント1

全科目の類似事項・共通事項を横断整理できます!!

社労士試験の学習範囲は非常に広いため、科目が異なっても共通する事項、似ているけど少しずつ異なる事項などがあり、暗記するのにとにかく苦労するものです。

たとえば、問題を解いているときに、こんな疑問がわくことはありませんか？

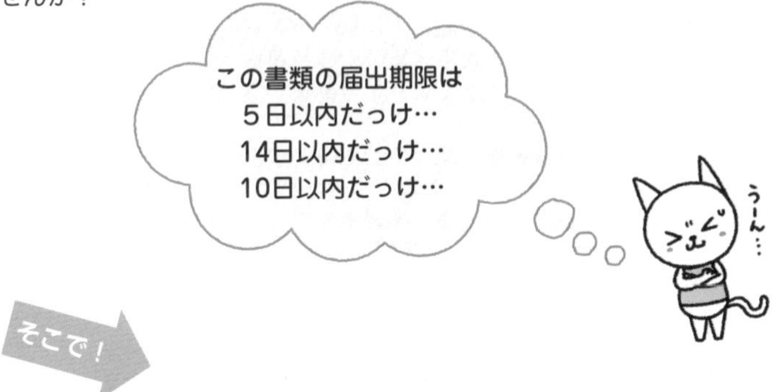

本書は「全科目横断編」を用意!!

本試験でどんな形で出題されても的確に知識が引き出せるように、類似事項・共通事項を科目横断整理できるよう、テーマごとに図や表にまとめています。試験でよく狙われるポイントに集中して確認することができます。

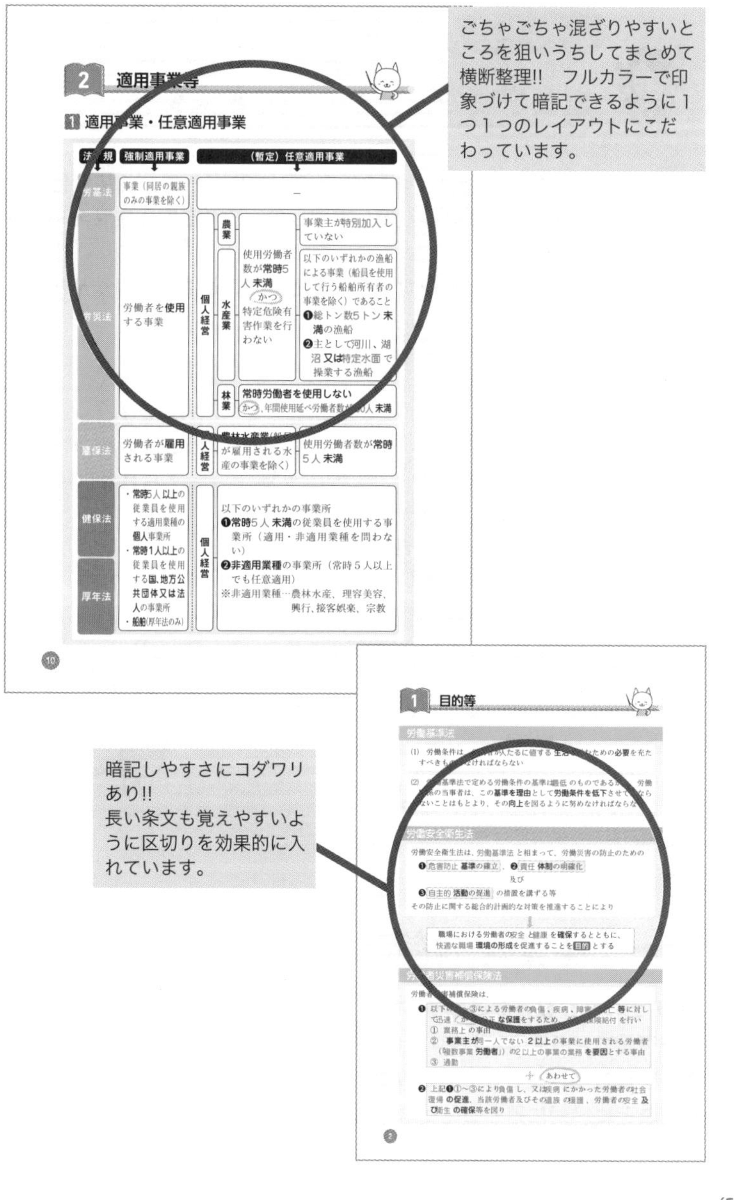
ごちゃごちゃ混ざりやすいところを狙いうちしてまとめて横断整理!!　フルカラーで印象づけて暗記できるように1つ1つのレイアウトにこだわっています。
2 適用事業等
1 適用事業・任意適用事業
暗記しやすさにコダワリあり!!
長い条文も覚えやすいように区切りを効果的に入れています。
1 目的等

ポイント2

重要事項の総まとめができます!!

社労士試験で学ぶ内容は、全10科目にわたり、とにかく広範囲、かつ分量が多いため、何度も繰り返し学習して、知識を定着させていかなければなりません。

みなさんも、こういった疑問や悩みを抱いたことはありませんか？

本書は「総まとめ編」を用意!!

「社労士の教科書」などの基本書で学んだ内容で、とくに重要なところを総復習できるようにしました。重要キーワードが際立つように覚えやすく整理して編集をしているので、知識の総まとめに最適です。また、科目ごとに絶対に落としてはならない最重要事項だけがコンパクトにまとまっているので、速習が可能です。

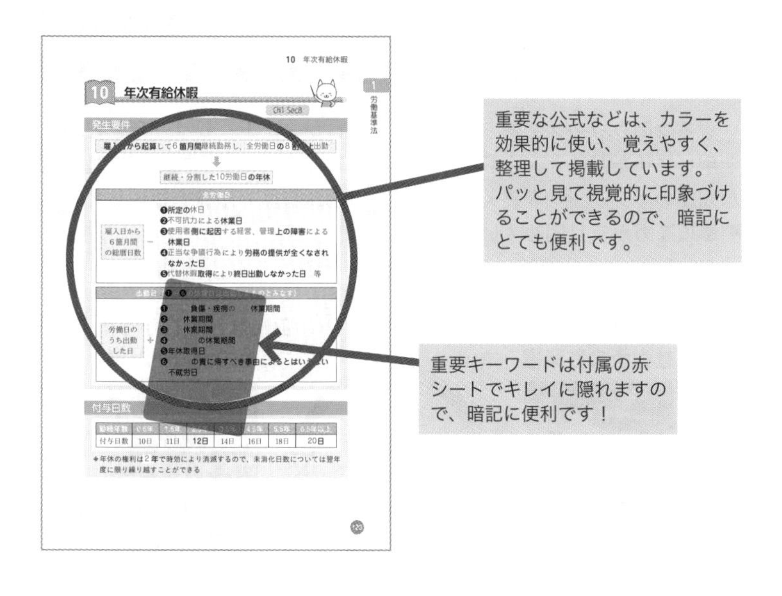
10 年次有給休暇
10 年次有給休暇
CH1 Sec8
発生要件
継続・分割した10労働日の年休
❶所定の休日
❷不可抗力による休業日
❸使用者側に起因する経営、管理上の障害による休業日
❹正当な争議行為により労務の提供が全くなされなかった日
❺代替休暇取得により終日出勤しなかった日 等
付与日数
付与日数 10日 11日 12日 14日 16日 18日 20日
◆年休の権利は2年で時効により消滅するので、未消化日数については翌年度に限り繰り越すことができる
重要な公式などは、カラーを効果的に使い、覚えやすく、整理して掲載しています。パッと見て視覚的に印象づけることができるので、暗記にとても便利です。
重要キーワードは付属の赤シートでキレイに隠れますので、暗記に便利です！

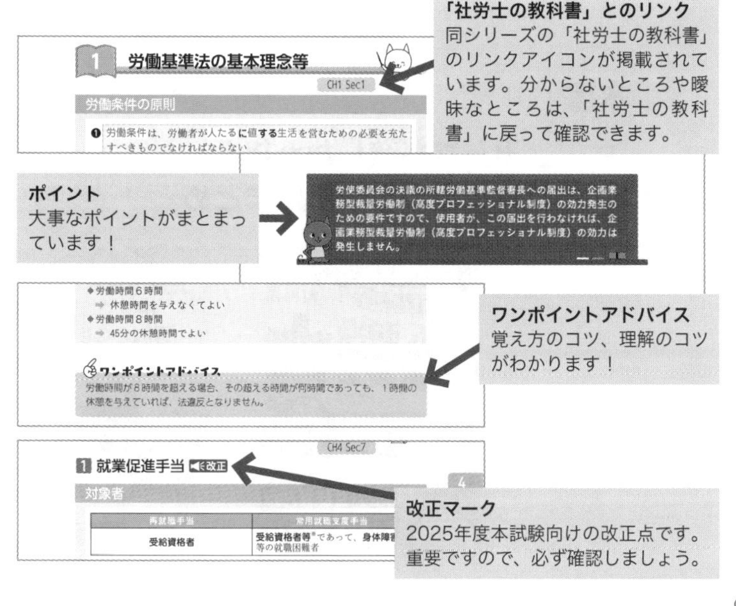
「社労士の教科書」とのリンク
同シリーズの「社労士の教科書」のリンクアイコンが掲載されています。分からないところや曖昧なところは、「社労士の教科書」に戻って確認できます。
1 労働基準法の基本理念等
CH1 Sec1
労働条件の原則
❶ 労働条件は、労働者が人たるに値する生活を営むための必要を充たすべきものでなければならない
ポイント
大事なポイントがまとまっています！
労使委員会の決議の所轄労働基準監督署長への届出は、企画業務型裁量労働制（高度プロフェッショナル制度）の効力発生のための要件ですので、使用者が、この届出を行わなければ、企画業務型裁量労働制（高度プロフェッショナル制度）の効力は発生しません。
◆労働時間6時間
⇒ 休憩時間を与えなくてよい
◆労働時間8時間
⇒ 45分の休憩時間でよい
ワンポイントアドバイス
労働時間が8時間を超える場合、その超える時間が何時間であっても、1時間の休憩を与えていれば、法違反となりません。
ワンポイントアドバイス
覚え方のコツ、理解のコツがわかります！
CH4 Sec7
1 就業促進手当 改正
対象者
再就職手当
常用就職支度手当
受給資格者
受給資格者等であって、身体障害者等の就職困難者
改正マーク
2025年度本試験向けの改正点です。重要ですので、必ず確認しましょう。

本書の効果的な活用法

本書は同シリーズである「みんなが欲しかった！」シリーズとともに活用していただくと、より効果を発揮します。教科書や問題集で基本的な知識のインプットを終えたあと、科目横断整理で知識を整理して、重要事項をガッチリ固めていきましょう。

みんなが欲しかった！
社労士の教科書

みんなが欲しかった！
社労士の問題集

本書

みんなが欲しかった！
社労士全科目横断総まとめ

CONTENTS

◆ 全科目横断編

似ているけど法律によって少しずつ違うもの、
法律は異なっても共通するものは、ここでまとめてチェック!!

1 適用等

目的条文はここで絶対に暗記しましょう！
届出なども試験に頻出です！

2　通則事項

時効、罰則など、盲点になりがちなところも
科目横断チェックで即攻略!!

◆総まとめ編

法律ごとに、重要事項をチェックしていきます。
社労士の教科書で学んだ内容を一気に固めていきましょう!!

1　労働基準法

条文を正確に理解することがこの科目の攻略ポイントです！

2 労働安全衛生法

試験頻出の安全衛生管理体制は、
本書で完璧に覚えてしまいましょう！

3 労働者災害補償保険法

保険給付を中心に、
しっかり整理しましょう。

4　雇用保険法

毎年改正も多い科目ですので、
注意しましょう。

5　労働保険の保険料の徴収等に関する法律

手薄になりがちな科目ですので、ここで再確認しておきましょう。

6　労務管理その他の労働に関する一般常識

法規の重要事項を凝縮しました。
本書の内容は完璧にしましょう。

7　健康保険法

保険給付を中心に重要事項を一気に確認しましょう。

8　国民年金法及び厚生年金保険法

国年、厚年でまとめて整理！
年金の重要事項を一気に
確認しましょう。

9　社会保険に関する一般常識

どれも重要な法律ばかりです。
最後までキッチリ確認しましょう！

本書は、2024年10月30日現在において、公布され、かつ、2025年本試験受験案内が発表されるまでに施行されることが確定しているものに基づいて作成しております。

なお、2024年10月31日以降に法改正のあるもの、また法改正はなされているが、施行規則等で未だ細目について定められていないものについては、2025年２月上旬より、下記ホームページの「法改正情報」コーナーにて改正情報を順次公開いたします。

TAC出版書籍販売サイト「サイバーブックストア」
https://bookstore.tac-school.co.jp

全科目横断編

1 適用等

1 目的等

労働基準法

(1) 労働条件は、労働者が**人たるに値する生活**を営むための**必要**を充たすべきものでなければならない

(2) 労働基準法で定める労働条件の基準は**最低**のものであるから、労働関係の当事者は、この**基準を理由**として**労働条件を低下**させてはならないことはもとより、その**向上**を図るように努めなければならない

労働安全衛生法

労働安全衛生法は、**労働基準法**と相まって、労働災害の防止のための

❶ **危害防止基準**の確立、❷ **責任体制**の明確化

及び

❸ **自主的活動**の促進 の措置を講ずる等

その防止に関する総合的計画的な対策を推進することにより

↓

職場における労働者の安全と健康を**確保**するとともに、快適な職場**環境の形成**を促進することを**目的**とする

労働者災害補償保険法

労働者災害補償保険は、

❶ 以下の①～③による労働者の負傷、疾病、障害、死亡**等**に対して迅速 かつ 公正**な保護**をするため、必要な保険給付を行い

① 業務上の事由

② **事業主が**同一人でない**2以上**の事業に使用される労働者（「複数事業**労働者**」）の2以上の事業の業務**を要因**とする事由

③ 通勤

＋ あわせて

❷ 上記❶①～③により負傷し、又は疾病にかかった労働者の社会復帰**の促進**、当該労働者及びその遺族の援護、労働者の安全**及び**衛生**の確保**等を図り

↓ もって

労働者の福祉の増進に寄与することを**目的**とする

雇用保険法

雇用保険は、

❶ 労働者が失業した場合及び労働者について雇用の継続**が困難**となる事由が生じた場合に必要な給付を行う

ほか

❷ 労働者が**自ら職業に関する**教育訓練を受けた場合並びに労働者が子**を**養育するための**休業**及び所定労働時間**を**短縮することによる**就業**をした場合に必要な給付を行う

↓ ことにより

労働者の生活**及び**雇用の安定を図るとともに、求職活動を容易にする等その就職を促進する

＋ あわせて

❸ 労働者の**職業の安定**に資するため、失業の予防、雇用状態**の是正**及び雇用機会**の増大**、労働者の**能力の開発及び向上**その他労働者の福祉の増進を図る

ことを**目的**とする

労働保険の保険料の徴収等に関する法律

労働保険の保険料の徴収等に関する法律は、労働保険の事業の効率的な運営を図るため、以下のことに関し必要な事項を定めるものとする

❶ 労働保険の**保険関係の**成立**及び**消滅

❷ 労働保険料**の納付**の手続

❸ 労働保険事務組合等

健康保険法

健康保険法は、

労働者又はその被扶養者の業務災害**以外**の疾病、負傷若しくは死亡又は出産に関して**保険給付**を行い、

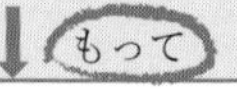

国民の生活の安定と福祉の向上に寄与することを**目的**とする

国民年金法

(1) 国民年金制度は、
日本国憲法第25条第2項(注)に規定する理念に基づき、**老齢**、**障害**又は**死亡**によって国民生活の安定がそこなわれることを**国民の共同連帯**によって防止し、

↓ もって

健全な国民生活の維持及び向上に寄与することを**目的**とする

(注) 日本国憲法第25条第2項
国は、すべての生活部面について、社会福祉、社会保障及び公衆衛生の向上及び増進に努めなければならない

(2) 国民年金は、(1)の目的を達成するため、国民の老齢、障害又は死亡に関して必要な給付を行うものとする

厚生年金保険法

厚生年金保険法は、
労働者の**老齢**、**障害**又は**死亡**について保険給付を行い、

労働者及びその遺族の生活の安定と福祉の向上に寄与することを**目的**とする

労働組合法

労働組合法は、以下のことを**目的**とする

❶ 労働者が使用者との**交渉**において**対等の立場**に立つことを促進することにより労働者の**地位を向上**させること

❷ 労働者がその**労働条件**について交渉するために自ら**代表者**を選出することその他の**団体行動**を行うために**自主的に労働組合を組織**し、**団結**することを**擁護**すること

❸ 使用者と労働者との関係を**規制**する**労働協約を締結**するための**団体交渉**をすること及びその**手続を助成**すること

労働契約法

労働契約法は、

労働者及び使用者の自主的**な**交渉の下で、労働契約が合意**により成立し、又は変更**されるという合意**の原則**その他労働契約に関する基本的事項を定めることにより、合理的**な労働条件の決定又は変更**が円滑に行われるようにすることを通じて、

↓

労働者の保護を図りつつ、個別の労働関係の安定に資することを**目的**とする

個別労働関係紛争解決促進法

個別労働関係紛争解決促進法は、

個別労働関係**紛争**(注)について、**あっせん**の制度を設けること等

↓ により

その実情に即した迅速 **かつ** 適正**な紛争の**解決を図ることを**目的**とする

(注) 個別労働関係紛争
労働条件その他労働関係に関する事項についての**個々の労働者と事業主との間の紛争**(労働者の募集**及び**採用に関する事項についての個々の求職者と事業主との間の紛争を含む)

パートタイム・有期雇用労働法

パートタイム・有期雇用労働法は、

我が国における少子高齢**化の進展**、就業構造**の変化**等の社会経済情勢**の変化**に伴い、短時間・有期雇用労働者の果たす役割の重要性が増大していることに鑑み、

↓

短時間・有期雇用労働者について、その適正**な**労働条件**の**確保、雇用管理**の改善**、通常**の**労働者への転換**の推進**、職業能力**の**開発**及び**向上等に関する措置等を講ずることにより

↓

通常**の**労働者との均衡**のとれた**待遇の確保等を図ることを通じて短時間・有期雇用労働者がその有する能力**を**有効**に**発揮することができるようにし、

↓ もって

その福祉**の**増進を図り、あわせて経済**及び**社会**の**発展に寄与することを**目的**とする

最低賃金法

最低賃金法は、

賃金の**低廉**な労働者について、**賃金**の**最低額**を保障することにより労**働条件**の**改善**を図り

↓ もって

❶ 労働者の生活の安定、労働力の質的向上及び事業の公正な競争の確保に資する

❷ 国民経済の健全な発展に寄与する

ことを**目的**とする

労働施策総合推進法

労働施策総合推進法は、

国が、少子高齢**化**による人口構造**の変化等**の経済社会情勢**の変化**に対応して、**労働**に関し、その政策全般にわたり、必要な施策を総合的に講ずることにより

↓

労働市場**の機能**が適切に発揮され、**労働者の多様な事情**に応じた雇用**の安定**及び職業生活**の充実**並びに労働生産性**の向上**を促進して

↓

労働者がその有する能力**を有効に発揮**することができるようにする

↓ これを通じて

労働者の職業**の**安定と経済的社会的地位**の向上**とを図るとともに、経済**及び**社会**の発展**並びに完全雇用**の達成**に資することを**目的**とする

職業安定法

職業安定法は、労働施策総合推進法と相まって、

❶ 公共**に奉仕**する公共職業安定所その他の職業安定**機関**が関係行政庁又は関係団体の協力を得て職業紹介**事業**等を行うこと

❷ 職業安定**機関以外の者**の行う職業紹介**事業**等が労働力の需要供給の適正 かつ 円滑な調整に果たすべき役割に鑑みその適正な運営を確保すること等

↓ により

各人にその有する能力に適合する職業**に就く**機会を与え、及び産業に必要な労働力**を**充足

↓ もって

職業**の**安定を図るとともに、経済及び社会の発展に寄与することを**目的**とする

国民健康保険法

(1) 国民健康保険法は、

国民健康保険事業の健全な運営を確保し、もって社会保障**及び**国民保健**の向上**に寄与することを**目的**とする

(2) 国民健康保険は、被保険者の**疾病**、**負傷**、**出産**又は**死亡**に関して必要な保険給付を行うものとする

船員保険法

船員保険法は、以下を行うこと等により、船員の生活の安定と福祉の向上に寄与することを**目的**とする

❶ **船員**又はその**被扶養者**の職務外**の事由**による**疾病**、**負傷**、**死亡**又は出産に関して保険給付を行う

❷ 労働者災害補償保険による保険給付と併せて船員の**職務上の事由**又は**通勤**による**疾病**、**負傷**、障害又は**死亡**に関して保険給付を行う

高齢者の医療の確保に関する法律

高齢者の医療の確保に関する法律は、

❶ 国民の高齢期における適切な医療の確保を図るため、**医療費の適正化**を推進するための**計画の作成**及び保険者による**健康診査等の実施**に関する措置を講ずる

&

❷ 高齢者の医療について、**国民の共同連帯**の理念等に基づき、**前期高齢者**に係る**保険者間の費用負担の調整**、**後期高齢者**に対する**適切な医療の給付等**を行うために必要な制度を設ける

↓ もって

国民保健**の向上**及び**高齢者の福祉の増進**を図ることを**目的**とする

介護保険法

介護保険法は、

加齢に伴って生ずる心身**の変化**に起因する疾病等により**要介護状態**となり、**入浴**、**排せつ**、**食事**等の**介護**、機能訓練並びに**看護**及び療養上**の管理**その他の医療を要する者等について、

これらの者が尊厳**を保持**し、その有する**能力**に応じ自立**した日常生活**を営むことができるよう、必要な保健医療**サービス**及び福祉**サービス**に係る給付を行うため、

国民の共同連帯の理念に基づき介護保険制度を設け、その行う保険給付等に関して必要な事項を定め、

国民の**保健医療の向上**及び**福祉の増進**を図ることを**目的**とする

確定拠出年金法

確定拠出年金法は、

少子高齢化の進展、高齢期の生活の多様化等の社会経済情勢の変化にかんがみ

↓

個人又は事業主が拠出した資金を個人が自己の責任において運用の指図を行い、高齢期においてその結果に基づいた給付を受けることができるようにするため

↓

確定拠出年金について必要な事項を定め、国民の高齢期における所得の確保に係る自主的な努力を支援する

↓ もって

公的年金の給付と相まって国民の生活の安定と福祉の向上に寄与することを**目的**とする

確定給付企業年金法

確定給付企業年金法は、

少子高齢化の進展、産業構造の変化等の社会経済情勢の変化にかんがみ

↓

事業主が従業員と給付の内容を約し、高齢期において従業員がその内容に基づいた給付を受けることができるようにするため

↓

確定給付企業年金について必要な事項を定め、国民の高齢期における所得の確保に係る自主的な努力を支援する

↓ もって

公的年金の給付と相まって国民の生活の安定と福祉の向上に寄与することを**目的**とする

社会保険労務士法

社会保険労務士法は、

社会保険労務士の制度を定めて、その業務の適正を図り、

↓ もって

❶ 労働及び社会保険に関する法令の円滑な実施に寄与する

とともに、

❷ 事業の健全な発達と労働者等の福祉の向上に資する

ことを**目的**とする

2 適用事業等

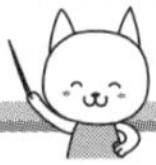

1 適用事業・任意適用事業

法規	強制適用事業	(暫定)任意適用事業			
労基法	事業（同居の親族のみの事業を除く）	―			
労災法	労働者を**使用**する事業	個人経営	農業	使用労働者数が**常時**5人**未満** かつ 特定危険有害作業を行わない	事業主が**特別加入**していない
			水産業		以下のいずれかの漁船による事業（船員を使用して行う船舶所有者の事業を除く）であること ❶総トン数5トン**未満**の漁船 ❷主として河川、湖沼**又は**特定水面で操業する漁船
			林業	**常時労働者を使用しない** かつ、年間使用延べ労働者数が300人**未満**	
雇保法	労働者が**雇用**される事業	個人経営	**農林水産業**（船員が雇用される水産の事業を除く）	使用労働者数が**常時**5人**未満**	
健保法	・**常時**5人**以上**の従業員を使用する適用業種の**個人**事業所 ・**常時1人以上**の従業員を使用する**国、地方公共団体又は法人**の事業所 ・**船舶**（厚年法のみ）	個人経営	以下のいずれかの事業所 ❶**常時**5人**未満**の従業員を使用する事業所（適用・非適用業種を問わない） ❷**非適用業種**の事業所（常時5人以上でも任意適用） ※非適用業種…農林水産、理容美容、興行、接客娯楽、宗教		
厚年法					

2 任意加入要件

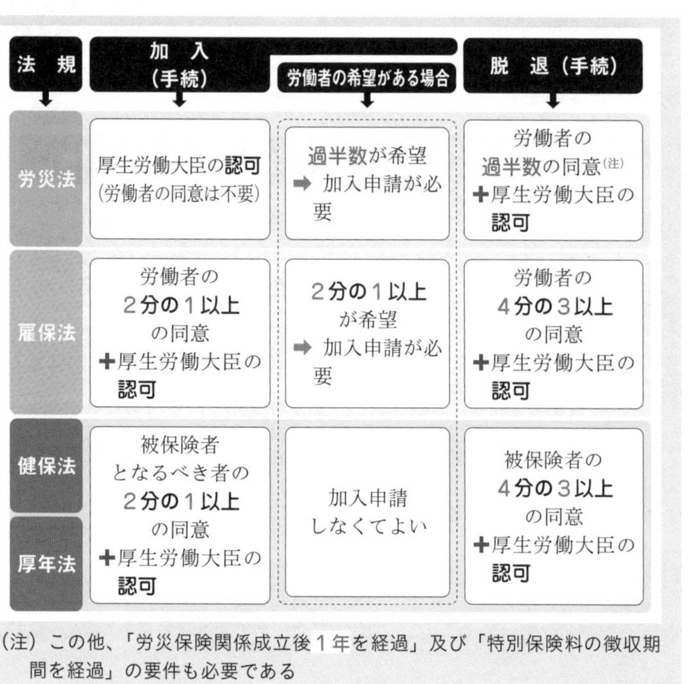

法規	加入（手続）	労働者の希望がある場合	脱退（手続）
労災法	厚生労働大臣の**認可** （労働者の同意は不要）	**過半数**が希望 ➡ 加入申請が必要	労働者の **過半数**の同意（注） ＋厚生労働大臣の **認可**
雇保法	労働者の **2分の1以上** の同意 ＋厚生労働大臣の **認可**	**2分の1以上** が希望 ➡ 加入申請が必要	労働者の **4分の3以上** の同意 ＋厚生労働大臣の **認可**
健保法 厚年法	被保険者 となるべき者の **2分の1以上** の同意 ＋厚生労働大臣の **認可**	加入申請 しなくてよい	被保険者の **4分の3以上** の同意 ＋厚生労働大臣の **認可**

（注）この他、「労災保険関係成立後1年を経過」及び「特別保険料の徴収期間を経過」の要件も必要である

3 適用除外

1 公務員等

法規	一般職の国家公務員（行政執行法人の職員(注)を除く）	行政執行法人の職員(注)	地方公務員
労基法	適用除外	適用	一部適用
労災法	適用除外	適用除外	現業部門の一定の非常勤職員のみ適用
雇保法	❶退職給与の内容が求職者給付及び就職促進給付の内容を超える者は適用除外 ❷適用除外とするためには、都道府県職員については厚生労働大臣の承認、市町村職員については厚生労働大臣の定める基準による都道府県労働局長の承認が必要（国家公務員は承認不要）		
健保法	適用（共済組合の組合員には給付・保険料徴収を行わない）		
厚年法	適用		

（注）行政執行法人の職員とは、国立印刷局、造幣局等の職員をいう

2 船員・事業主等

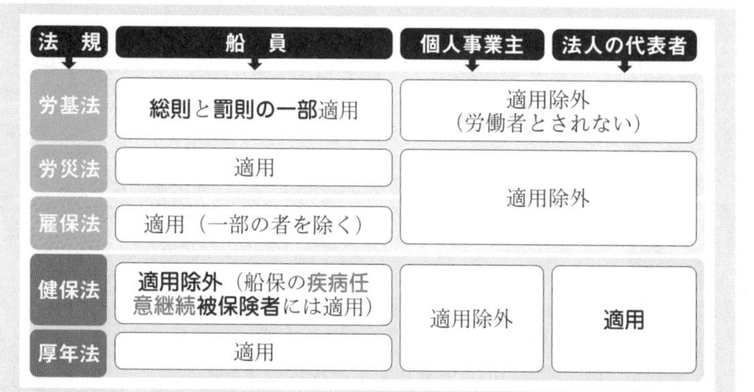

法規	船員	個人事業主	法人の代表者
労基法	**総則**と**罰則の一部**適用	適用除外（労働者とされない）	
労災法	適用	適用除外	
雇保法	適用（一部の者を除く）		
健保法	**適用除外**（船保の疾病任意継続**被保険者**には適用）	適用除外	**適用**
厚年法	適用		

❶**同居の親族**（**家族従事者**）、**家事使用人**については、原則として労働者と認められないため、労基法、労災法及び雇保法は適用されない

❷個人事業主、家族従事者、法人の代表者、船舶所有者については、所定の要件を満たすことにより、労災保険に**特別加入**することができる

3 高年齢労働者、短時間労働者及び派遣労働者

高年齢労働者

雇保法	65**歳以上**の者は、**短期雇用特例**被保険者又は**日雇労働**被保険者となる場合を除き、高年齢**被保険者**となる（一般被保険者とならない） 〈特例〉 ２**以上**の事業主の適用事業に雇用される**65歳以上**の者については、それぞれ１の事業主の適用事業における週所定労働時間が20時間未満であっても、２**の事業主の適用事業**における**週所定労働時間の合計が20時間以上**であるときには、申出により**高年齢被保険者**（特例高年齢**被保険者**）となることができる場合あり
健保法	**被保険者**となる〔後期高齢者医療の被保険者等（75歳以上の者等）を除く〕
厚年法	70**歳以上の者**は、原則として被保険者とならない（**高齢任意加入被保険者**等となることはある）

短時間労働者

雇保法

1週間の所定労働時間が**20時間以上**で、かつ、同一の事業主の適用事業に継続して**31日以上**雇用されることが見込まれれば、被保険者となる（これに該当しなくても、日雇労働被保険者となることがある）

健保法 **厚年法**

次の(1)又は(2)のいずれかに該当する者は、被保険者となる

(1) **1週間の所定労働時間**及び**1月間の所定労働日数**が同一の事業所に使用される**通常の労働者**の1週間の所定労働時間及び1月間の所定労働日数の**4分の3以上**（**4分の3基準**）である者

(2) 上記(1)の**4分の3基準を満たさない者**であって、以下の❶～❹の要件のすべてを満たすもの

❶1週間の所定労働時間が**20時間以上**であること

❷**報酬**（最低賃金法において賃金に算入しないこととされているものに相当するものを除く）について、標準報酬月額の資格取得時決定の例により算定した額が、**88,000円以上**であること

❸**生徒、学生等でない**こと

❹**特定適用事業所**等一定の適用事業所に使用されていること

※特定適用事業所 **改正**

事業主が同一である1又は2以上の適用事業所であって、当該1又は2以上の適用事業所に使用される**特定労働者**の総数が**常時50人を超える**ものの各適用事業所

派遣労働者

雇保法

1週間の所定労働時間が**20時間以上**で、かつ、同一の事業主の適用事業に継続して**31日以上**雇用されることが見込まれれば、**派遣元**の事業所の被保険者となる（これに該当しなくても、日雇労働被保険者となることがある）

健保法 **厚年法**

派遣元の事業所の被保険者となる〔いわゆる**登録型**の場合、最大**1月以内**に次の就業（**1月以上**のものに限る）が確実に見込まれる場合には、被保険者の資格を存続させることが可能〕

4 臨時的労働者

法規	日雇	2月以内の期間雇用	4月以内の季節的雇用	6月以内の臨時的事業雇用
雇保法	**前2月の各月に18日以上**、又は**継続して31日以上**雇用された場合に被保険者となる（注1）	規定なし	**所定の期間を超えた日**から被保険者（原則）となる（注1）	規定なし
健保法	**1月を超えて**引き続き使用された日から被保険者となる（注2）	❶その定めた期間を超えて使用されることが見込まれる場合は、**当初から**被保険者となる（注2） ❷その定めた期間を超えて使用されることが見込まれない場合は、**当該期間を超えて引き続き使用された日**から被保険者となる（注2）	被保険者とならない（業務の都合等で継続して4月又は6月を超えて使用されても被保険者としない）（注3）	
厚年法	（同上）	（同上）	（同上）	

（注1）これらに該当しなくても日雇労働被保険者になることはある
（注2）これらに該当しなくても、健保法では日雇特例被保険者になることがある
（注3）ただし、健保法では日雇特例被保険者になることがある

4 届出

1 事業所に関する届出

事由	法規	届書		提出期限	提出先
事業開始	雇用	適用事業所設置届		10日以内	所轄公共職業安定所長
	徴収	保険関係成立届			所轄労働基準監督署長 所轄公共職業安定所長
		概算保険料申告書 継続（年度の6月1日から） （成立年度：成立日から） 有期（成立日から）		 40日以内 50日以内 20日以内	所轄都道府県労働局 歳入徴収官
	健保 厚年	新規適用届 （新規適用船舶所有者届）		5日以内 （10日以内）	日本年金機構 健康保険組合
特定適用事業所該当・不該当	健保 厚年	該当の届出	特定適用事業所該当届	5日以内	日本年金機構 健康保険組合
		不該当の申出	特定適用事業所不該当届	—	日本年金機構 健康保険組合
事業廃止等	雇用	適用事業所廃止届		10日以内	所轄公共職業安定所長
	徴収	確定保険料申告書 継続（次年度の6月1日から） （消滅年度：消滅日から） 有期（消滅日から）		 40日以内 50日以内 50日以内	所轄都道府県労働局 歳入徴収官
		一括有期事業報告書 次年度の6月1日から 消滅年度：消滅日から		 40日以内 50日以内	所轄都道府県労働局 歳入徴収官
	健保 厚年	適用事業所全喪届 （不適用船舶所有者届）		5日以内 （10日以内）	日本年金機構 健康保険組合

事由	法規	届書	提出期限	提出先
事業主・事業所の名称・住所変更	雇用	事業主事業所各種変更届	10日以内	所轄公共職業安定所長
	徴収	名称・所在地等変更届		所轄労働基準監督署長 所轄公共職業安定所長
		継続被一括事業名称・所在地変更届	**遅滞なく**	**指定事業**に係る所轄都道府県労働局長
	健保 厚年	適用事業所所在地・名称変更（訂正）届〔船舶所有者氏名（名称）住所（所在地）変更届〕	5日以内 （速やかに）	日本年金機構 健康保険組合
	参考	法人の代表取締役の氏名・住所に変更があった場合、労働保険では届出は不要、社会保険では「事業所関係変更（訂正）届」を提出		

ワンポイントアドバイス

事業所に関する届出の提出期限については、雇保法では「10日以内」、健保法と厚年法では「5日以内」が多くなっています。

2 被保険者に関する届出

※ 厚年の届出は、第1号厚生年金被保険者に係るものを記載しています

事由	法規	届書	提出期限	提出先
資格取得	雇用	被保険者資格取得届 （日雇労働被保険者）	**翌月10日** **（5日以内）**	所轄公共職業安定所長 （管轄公共職業安定所長）
	健保	被保険者資格取得届	5日以内	日本年金機構 健康保険組合
	厚年	被保険者資格取得届・70歳以上被用者該当届 （船員被保険者）	5日以内 （10日以内）	
	◆任意継続被保険者（健保）の資格取得の申出は資格喪失日から**20日以内**			
	国年	被保険者資格取得届(注)	14日以内	市町村長・日本年金機構
短時間労働者であるかないかの区別の変更	健保 厚年	被保険者区分変更届 （70歳以上被用者区分変更届：厚年のみ）	5日以内	日本年金機構 健康保険組合

事　由	法規	届　書	提出期限	提出先
種別変更	**厚年**	被保険者種別変更届	**5日以内**	日本年金機構
	国年	被保険者種別変更届(注)	**14日以内**	市町村長・日本年金機構
氏名住所変更	**健保**	◆被保険者氏名変更届※ ◆被保険者住所変更届※ ※ 機構保存本人確認情報の提供を受けることができる等の場合は不要	**遅滞なく**	日本年金機構 健康保険組合
		任意継続被保険者の氏名・住所変更届	**5日以内**	全国健康保険協会 健康保険組合
	厚年	被保険者氏名・住所変更届※ (適用事業所使用高齢任意加入被保険者) (船員被保険者) ※ 機構保存本人確認情報の提供を受けることができる場合は不要	**速やかに** (10日以内) (速やかに)	日本年金機構
	国年	被保険者氏名・住所変更届※(注) ※ 機構保存本人確認情報の提供を受けることができる場合は不要	**14日以内**	市町村長 日本年金機構
被扶養者非該当	**国年**	被扶養配偶者非該当届(注)	**14日以内**	日本年金機構
資格喪失	**雇用**	被保険者資格喪失届	**10日以内**	所轄公共職業安定所長
	健保	被保険者資格喪失届	**5日以内**	日本年金機構 健康保険組合
	厚年	被保険者資格喪失届・70歳以上被用者不該当届 (船員被保険者)	**5日以内** (10日以内)	
	国年	被保険者資格喪失届(注)	**14日以内**	市町村長・日本年金機構
転　勤	**雇用**	被保険者転勤届 (特例高年齢被保険者)	**10日以内**	**転勤後**の所轄公共職業安定所長 (管轄公共職業安定所長)
被保険者証滅失		被保険者証再交付申請書	規定なし	**任意**の公共職業安定所長
被扶養者の異動	**健保**	被扶養者（異動）届	**5日以内**	日本年金機構 健康保険組合
服役(出所)		第118条第1項(非)該当届		

事由	法規	届書	提出期限	提出先
高齢任意加入被保険者に係る同意（撤回）	厚年	事業主同意（同意撤回）届	**10日以内**	日本年金機構
2以上の事業所に使用	健保 厚年	所属選択届・2以上事業所勤務届	**10日以内**	日本年金機構 健康保険組合
賞与支払	健保	被保険者賞与支払届	**5日以内**	
	厚年	被保険者賞与支払届・70歳以上被用者賞与支払届 （船員被保険者）	**5日以内** （10日以内）	
定時決定	健保	被保険者報酬月額算定基礎届	**7月10日まで**	
	厚年	被保険者報酬月額算定基礎届・70歳以上被用者算定基礎届		
随時改定	健保	被保険者報酬月額変更届	**速やかに**	
	厚年	被保険者報酬月額変更届・70歳以上被用者月額変更届 （船員被保険者）	**速やかに** （10日以内）	
育児休業等終了時改定	健保 厚年	育児休業等終了時報酬月額変更届 （船員被保険者）	**速やかに** （10日以内）	
産前産後休業終了時改定	健保 厚年	産前産後休業終了時報酬月額変更届 （船員被保険者）	**速やかに** （10日以内）	

（注）国年の第3号被保険者の届書は事業主、共済組合等又は健康保険組合を経由して日本年金機構に提出する。また、20歳到達による第1号被保険者の資格取得届は、厚生労働大臣が機構保存本人確認情報の提供を受けることにより20歳到達の事実を確認できるときは、提出不要

ワンポイントアドバイス

被保険者に関する届出の提出期限については、雇保法では「10日以内」、国年法では「14日以内」、健保法と厚年法では「5日以内」が多くなっています。

3 受給権者に関する届出

届書等	法規	提出期限	提出先
定期報告書	労災	1～6月生れの者 ➡ 毎年 **6月30日**まで 7～12月生れの者 ➡ 毎年**10月31日**まで ◆正当な理由なく提出しないと保険給付の支払が「**一時差し止め**」となる	所轄労働基準監督署長
現況届等		■**原則**■ 受給権者の確認は、**毎月**、**住民基本台帳法**による**機構保存本人確認情報の提供**による ■**例外**■ 以下の場合は現況届等が必要 ❶住民基本台帳法による機構保存本人確認情報の提供が受けられないとき ❷加算額対象者がある障害基礎年金、加給年金額の対象者がある老齢・障害厚生年金の受給権者等（診断書添付）	日本年金機構
	国年・厚年	毎年、**誕生月の末日**（指定日）まで	
		◆正当な理由なく現況届等を提出しないと（保険）給付の支払が「一時差し止め」となる ◆指定日が裁定等の日後**1年以内**に到来する年は提出不要 ◆上記❷に係る現況届等は、年金が**全額支給停止**されている場合には、提出不要	
所在不明の届出	国年・厚年	年金給付の受給権者の所在が**1月以上**明らかでないときに、その者の属する世帯の世帯主等が届け出る ／ **速やかに**	日本年金機構
氏名・住所変更届、胎児出生届、遺族年金の失権届、加算額（加給年金額）対象者不該当届 等		(国年)**14日以内** (厚年)**10日以内**	日本年金機構
上記以外の国年・厚年のほとんどの届出〔**加算開始事由該当届、障害状態(不)該当届、支給停止事由該当(消滅)届**等〕		**速やかに**	日本年金機構

❶国年法・厚年法の「氏名・住所変更届」「年金受給権者死亡届」は、住民基本台帳法による機構保存本人確認情報の取得ができるとき（年金受給権者死亡届は、死亡日から**7日以内**に市町村に対して戸籍法の規定による死亡の届出をしたときに限る）には、それぞれ**提出不要**

❷加算額（加給年金額）の対象者が18歳の年度末、20歳、65歳に達しても加算額（加給年金額）対象者不該当の届を提出する必要はない

5 賃　金

1 賃金・報酬の共通点と相違点

共通点

賃金（報酬）とされるもの		賃金（報酬）とされないもの
◆基本給	◆**休業手当**（法定超過額を含む）	◆**休業補償**（法定超過額を含む）
◆時間外手当	◆通勤手当（通勤定期券を含む）	◆出張旅費・宿泊費
◆深夜手当	◆**税金**の補助	◆財形貯蓄・生命保険料の補助
◆休日手当	◆社会保険料の補助(注)	◆チップ（原則）
◆家族手当	◆奉仕料分配金	◆**解雇予告手当**
◆役職手当	◆スト妥結一時金	◆**傷病手当金**・出産手当金
◆住宅手当		

（注）健保組合が規約により事業主の負担割合を増加させてもその増加分は報酬とされない

相違点

項目		労基法	徴収法	健保法・厚年法
臨時又は3月を超える期間ごとに受ける賃金		賃金とする	賃金総額に算入する	報酬としない(注1)
現物給与	食事の供与	賃金としない（原則）	賃金総額に算入しない（原則）	**厚生労働大臣**がその**地方の時価**により定める額、又は**健保組合**が規約で定める額が報酬となる
	住宅の貸与	賃金としない(注2)	賃金総額に算入しない(注2)	
	制服 作業衣の供与	賃金としない（原則）	賃金総額に算入しない（原則）	報酬としない（原則）
祝金等	退職手当(原則)(注3)	定めがあると**賃金となる**	（定めがあっても）**賃金総額に算入しない**	**報酬としない**
	結婚祝金 死亡弔慰金 災害見舞金			（恩恵的なものは）**報酬としない**
	私傷病（病気）見舞金		定めがあると**賃金総額に算入する**	（恩恵的なものは）**報酬としない**(注4)

（注１）「３月を超える期間ごとに受けるもの」は、健保・厚年では「**賞与**」と定義

（注２）**均衡給与相当額**は賃金となり、又は賃金総額に算入する

（注３）**退職手当相当額**の全部又は一部を在職中に給与等に上乗せして**前払で支払う**場合は、原則として賃金・報酬・賞与となり、又は賃金総額に算入する

（注４）労働協約等により、労務不能となったときに報酬と傷病手当金との差額を見舞金として支給する場合は、報酬となる

2 平均賃金・給付基礎日額・賃金日額・基本手当日額

労基法

平均賃金（原則）

$$\frac{\text{算定事由発生日以前３箇月間の賃金総額} - \text{A期間中の賃金} - \text{B賃金}}{\text{上記３箇月間の総暦日数} - \text{A期間の日数}}$$

A期間

❶**業務上傷病**による療養のための休業期間
❷**産前産後**の休業期間
❸**使用者の責め**に帰すべき事由による休業期間
❹**育児・介護**休業期間
❺**試み**の使用期間
❻正当な争議行為による休業期間
❼組合専従中の期間

B賃金

❶**臨時**に支払われた賃金
❷**３箇月**を超える期間ごとに支払われる賃金
❸通貨以外のもので支払われた賃金で一定範囲に属しないもの

労災法

給付基礎日額

(1) 原則として平均賃金と同様であるが、以下の例外がある

❶以下の場合は、政府が算定する額を給付基礎日額とする（所轄労働基準監督署長が算定する）
ⓐ**じん肺患者**、振動障害患者の特例
ⓑ私傷病休業者、看護休業者の特例
ⓒ船員の特例
❷最低保障**4,090**円
❸端数処理 ➡ 1円未満切上げ（平均賃金は銭位未満切捨て）

(2) 特別加入者の場合は本人の希望に基づいて、**都道府県労働局長**が決定する〔**3,500円**（家内労働者等**2,000円**）～**25,000円**〕

雇保法

賃金日額（原則）

(1)

$$\frac{\boxed{\text{最後の6箇月間の賃金総額}} - \boxed{\text{A賃金}}}{180}$$

A賃金

❶**臨時**に支払われる賃金
❷**3箇月**を超える期間ごとに支払われる賃金

(2) 算定困難であるとき又は算定した賃金日額が適当でないときは、厚生労働大臣が定めるところにより算定した額を賃金日額とする
(3) **2,869円**を最低保障する
(4) 次の額を最高限度とする

❶60歳以上65歳未満 ➡ **16,490円**
❷45歳以上60歳未満（介護休業者）➡ **17,270円**
❸30歳以上45歳未満（育児休業者）➡ **15,690円**
❹30歳未満（65歳以上）➡ **14,130円**

(5) （自己の労働による収入1日分－**1,354**円）と基本手当日額との合計額が、賃金日額の80％を超えるときは、その超過額が減額される（超過額が基本手当日額以上であるときは不支給）

基本手当日額 賃金日額に**50%**（離職日において60歳以上65歳未満の受給資格者は**45%**）から**80%**の給付率を乗じて得た額

労基法・労災法・雇保法

日給者等の最低保障

平均賃金 **給付基礎日額**	$\frac{\text{3箇月間の日給等の総額}}{\text{3箇月間の労働日数}}$	× 60%
賃金日額	$\frac{\text{6箇月間の日給等の総額}}{\text{6箇月間の労働日数}}$	× 70%

3 標準報酬月額

(1) 標準報酬月額の決定・改定

資格取得時決定

対象者	被保険者の資格を取得した者
決定方法	❶**月給**、**週給**等の場合は、被保険者資格取得日現在の報酬の額をその期間の総日数で除して得た額の**30倍**に相当する額を報酬月額として、標準報酬月額を決定 ❷**日給**、**時間給**、**出来高給**等の場合は、被保険者の資格を取得した**月前１月間**に当該事業所で、**同様の業務**に従事し、かつ、**同様の報酬**を受ける者が受けた報酬の**平均額**を報酬月額として、標準報酬月額を決定 ❸❶❷によって算定することが困難である場合は、被保険者の資格を取得した**月前１月間**に**その地方**で**同様の業務**に従事し、かつ、**同様の報酬**を受ける者が受けた報酬の**額**を報酬月額として、標準報酬月額を決定
有効期間	1月1日～ 5月31日に資格取得 ➡ **当年の8月まで** 6月1日～12月31日に資格取得 ➡ **翌年の8月まで**

定時決定

対象者	毎年**7月1日**現在において被保険者であるもの **除外者** ◆6月1日～7月1日に**被保険者の資格を取得**した者 ◆随時改定、育児休業等終了時改定、産前産後休業終了時改定により**7月～9月**に標準報酬月額が**改定**され、又は改定される予定の者
対象月	**4月・5月・6月の3月間** **除外** 報酬支払基礎日数が17日〔1週間の所定労働時間が同一の事業所に使用される通常の労働者の1週間の所定労働時間の**4分の3未満**である短時間労働者又は1月間の所定労働日数が同一の事業所に使用される通常の労働者の1月間の所定労働日数の**4分の3未満**である短時間労働者（以下「4分の3基準を満たさない短時間労働者」という）にあっては、11日〕**未満の月**があるときは、その月は**除く**
決定方法	3月間（原則）の報酬の平均額を報酬月額として、標準報酬月額を決定
改定月	9月
有効期間	当年の**9月**から翌年の**8月**まで ※有効期間内に随時改定、育児休業等終了時改定又は産前産後休業終了時改定が行われる場合は、改定月の前月までが有効期間となる

随時改定

要　件	❶**固定的賃金**の変動があったこと（✖残業等による変動） ❷３月間の報酬の平均額による標準報酬月額が、従前の報酬月額による標準報酬月額と比べて、**２等級以上の差**を生じたこと ❸３月間の**いずれの月**も報酬支払基礎日数が17日（４分の３基準を満たさない短時間労働者にあっては、11日）**以上**あること
対象期間	変動月以降の継続した**３月間**
改定方法	３月間の報酬の平均額を報酬月額として、標準報酬月額を改定
改定月	著しく高低を生じた月の翌月（変動月から４月目）
有効期間	**1月**～ 6月改定 ➡ **当年の**８**月まで** 7月～**12月**改定 ➡ **翌年の**８**月まで** ※有効期間内に随時改定、育児休業等終了時改定又は産前産後休業終了時改定が行われる場合は、当該改定月の前月までが有効期間となる

定時決定、育児休業等終了時改定及び産前産後休業終了時改定では、対象期間である「３月間」に報酬支払基礎日数が17日（11日）未満の月があるときは、その月を除いて報酬月額を算定し、標準報酬月額を決定・改定するのに対して、随時改定では、「３月間」に報酬支払基礎日数が17日（11日）未満の月があるときには、改定を行いません。

育児休業等終了時改定

対象者	**育児休業等を終了**した被保険者で、その育児休業等に係る3歳**未満の子を養育**するもの（育児休業等終了日の翌日に産前産後休業**を開始**しているものを除く）
手続	**健保法**：**被保険者**が、その使用される事業所の**事業主を**経由して**保険者等**に**申出** **厚年法**：第1号厚生年金被保険者の場合であれば、**被保険者**が、その使用される事業所の**事業主を経由**して**実施機関**（＝厚生労働大臣）に**申出**
対象期間	育児休業等終了日の**翌日が属する月以後**3**月間**〔報酬支払基礎日数が17日（4分の3基準を満たさない短時間労働者にあっては、11日）**未満**の月は除く〕
改定方法	3月間（原則）の報酬の平均額を報酬月額として、標準報酬月額を改定
改定月	育児休業等終了日の**翌日から起算して**2月**を経過した日の属する月の**翌月
有効期間	**1月**～ 6月改定 ➡ **当年の**8**月まで** 7月～**12月**改定 ➡ **翌年の**8**月まで** ※有効期間内に随時改定、育児休業等終了時改定又は産前産後休業終了時改定が行われる場合は、当該改定月の前月までが有効期間となる

ワンポイントアドバイス

育児休業等終了時改定と産前産後休業終了時改定とは、対象者が異なるだけで、それ以外の各項目の内容は共通です。

産前産後休業終了時改定

対象者	**産前産後休業**(注)**を終了**した被保険者で、その産前産後休業に係る子を養育するもの（産前産後休業終了日の翌日に育児休業等**を開始**しているものを除く）
手　続	**健保法**：**被保険者**が、その使用される事業所の**事業主を**経由して**保険者等**に**申出** **厚年法**：第1号厚生年金被保険者の場合であれば、**被保険者**が、その使用される事業所の**事業主を経由**して**実施機関**（＝厚生労働大臣）に**申出**
対象期間	産前産後休業終了日の**翌日が属する月以後**3**月間**〔報酬支払基礎日数が17日（4分の3基準を満たさない短時間労働者にあっては、11日）**未満**の月は除く〕
改定方法	3月間（原則）の報酬の平均額を報酬月額として、標準報酬月額を改定
改定月	産前産後休業終了日の**翌日**から起算して2**月を経過した日の属する月の**翌月
有効期間	**1月～ 6月**改定 ➡ **当年の**8**月まで** 7月～**12月**改定 ➡ **翌年の**8**月まで** ※有効期間内に随時改定、育児休業等終了時改定、産前産後休業終了時改定が行われる場合は、当該改定月の前月までが有効期間となる

（注）産前産後休業
出産日（出産日が出産予定日後であるときは、出産予定日）**以前**42**日**（多胎妊娠の場合は、98**日**）から出産日**後**56**日**までの間において、妊娠**又は**出産に関する事由を理由として**労務に服さない**こと

留意点

❶算定が困難又は算定した額が著しく不当であるときは、保険者等（厚年法の場合は、実施機関）が算定する
❷同時に2以上の適用事業所に勤務する者の場合は、それぞれの事業所から受ける報酬について、それぞれ報酬月額に相当する額として算定した額の合算額を報酬月額とする
❸船舶と船舶以外の事業所に使用される場合は、船舶に係る報酬のみで算定した額を報酬月額とする（厚年法）

標準報酬月額の有効期間のまとめ

区分	有効期間
資格取得時決定	1/1 ～ 5/31に資格取得 ➡ **その年の8月**まで 6/1 ～ 12/31に資格取得 ➡ **翌年の8月**まで
定時決定	**その年の9月～翌年8月まで**
随時改定 育児休業等終了時改定 産前産後休業終了時改定	1月～ 6月に改定 ➡ **その年の8月**まで 7月～12月に改定 ➡ **翌年の8月**まで

(2) 等級区分及びその改定

		健保法	厚年法
等級区分		第1級58,000円～第50級1,390,000円	第1級88,000円～第32級650,000円
改定	内容	**政令**で、**最高等級の上**に更に等級を加える等級区分の改定を行うことができる	
	要件	毎年3月31日における標準報酬月額等級の最高等級**に該当する被保険者数の被保険者総数に占める割合**が100分の1.5**を超える**場合において、その状態が継続すると認められること	毎年3月31日における**全被保険者**の標準報酬月額**を平均した額の**100分の200**に相当する額**が標準報酬月額等級の最高等級**の標準報酬月額を超える**場合において、その状態が継続すると認められること
	制限等	その年の3月31日において、改定後の標準報酬月額等級の最高等級に該当する被保険者数の同日における被保険者総数に占める割合が100分の0.5を下回ってはならない	健保法に規定する標準報酬月額の等級区分を参酌して行う
	時期	その年の9月1日～	

(3) 任意継続被保険者等の標準報酬月額

健保法			
任意継続被保険者の標準報酬月額	協会管掌		次の❶❷のうちいずれか**少ない**額を**標準報酬月額とする** ❶**一般の被保険者の資格を喪失**したときの標準報酬月額 ❷**前年**（1月から3月までの標準報酬月額については、前々年）の**9月30日**における当該任意継続被保険者の属する保険者（全国健康保険協会）が管掌する**全被保険者の同月の標準報酬月額を平均した額**を標準報酬月額の基礎となる報酬月額とみなしたときの標準報酬月額
	組合管掌	原則	次の❶❷のうちいずれか**少ない**額を**標準報酬月額とする** ❶一般の被保険者の資格を喪失したときの標準報酬月額 ❷前年（1月から3月までの標準報酬月額については、前々年）の9月30日における当該任意継続被保険者の属する保険者（健康保険組合）が管掌する**全被保険者の同月の標準報酬月額を平均した額**（当該**平均した額の範囲内**で規約で定めた額があるときは、**規約で定めた額**）を標準報酬月額の基礎となる報酬月額とみなしたときの標準報酬月額
		特例	上記❶の額が❷の額を**超える**場合には、**規約で定める**ところにより❶の額（❷の額を超え❶の額未満の範囲内で規約で定めた額があるときは、規約で定めた額を標準報酬月額の基礎となる報酬月額とみなしたときの標準報酬月額）を**標準報酬月額とすることができる**
特例退職被保険者の標準報酬月額			特定健康保険組合が管掌する**前年**（1月から3月までの標準報酬月額については、前々年）の**9月30日**における**特例退職被保険者以外の全被保険者**の同月の標準報酬月額を**平均した額の範囲内**で**規約で定めた額**を標準報酬月額の基礎となる報酬月額とみなしたときの**標準報酬月額とする**

6 国庫負担・補助

1 事務費の負担

■原則■ 各法とも予算の範囲内において事務の執行に要する費用を全額国庫負担

■例外■ ❶雇保法の出生後休業支援給付及び育児時短就業給付に関する事務の執行に要する経費については国庫負担は行われず、子ども・子育て支援納付金が充てられる 改正

❷国保法の場合、都道府県等国保の事務費については国庫負担は行われず（国保組合に対しては行われる）、介護保険法の事務費についても国庫負担は行われない

2 給付費の負担

	国庫負担（補助）の対象		負担（補助）割合
労災法	予算の範囲内で費用の一部を補助することができる		
雇保法 改正	日雇労働求職者給付金**以外**の**求職者給付**（高年齢**求職者給付金**を除く）	**雇用情勢及び雇用保険の財政状況が悪化**している場合	給付費の4**分の**1
		上記**以外**の場合	給付費の40**分の**1
	広域延長給付受給者に係る求職者給付 日雇労働**求職者給付金**	**雇用情勢及び雇用保険の財政状況が悪化**している場合	給付費の3**分の**1
		上記**以外**の場合	給付費の30**分の**1
	雇用継続給付（介護休業給付金に限る）		給付費の8**分の**1 ※1
	育児休業**給付**（育児休業給付金**及び**出生時育児休業給付金）※2		給付費の8**分の**1
	能力開発事業として支給する**就職支援法事業**の職業訓練受講給付金		給付費の2**分の**1 ※3

※1　当分の間、その100分の55（**令和6年度から令和8年度まで**の各年度においては、100**分の**10）
※2　出生後休業支援給付及び育児時短就業給付については、子ども・子育て支援納付金が充てられる
※3　当分の間、その100**分の**55

		国庫負担（補助）の対象	負担（補助）割合
健保法	協会	**主要給付費等**に対する**国庫補助** ※（家族）出産育児一時金、（家族）埋葬料、埋葬費の給付費に対し国庫補助は行われない	給付費の **1000分の164**
		（家族）出産育児一時金の給付費に対する交付金（高齢者医療確保法の規定により支払基金から保険者に交付）の充当	給付費の一部につき出産育児交付金を充当
	組合	給付費に対する国庫補助	なし
		（家族）出産育児一時金の給付費に対する交付金の充当	給付費の一部につき出産育児交付金を充当
国年法		第１号被保険者の基礎年金の給付費（下記を除く）	給付費の**２分の１**
		老齢基礎年金の給付費 保険料４分の１免除期間	給付費の**７分の４**
		保険料半額免除期間	給付費の**３分の２**
		保険料４分の３免除期間	給付費の**５分の４**
		保険料全額免除期間 （学生納付特例・納付猶予期間は国庫負担なし）	給付費の**全額**
		20歳前傷病による障害基礎年金	給付費の**60%**
厚年法		基礎年金拠出金	拠出金の額の**2分の1**

ワンポイントアドバイス

国庫負担・補助に関する問題は、雇保法と国年法で、比較的よく出題されています。この２法に関する国庫負担割合を中心に、押えておきましょう。

7 保険料

1 労災保険率

事業の種類に応じて
最低1000分の2.5 ～最高1000分の88

事業の種類（主なもの）	労災保険率	負担割合
金属鉱業、非金属鉱業（石灰石鉱業又はドロマイト鉱業を除く）又は石炭鉱業	1000分の88	全額 事業主負担
通信業、放送業、新聞業又は出版業	1000分の2.5	
卸売業・小売業、飲食店又は宿泊業	1000分の3	
金融業、保険業又は不動産業	1000分の2.5	
その他の各種事業	1000分の3	

2 雇用保険率

事業の種類	令和6年度の雇用保険率
一般の事業	15.5 / 1000 事業主　：9.5 / 1000 被保険者：6 / 1000
農林水産・清酒製造業	17.5 / 1000 事業主　：10.5 / 1000 被保険者：7 / 1000
建設業	18.5 / 1000 事業主　：11.5 / 1000 被保険者：7 / 1000

（注１）農林水産業のうち、❶牛馬育成、酪農、養鶏又は養豚の事業、❷園芸サービスの事業、❸内水面養殖の事業、❹一定の漁船に乗り組むための船員が雇用される事業、に対しては、**「一般の事業」**の雇用保険率を適用する

（注２）二事業（就職支援法事業を除く）に係る負担は、事業主のみ

3 特別加入保険料

種類	特別加入保険料率	負担割合
第１種	中小事業主が行う事業に係る労災保険率	全額 事業主負担
第２種	1000分の3～1000分の52	
第３種	1000分の3	

4 印紙保険料

賃金日額	印紙保険料	負担割合
11,300円以上	176円	事業主と被保険者で 折半負担
8,200円以上11,300円未満	146円	
8,200円未満	96円	

5 健康保険の保険料

報酬に係る保険料

保険料率	協会管掌健康保険	組合管掌健康保険
一般保険料率 （基本保険料率＋特定保険料率）	❶1000分の30から1000分の130の範囲内において各都道府県ごとに支部被保険者を単位として都道府県単位保険料率を適用する ❷❶の保険料率を変更するときは、**厚生労働大臣の認可**を受けなければならず、大臣は認可をしたときは、遅滞なく、その旨を告示しなければならない	❶**1000分の**30から1000**分の**130の範囲内において決定する ❷規約により事業主の負担割合を増加できる（介護保険料額も同様） ❸一般保険料率を変更するときは、厚生労働大臣の**認可**を受けなければならない。ただし、**一般保険料率と調整保険料率とを合算した率に変更を生じない**場合には、認可を受けることは要せず、変更後の一般保険料率を**届け出**ればよい ❹**地域型健康保険組合**は、厚生労働大臣の**認可**を受けて、合併年度及びこれに続く**5箇年度**に限り、上記❶の範囲内において、不均一の**一般保険料率**を決定できる
介護保険料率	1000分の16.0	❶規約により、**特定被保険者**(注)からも介護保険料額を徴収できる ❷承認**健康保険組合**の場合は、特別介護**保険料額**（所得段階別定額保険料額）を用いることができる

（注）介護保険第２号被保険者である被扶養者を有する介護保険第２号被保険者以外の被保険者

納　付

項　目	一般の被保険者	任意継続被保険者
負担割合	事業主と被保険者で折半（原則）	全額自己負担
納付義務	事業主が**納入告知書**で納付	本人が**納付書**で納付
納付期日	翌月末日	**その月の10日**（初めて納付すべき保険料は保険者の指定日）
前　納	なし	半年度又は年度単位で前納できる
徴　収	被保険者の資格を**取得した月**から**喪失した月の前月**まで ◆**同月得喪**の場合は**１月分**徴収	◆同月得喪の場合は１月分徴収 ◆**初めて納付**すべき保険料を納付期日までに納付しなかったときは、原則として、**任意継続被保険者とならなかった**ものとみなす

ワンポイントアドバイス

健康保険の「任意継続被保険者」と、6「厚生年金保険の保険料」のところで登場する「事業主の同意のない高齢任意加入被保険者」とは、保険料の納付に関して、共通する点が多いのですが、「納期限」は異なります。混同しないように注意しましょう。

6 厚生年金保険の保険料

報酬に係る保険料

種　別	保険料率
第１号厚生年金被保険者	1000分の183.00
第２号厚生年金被保険者	
第３号厚生年金被保険者	
第４号厚生年金被保険者	1000分の**178.94** （令和７年４月～令和８年３月）

※第１号厚生年金被保険者の保険料率は平成29年９月から1000分の183.00とされ、第２号厚生年金被保険者及び第３号厚生年金被保険者の保険料率は平成30年９月から1000分の183.00に統一されている。また、第４号厚生年金被保険者の保険料率は、令和９年４月から1000分の183.00に統一される

納　付

項　目	一般の被保険者	事業主同意ない高齢任意加入被保険者
負担割合	事業主と被保険者で**折半**	**全額自己負担**
納付義務	事業主が**納入告知書**で納付	本人が**納付書で納付**
納付期日	翌月末日	翌月末日
徴　収	◆被保険者の資格を**取得した月**から**喪失した月の前月**まで ◆**同月得喪**の場合は**１月分**徴収（原則）	◆同月得喪の場合は１月分徴収（原則） ◆**初めて納付**すべき保険料を滞納し、督促状の指定期限までに納付しなかったときは、高齢任意加入被保険者**とならなかった**ものとみなす

※２以上の事業所に使用される者の保険料については、各事業主が折半負担・納付義務を負うが、事業所と船舶に使用される者の保険料については、**船舶所有者**が折半負担・納付義務を負う

7 健保法・厚年法共通

賞与に係る保険料

項目		健保法	厚年法
保険料額	算定方法	**標準賞与額**×保険料率	
	標準賞与額	賞与額の1,000**円未満**の端数を切り捨てて決定する	
		上限 **年度累計額573万円** cf.日雇特例被保険者の賞与に係る保険料の計算では、賞与額は日40万円を上限とする	上限 **月150万円**
	保険料率	報酬に係る保険料率と同様	
徴収		被保険者の資格取得月から**資格喪失月の前月**までの間に支払われた賞与について徴収 (➡ 報酬に係る保険料と同様、資格喪失月に支払われた賞与については徴収しない)	
納付		賞与を支払った日の属する月の**翌月末日**までに納付	
賞与額の届出		賞与を支払った日から5日**以内**に賞与支払届を日本年金機構又は健康保険組合に提出	

8 国年法

項　目	保険料	付加保険料
保険料額	17,000円×保険料改定率	400円
納付者	第１号被保険者・任意加入被保険者（世帯主・配偶者の一方は連帯納付義務あり）	第１号被保険者及び65歳**未満**の任意加入被保険者 ◆**農業者年金**の被保険者は全員 ◆**保険料免除者**（産前産後免除者を除く）・**国民年金基金の加入員**は納付者とならない
制　度	❶前納制度あり ➡ **6月又は年**を単位として前納・**2年単位**も可 ❷免除、追納制度あり	❶前納制度あり（単位は保険料と同じ） ❷免除、追納制度なし（ただし、滞納から２年間は納付できる）
納　付	被保険者の資格を**取得した日の属する**月から**喪失した日の属する月の**前月まで	❶厚生労働大臣に、**申出**をした日の属する**月**から納付する者となり、辞退の申出をした日の属する月の**前月**以後、納付する者でなくなる ❷国民年金基金の加入員となったときは、加入員となった日に、❶の辞退の申出をしたものとみなす
納期限	翌月末日	

◆国内在住の任意加入被保険者は、原則として口座振替により納付する

9 保険料の免除

(1) 健保法・厚年法の保険料免除

育児休業等期間中の保険料免除

対象者			**育児休業等**をしている被保険者（**産前産後休業期間中の保険料免除**の適用を受けている者を除く）
申出	健保法		**事業主**が保険者等に申出
申出	厚年法		（第１号・第４号厚年被保険者）**事業主**が実施機関に申出 （第２号・第３号厚年被保険者）**被保険者本人**が実施機関に申出
免除期間	**育児休業等開始日の属する月と育児休業等終了日の翌日が属する月とが異なる場合**	免除期間	育児休業等開始日の属する**月**～育児休業等終了日の**翌日が属する月の前月**
免除期間	**育児休業等開始日の属する月と育児休業等終了日の翌日が属する月とが同一である場合**	免除要件	育児休業等の日数として厚生労働省令で定めるところにより計算した日数が**14日以上**
免除期間		免除期間	当該月
免除対象保険料	育児休業等期間	１月超	**標準報酬月額**に係る保険料 ＋ **標準賞与額**に係る保険料
免除対象保険料	育児休業等期間	１月以下	**標準報酬月額**に係る保険料のみ
除外者	健保法		任意継続**被保険者**・特例退職**被保険者**

産前産後休業期間中の保険料免除

対象者		**産前産後休業**をしている被保険者
申出	健保法	**事業主**が保険者等に申出
	厚年法	（第1号・第4号厚年被保険者）**事業主**が実施機関に申出 （第2号・第3号厚年被保険者）**被保険者本人**が実施機関に申出
免除期間		産前産後休業開始日の属する**月** ～産前産後休業終了日の**翌日が属する月の前月**
除外者	健保法	任意継続**被保険者**・特例退職**被保険者**

少年院収容等の期間中の保険料免除

要件等	被保険者が以下に該当した場合 ❶少年院**等に収容**されたとき ❷刑事施設、労役場**等に拘禁**されたとき
免除期間	(1)　前月から引き続き被保険者である者 収容等された**月**～収容等されなくなった**月の前月** (2)　被保険者資格を取得した月に収容等された者 収容等された**月の翌月**～収容等されなくなった**月の前月** ※収容等された月に収容等されないこととなったときは、保険料は免除されない
除外者	任意継続**被保険者**・特例退職**被保険者**
厚年法	免除なし

(2) 国年法の保険料免除

<table>
<tr><th>項目</th><th>法定免除</th><th>全額免除</th><th>納付猶予</th><th>3/4免除</th><th>半額免除</th><th>学生納付特例</th><th>1/4免除</th></tr>
<tr><td>除外</td><td colspan="7">◆学生等は学生納付特例以外の申請による免除の適用なし
◆法定免除は、産前産後免除、4分の3免除、半額免除、4分の1免除適用者を除外
◆既に納付された保険料は免除対象から除外
◆任意加入被保険者は免除の適用なし</td></tr>
<tr><td>期間</td><td>要件該当月の前月～不該当月</td><td colspan="6">厚生労働大臣の指定する期間</td></tr>
<tr><td rowspan="4">要件</td><td>❶2級以上の障害年金受給</td><td colspan="2" rowspan="2">❶所得(注1)が次の額以下
単身
67万円
一般世帯
35万円×(扶養親族等(注2)の数＋1)＋32万円</td><td rowspan="2">❶所得(注1)が次の額以下
単身
88万円
一般世帯
88万円
＋(38万円
×扶養親族等(注2)の数)</td><td colspan="2" rowspan="2">❶所得(注1)が次の額以下
単身
128万円
一般世帯
128万円
＋(38万円
×扶養親族等(注2)の数)</td><td rowspan="2">❶所得(注1)が次の額以下
単身
168万円
一般世帯
168万円
＋(38万円
×扶養親族等(注2)の数)</td></tr>
<tr><td>❷生活保護法による生活扶助等を受ける</td></tr>
<tr><td rowspan="2">❸国立ハンセン病療養所、国立保養所等に入所</td><td colspan="6">❷生活保護法による生活扶助以外の扶助を受ける
❸地方税法に定める障害者、寡婦及びひとり親で所得(注1)が135万円以下
❹天災等の事由(災害による財産価格の2分の1以上の損害、失業又は事業の廃止・休止、配偶者の暴力その他)がある</td></tr>
<tr><td colspan="6">(注1)保険料を納付することを要しないものとすべき月の属する年の前年〔1月から6月(学生納付特例の場合は、3月)までの月分の保険料については、前々年〕の所得をいう
(注2)特定年齢扶養親族(30歳以上70歳未満の扶養親族)にあっては、控除対象扶養親族に限る</td></tr>
<tr><td>注意点</td><td colspan="7">◆法定免除の場合には、免除となった保険料について追納できるほか、申出により納付することもできる
◆世帯主又は配偶者のいずれかが上記全額免除、3/4免除、半額免除又は1/4免除の各要件のいずれにも該当しないときは、それぞれ、全額免除、3/4免除、半額免除又は1/4免除は行われない
◆学生納付特例は本人要件のみで判断する
◆配偶者が上記納付猶予の要件のいずれにも該当しないときは、納付猶予は行われない
◆納付猶予は、令和12年6月までの時限措置である</td></tr>
</table>

産前産後期間の保険料免除	
対象者	下記の産前産後期間にある**第1号被保険者**（任意加入被保険者を含まない）
免除となる産前産後期間	出産予定日の属する月（**出産予定月**）**の**前月（多胎妊娠の場合は、**3月前**）～ **出産予定月の**翌々月

(3) 国年法　追納

項　目	追　納
対象となる保険料	**保険料免除**に係る規定により**納付することを要しない**ものとされた保険料
対象外の者	老齢基礎年金**の受給権者**
手　続	**厚生労働大臣の**承認
対象期間	**承認**の日の属する**月前** **10年以内**の期間
加　算	免除月の属する年度の4月1日から起算して**3年**を経過した日以後に追納する場合には、「政令で定める額」が加算される
納付の順位	◆保険料の一部につき追納するときは、**学生納付特例・納付猶予**により免除された保険料につき行い、次いで法定・全額・3/4・半額・1/4免除により免除された保険料につき行い、これらの保険料のうちにあっては、**先に経過した月**の分から順次行う ◆ただし、学生納付特例・納付猶予に係る保険料より**前に納付義務が生じた**法定・全額・3/4・半額・1/4免除に係る保険料があるときは、当該保険料について**先に経過した月分**の保険料から追納することができる
納付みなし	**追納が行われた日**に、追納に係る月の保険料が納付されたものとみなされる
その他の留意点	3/4・半額・1/4免除の場合には、納付することを要しないものとされた額以外の額につき納付がなされていなければならない

8 滞納処分等

(1) 認定決定・追徴金

徴収法

項目		概算保険料	確定保険料	印紙保険料
認定決定	事由	❶概算保険料申告書（増加概算保険料申告書を除く）・確定保険料申告書を**提出しない**とき ❷提出した申告書の記載に誤りがあるとき		印紙保険料の納付を怠ったとき
	通知・納付	納付書	納入告知書	
	納期限	通知を受けた日から15日**以内**		調査決定をした日から20日**以内**の休日でない日
追徴金	事由		認定決定により労働保険料又はその不足額を納付するとき	**正当な理由**がなく印紙保険料の納付を怠ったとき
	通知・納付		納入告知書	
	額		納付すべき額（1,000円未満切捨て）×10/100	納付すべき額（1,000円未満切捨て）×25/100
	納期限		通知を発する日から起算して30日を経過した日	

(2) 繰上徴収

健保法・厚年法

❶納付義務者が、次のいずれかに該当する場合

ⓐ国税、地方税その他の公課の滞納によって、滞納処分を受けるとき
ⓑ強制執行を受けるとき
ⓒ破産手続開始**の決定**を受けたとき
ⓓ企業担保権**の実行手続の開始**があったとき
ⓔ競売**の開始**があったとき

❷法人である納付義務者が、解散をした場合
❸被保険者の使用される**事業所**が、廃止された場合

❹被保険者の使用される船舶について以下の事由が生じた場合（⬅厚年法のみ）
◆船舶所有者**の**変更があった場合
◆船舶が滅失し、沈没し、又は**全く**運航**に堪えなく**なるに至った場合

⑶ 督促・滞納処分

督　促

内　容		徴収金を滞納する者があるときは、**期限を指定**して**督促**する
督促する者	徴収法	➡ 政府
	健保法	➡ 保険者等（協会・組合・厚生労働大臣）
	国年法・厚年法	➡ 厚生労働大臣
督促状の指定期限		督促状を発する日から起算して**10日以上経過した日**

滞納処分

国税滞納処分の例による処分	徴収法・健保法・国年法・厚年法	督促を受けた者が督促状の指定期限までに徴収金を納付しないときは、政府（徴収法）、保険者等（健保法）、厚生労働大臣（国年法・厚年法）は、**国税滞納処分の例**によって、これを処分
処分の請求	健保法・国年法・厚年法（徴収法は規定なし）	上記の場合、保険者等（健保法）、厚生労働大臣（国年法・厚年法）は、納付義務者の**居住地又は財産所在地の市町村**に対して、処分を請求することができる ⬇ 市町村は、**市町村税の例**により処分 ⬇ 保険者（健保法）、厚生労働大臣（国年法・厚年法）は、徴収金の**4％相当額を市町村に交付**

(4) 延滞金

延滞金の徴収

督促をしたときは、徴収金額に、**納期限の翌日**から**完納又は財産差押えの日の前日**までの日数に応じ、所定の徴収割合を乗じて計算した延滞金を徴収する

徴収対象

以下のものを滞納したときに延滞金徴収の対象となる

- 徴収法 ➡ **労働保険料**
- 健保法 ➡ 保険料その他健保法の規定による徴収金
- 国年法 ➡ 保険料その他国年法の規定による徴収金
- 厚年法 ➡ **保険料**＋不正利得の徴収による徴収金

徴収割合

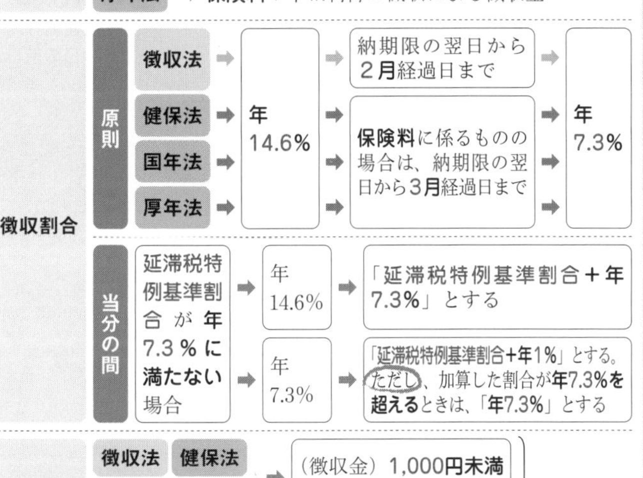

	対象	割合	期間	割合
原則	徴収法	年14.6%	納期限の翌日から**2月**経過日まで	年7.3%
原則	健保法・国年法・厚年法	年14.6%	**保険料**に係るものの場合は、納期限の翌日から**3月**経過日まで	年7.3%

当分の間	条件	割合	適用
当分の間	延滞税特例基準割合が**年7.3%に満たない**場合	年14.6%	「延滞税特例基準割合＋**年7.3%**」とする
当分の間	延滞税特例基準割合が**年7.3%に満たない**場合	年7.3%	「**延滞税特例基準割合+年1%**」とする。ただし、加算した割合が**年7.3%を超える**ときは、「**年7.3%**」とする

端数処理

徴収法・健保法・厚年法	（徴収金）**1,000円未満** （延滞金）**100円未満**	切捨て
国年法	（徴収金）**500円未満** （延滞金）**50円未満**	切捨て

徴収されない場合

❶**督促状の指定期限**までに徴収金を**完納**したとき
❷**公示送達の方法**により督促したとき（国年法には規定なし）
❸**納期を繰り上げて徴収**するとき（健保法・厚年法のみ）
❹労働保険料について**滞納処分の執行を停止し、又は猶予**したとき（その部分の金額に限る）⬅ 徴収法のみ
❺徴収金額が**1,000円**（国年法は**500円**）**未満**のとき
❻計算した延滞金の額が**100円**（国年法は**50円**）**未満**のとき
❼滞納につきやむを得ない事情があると認められるとき

延滞金の割合

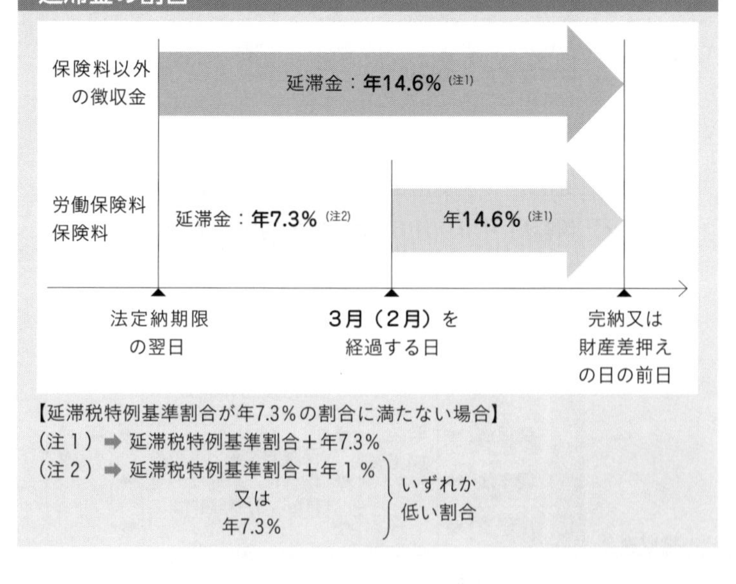

【延滞税特例基準割合が年7.3％の割合に満たない場合】

（注１）➡ 延滞税特例基準割合＋年7.3％

（注２）➡ 延滞税特例基準割合＋年１％ 又は 年7.3％ いずれか低い割合

全科目横断編

2 通則事項

※ 以下本書における「○○（補償）等給付」、「○○（補償）等年金」、「○○（補償）等一時金」等の記載は、業務災害に関する保険給付、複数業務要因災害に関する保険給付及び通勤災害に関する保険給付をまとめて表記したものです。例えば、「**療養（補償）等給付**」であれば、「**療養補償給付、複数事業労働者療養給付、療養給付**」を指します。なお、「葬祭料、複数事業労働者葬祭給付、葬祭給付」については、「葬祭料等（葬祭給付）」と表記しています。

1 受給権の保護

1 譲渡等の禁止

原　則

保険給付（雇保法は「失業等給付等」、国年法は「給付」）を受ける権利は、**譲り渡し**、**担保に供し**、又は**差し押さえる**ことができない

◆なお、労災法には「保険給付を受ける権利は、労働者の**退職**によって**変更されることはない**」と規定されている

例　外

労災法	雇保法	国年法	厚年法
特別支給金 ➡ 保険給付ではないので譲渡等の禁止規定の適用を受けない	**二事業**の給付（助成金等） ➡ 失業等給付等ではないので譲渡等の禁止規定の適用を受けない	**❶老齢基礎年金** **❷付加年金** **❸脱退一時金** ➡ 国税滞納処分により**差し押さえる**ことができる	**❶老齢厚生年金** **❷脱退手当金** **❸脱退一時金** ➡ 国税滞納処分により**差し押さえる**ことができる

（注）雇用保険二事業の能力開発事業として支給される職業訓練受講給付金は求職者支援法により譲渡等の禁止が規定されている

2 公課の禁止

原則

租税その他の**公課**は、失業等給付等・保険給付・給付として支給を受けた**金銭**（労災法と健保法は「**金品**」）を標準として課することができない

例外

雇保法 **二事業**の給付は失業等給付等ではないので課税することができる

国年法 老齢**基礎年金**、**付加年金**には課税することができる

厚年法 老齢**厚生年金**、**脱退手当金**には課税することができる

（注１）雇用保険二事業の能力開発事業として支給される職業訓練受講給付金は求職者支援法により公課の禁止が規定されている

（注２）労災法の**特別支給金**は保険給付ではないが課税の対象とされない

2 死亡の推定

共通内容

船舶

次の場合には、下記の個別内容の死亡の推定がなされる

❶ **船舶**が沈没し、転覆し、滅失し、若しくは行方不明となった際現にその船舶に乗っていた者又は船舶に乗っていてその船舶の航行中に行方不明となった者の**生死が3箇月間わからない場合**

❷ これらの者の**死亡が3箇月以内に明らか**となり、かつ、その死亡の時期がわからない場合

航空機

次の場合にも、船舶と同様の死亡の推定がなされる

❶ **航空機**が墜落し、滅失し、若しくは行方不明となった際現にその航空機に乗っていた者又は航空機に乗っていてその航空機の航行中に行方不明となった者の**生死が3箇月間わからない場合**

❷ これらの者の**死亡が3箇月以内に明らか**となり、かつ、その死亡の時期がわからない場合

個別内容

労災法

遺族補償給付、葬祭料、障害補償年金差額一時金、遺族給付、葬祭給付及び**障害年金差額一時金**の支給に関する規定の適用

↓

その**船舶**が**沈没**し、**転覆**し、**滅失**し、若しくは**行方不明となった日**又は労働者が**行方不明となった日**に、当該労働者は、死亡したものと**推定する**

国年法

死亡を支給事由とする給付の支給に関する規定の適用

↓

その**船舶**が**沈没**し、**転覆**し、**滅失**し、若しくは**行方不明となった日**又はその者が**行方不明となった日**に、その者は、死亡したものと**推定する**

厚年法

遺族厚生年金の支給に関する規定の適用

↓

その**船舶**が**沈没**し、**転覆**し、**滅失**し、若しくは**行方不明となった日**又はその者が**行方不明となった日**に、その者は、死亡したものと**推定する**

3 未支給の給付

共通内容

	労災法・雇保法	国年法・厚年法
請求	保険給付（雇保法は「失業等給付等」。以下同じ）の受給権者が死亡 ⬇ その死亡した者に支給すべき保険給付でまだその者に支給しなかったものがある ⬇ その者の配偶者、子、父母、孫、祖父母**又は**兄弟姉妹であって、**その者の死亡の当時**その者と生計を同じく**していたもの** ⬇ 自己**の名**で、その未支給の保険給付の支給を請求することができる	保険給付（国年法は「年金給付」。以下同じ）の受給権者が死亡 ⬇ その死亡した者に支給すべき保険給付でまだその者に支給しなかったものがある ⬇ その者の配偶者、子、父母、孫、祖父母、兄弟姉妹**又は**これらの者以外の三親等内の親族であって、**その者の死亡の当時**その者と生計を同じく**していたもの** ⬇ 自己**の名**で、その未支給の保険給付の支給を請求することができる
順位	**❶配偶者** **❷子** **❸父母** **❹孫** **❺祖父母** **❻兄弟姉妹**	**❶配偶者** **❷子** **❸父母** **❹孫** **❺祖父母** **❻兄弟姉妹** ❼これらの者以外の**三親等内の親族**
同順位	未支給の保険給付を受けるべき同順位者が２人以上あるときは、その１人がした請求は、全員のためその**全額**につきしたものとみなし、その１人に対してした支給は、**全員**に対してしたものとみなす	

個別内容

労災法	遺族（補償）等年金は**転給**があるので、**受給権者の遺族**ではなく、**死亡した労働者の遺族**が未支給の保険給付を受給することになる
雇保法	**死亡日**の翌日から起算して**6箇月**以内に請求しなければならない
国年法	死亡した者が遺族基礎年金の受給権者であったときは、その者の死亡の当時当該遺族基礎年金の支給の要件となり、又はその額の加算の対象となっていた**被保険者**又は**被保険者であった者の子**も未支給年金を請求することができる
厚年法	死亡した者が遺族厚生年金の受給権者である**配偶者**であったときは、その者の死亡の当時その者と**生計を同じく**していた被保険者又は被保険者であった者の**子**であって、その者の死亡によって遺族厚生年金の支給の停止が解除されたものも未支給の保険給付を請求することができる

4 スライド

労災法

項目	休業給付基礎日額	年金給付基礎日額
対象	❶**休業（補償）等給付** ❷休業特別支給金	❶**年金**たる保険給付 ❷**一時金**たる保険給付 ➡ 障害（補償）等一時金・遺族（補償）等一時金・葬祭料等（葬祭給付）等 ❸ボーナス基礎の特別支給金 ➡ 傷病特別年金・障害特別年金・障害特別一時金・遺族特別年金・遺族特別一時金等
方法	**四半期ごと**の**平均給与額**を比較 ❶**四半期ごと**の**平均給与額**と**算定事由発生日の属する四半期**の平均給与額を比較 ❷再改定の場合は、四半期ごとの平均給与額と**改定の基礎となった四半期**の平均給与額を比較	**年度ごと**の**平均給与額**を比較 支給すべき月の属する年度の**前年度**（４月～７月までの月分は前々年度）の**平均給与額**と**算定事由発生日の属する年度**の平均給与額を比較
基準	**110/100**超・**90/100**下る	**完全自動賃金スライド制**
適用時期	**10%**超の変動のあった四半期の**翌々四半期の初日**から適用	算定事由発生日の属する年度の**翌々年度の８月**以降から適用
留意点	❶年齢階層別最低・最高限度額にスライド率が乗じられることはない ❷平均給与額とは、以下をいうこととされている ⓐ休業給付基礎日額においては、**厚生労働省**において作成する**毎月勤労統計**における労働者１人当たりの毎月きまって支給する給与の四半期の１箇月平均額 ⓑ年金給付基礎日額においては、**厚生労働省**において作成する**毎月勤労統計**における労働者１人当たりの毎月きまって支給する給与の額（平均定期給与額）の４月分から翌年３月分までの各月分の合計額	

年　金

<table>
<tr><th>項目</th><th>国年法</th><th>厚年法</th></tr>
<tr><td>対象</td><td>❶年金たる給付
❷加算額
［対象外］
ⓐ付加年金
ⓑ死亡一時金
ⓒ脱退一時金
（ただし 脱退一時金は保険料に応じた改定を行う）</td><td>❶年金たる保険給付
❷加給年金額・加算額
❸最低保障額
［対象外］
ⓐ脱退一時金
（ただし 脱退一時金は保険料に応じた改定を行う）</td></tr>
<tr><td>方法</td><td colspan="2">❶原則：改定率及び再評価率の改定
ⓐ賃金・物価の変動に応じて自動的に改定
◆新規裁定者 ➡ 名目手取り賃金変動率
◆既裁定者 ➡ 物価変動率（物価変動率が名目手取り賃金変動率を上回るときは、名目手取り賃金変動率）
ⓑ加給年金額・加算額は新規裁定者の改定率
❷調整期間：マクロ経済スライドによる改定率及び再評価率の改定
ⓐ賃金・物価の変動、公的年金被保険者総数変動率、平均余命の伸びに応じて自動的に改定
◆新規裁定者 ➡ 算出率（名目手取り賃金変動率×調整率×前年度の特別調整率）
◆既裁定者 ➡ 基準年度以後算出率（物価変動率×調整率×前年度の基準年度以後特別調整率）
ⓑ加給年金額・加算額は新規裁定者の改定率</td></tr>
<tr><td>適用時期</td><td colspan="2">その年度の４月以降適用</td></tr>
<tr><td>留意点</td><td colspan="2">◆原則として国年法は改定率を改定させ、厚年法は再評価率を改定させる
◆付加年金（国年法）は、年金額の自動改定を行わない
◆厚年法の加給年金額・加算額は、改定率を改定させる</td></tr>
</table>

5 年金給付の支給

1 支給期間

労災法	国年法	厚年法
❶年金たる保険給付の支給は、**支給すべき事由が生じた月の**翌月から始め、**支給を受ける権利が消滅した**月で終わるものとする	❶年金給付の支給は、これを**支給すべき事由が生じた日の属する月の**翌月から始め、**権利が消滅した日の属する**月で終るものとする	❶年金の支給は、年金を**支給すべき事由が生じた月の**翌月から始め、**権利が消滅した**月で終るものとする
❷年金たる保険給付は、その支給を停止すべき事由が生じたときは、その**事由が生じた月の**翌月からその**事由が消滅した**月までの間は、支給しない	❷年金給付は、その支給を停止すべき事由が生じたときは、その**事由が生じた日の属する月の**翌月からその**事由が消滅した日の属する**月までの分の支給を停止する。ただし、これらの日が同じ月に属する場合は、支給を停止しない	❷年金は、その支給を停止すべき事由が生じたときは、その**事由が生じた月の**翌月からその**事由が消滅した**月までの間は、支給しない

2 支払期月

労災法	国年法	厚年法
年金たる保険給付は、**毎年2月、4月、6月、8月、10月**及び**12月**の**6期**に、それぞれその**前月分**までを支払う。ただし、支給を受ける**権利が消滅**した場合におけるその期の年金たる保険給付は、支払期月でない月であっても、支払うものとする	年金は、**毎年2月、4月、6月、8月、10月**及び**12月**の**6期**に、それぞれの**前月までの分**を支払う。ただし、以下の年金は、その支払期月でない月であっても、支払うものとする ❶**前支払期月**に支払うべきであった年金 ❷**権利が消滅**した場合におけるその期の年金 ❸年金の**支給を停止**した場合におけるその期の年金	（国年法に同じ）

3 受給権者の申出による支給停止

労災法 規定なし

国年法・厚年法

年金給付（その全額につき支給を停止されているものを除く）は、その**受給権者の申出**により、その**全額**（その額の一部につき支給を停止されているときは、停止されていない部分の額）**の支給を停止**する

（注）当該支給停止の申出はいつでも撤回することができるが、その場合、将来に向かってしか効力が発生しないので、撤回前の期間についてさかのぼって支給を受けることはできない

国年法	厚年法
↓	↓
配偶者が遺族基礎年金の受給権を有することにより支給停止されている「子に対する遺族基礎年金」	配偶者が遺族厚生年金の受給権を有することにより支給停止されている「子に対する遺族厚生年金」
配偶者に対する遺族基礎年金が申出により支給停止された場合には**支給停止が解除される**	配偶者に対する遺族厚生年金が申出により支給停止された場合でも**支給停止は解除されない**
↓	
生計を同じくするその子の父又は母があるときは**支給停止**される	

6 支払の調整

1 内払処理

共通内容

次のような場合には、その支払われた年金又は減額すべきであった部分は、その後に支払うべき年金との**内払**調整が行われる

❶ 年金の**支給を停止**すべき事由が生じたにもかかわらず、その停止すべき期間の分として年金が支払われたとき

➡ **内払**とみなすことができる

❷ 年金を**減額して改定**すべき事由が生じたにもかかわらず、その事由が生じた月の翌月以後の分として減額しない額の年金が支払われたとき

➡ **内払**とみなすことができる

❸ 年金の**受給権が消滅**した場合において、その受給権が消滅した月の翌月以後の分として年金が支払われたとき

➡ **内払**とみなす

個別内容

労災法

受給権消滅の場合に年金以外の保険給付との間でも内払処理が行われる。なお、この場合**遺族（補償）等給付**は内払処理の対象とはされない

受給権が消滅した給付	新たに支給されることとなった給付
障害（補償）等年金	傷病（補償）等年金 障害（補償）等一時金 休業（補償）等給付
傷病（補償）等年金	障害（補償）等年金 障害（補償）等一時金 休業（補償）等給付
休業（補償）等給付	傷病（補償）等年金 障害（補償）等年金 障害（補償）等一時金

国年法 **厚年法**

支給停止の場合に国民年金と厚生年金保険（厚生労働大臣が支給する年金に限る）の**制度間での内払処理**が**行われる**

2 充当処理

共通内容

年金たる保険給付（国年法は「年金給付」。以下同じ）の受給権者が死亡したためその**受給権が**消滅したにもかかわらず、その死亡の日の属する**月の翌月**以後の分として当該年金たる保険給付の**過誤払**が行われた

⬇

当該過誤払による返還金に係る債権（**返還金債権**）に係る**債務の弁済**をすべき者に支払うべき年金たる保険給付（労災法は「保険給付」。以下同じ）がある

⬇

当該年金たる保険給付の支払金の金額を当該過誤払による返還金債権の金額に充当することができる

個別内容

労災法

年金間のほか、年金と年金以外の保険給付との間でも充当処理が行われる

過誤払された年金たる保険給付	新たに受給権者になった者に支給すべき保険給付
障害（補償）等年金	**遺族**（補償）等年金 **遺族**（補償）等一時金 **葬祭料等**（葬祭給付） 障害（補償）等年金**差額一時金**
遺族（補償）等年金	**遺族**（補償）等年金 **遺族**（補償）等一時金 **葬祭料等**（葬祭給付）
傷病（補償）等年金	

（注）**制度間**での充当処理は一切**行われない**

7 併給調整

1 労災法

年金間の調整

同一の事由により、労災保険の年金給付〔休業（補償）等給付を含む〕と、社会保険（厚生年金保険及び国民年金）の年金給付が支給されるときは、当該労災**保険**の年金給付に次表の調整率が乗じられて、減額支給される

労災給付＼併給給付	障害厚生年金	障害基礎年金	障害厚生年金及び障害基礎年金
障害（補償）等年金	0.83	0.88	0.73
傷病（補償）等年金 休業（補償）等給付	0.88		
労災給付＼併給給付	**遺族厚生年金**	**遺族基礎年金又は寡婦年金**	**遺族厚生年金及び遺族基礎年金**
遺族（補償）等年金	0.84	0.88	0.80

一時金間の調整

同一の事由について、労災保険の**障害（補償）等給付**と厚生年金保険の**障害手当金**が支給される場合には、障害（補償）等給付が全額支給され、障害手当金は支給されない

2 国年法・厚年法

原　則

同一の支給事由により支給される基礎年金と厚生年金保険の年金給付は併給される

❶ 老齢基礎年金 と 老齢厚生年金

❷ 障害基礎年金 と 障害厚生年金

❸ 遺族基礎年金 と 遺族厚生年金

（注）❶については、65歳未満の者に支給される場合（繰上げ支給の老齢基礎年金と特別支給の老齢厚生年金の場合）は、特別支給の老齢厚生年金の一部が支給停止されることがある

受給権者が65歳以上の場合（新法＋新法）

次の年金給付も併給される

❶ 老齢基礎年金 と 遺族厚生年金

❷ 障害基礎年金 と 老齢厚生年金

❸ 障害基礎年金 と 遺族厚生年金

❹ 老齢基礎年金 と 老齢厚生年金 と 遺族厚生年金

❺ 障害基礎年金 と 老齢厚生年金 と 遺族厚生年金

（注）❹❺の場合には、遺族厚生年金の基本年金額は老齢厚生年金相当額が支給停止される

受給権者が65歳以上の場合（新法＋旧法）

次の年金給付も併給される

❶ 老齢基礎年金 と 旧厚年法の遺族年金

❷ 旧国年法の老齢年金 と 遺族厚生年金

❸ 旧国年法の障害年金 と 老齢厚生年金

❹ 旧国年法の障害年金 と 遺族厚生年金

❺ 旧厚年法の老齢年金（1/2） と 遺族厚生年金

8 給付制限等

1 一般の給付制限

(1) 絶対的給付制限

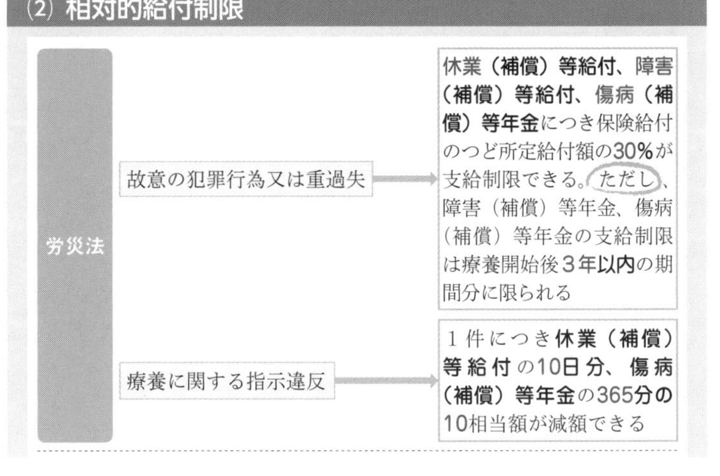

(2) 相対的給付制限

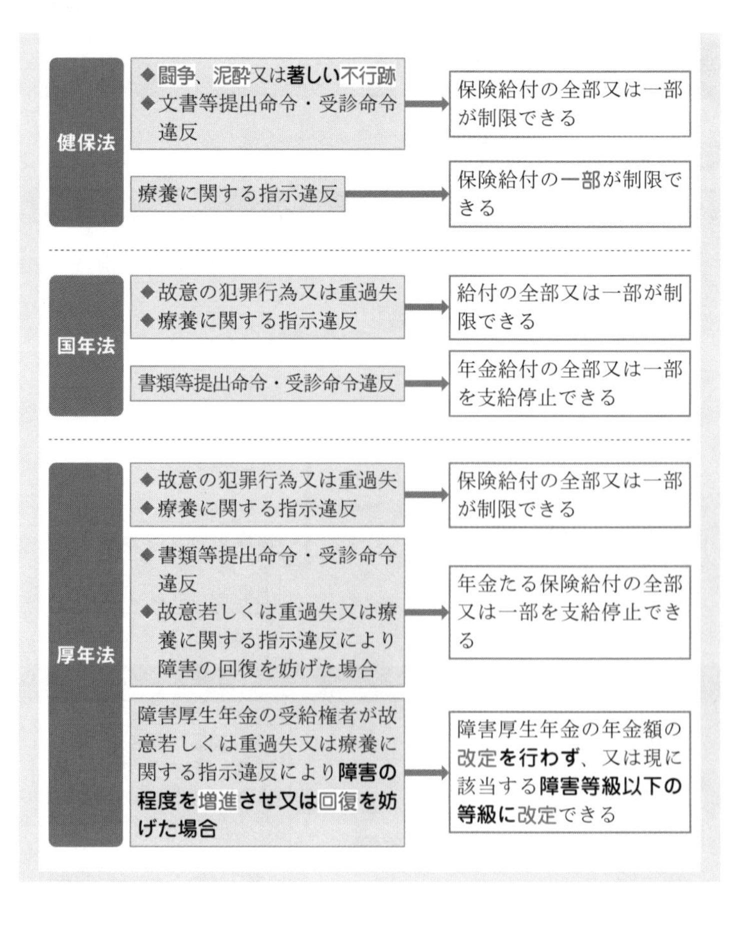
健保法
◆闘争、泥酔又は著しい不行跡
◆文書等提出命令・受診命令違反
保険給付の全部又は一部が制限できる
療養に関する指示違反
保険給付の一部が制限できる
国年法
◆故意の犯罪行為又は重過失
◆療養に関する指示違反
給付の全部又は一部が制限できる
書類等提出命令・受診命令違反
年金給付の全部又は一部を支給停止できる
厚年法
◆故意の犯罪行為又は重過失
◆療養に関する指示違反
保険給付の全部又は一部が制限できる
◆書類等提出命令・受診命令違反
◆故意若しくは重過失又は療養に関する指示違反により障害の回復を妨げた場合
年金たる保険給付の全部又は一部を支給停止できる
障害厚生年金の受給権者が故意若しくは重過失又は療養に関する指示違反により障害の程度を増進させ又は回復を妨げた場合
障害厚生年金の年金額の改定を行わず、又は現に該当する障害等級以下の等級に改定できる

(3) 特別加入者の給付制限

特別加入者独自の給付制限	第1種特別加入者	第2種	第3種
相対的給付制限	特別加入保険料滞納中の事故		
	故意又は重大な過失による業務災害の原因である事故	／	／

2 特殊的給付制限

(1) 基本手当・日雇労働求職者給付金の給付制限

事由	基本手当	日雇労働求職者給付金
紹介された職業の就職拒否	拒んだ日から起算して1箇月**間**不支給	拒んだ日から起算して7日**間**不支給
指示された公共職業訓練等の受講拒否	拒んだ日から起算して1箇月**間**不支給	／
職業指導の拒否	拒んだ日から起算して1箇月を超えない範囲内で不支給	／
不正行為により求職者給付又は就職促進給付を受け、又は受けようとしたとき	不正受給をし、又は受給しようとした日以後**不支給**	不正受給をし、又は受給しようとした月及びその翌月から3箇月**間**不支給
自己の責めに帰すべき重大な理由による解雇、正当な理由のない**自己の都合**による退職（離職理由による給付制限）	待期期間満了**後**1箇月**以上**3箇月**以内**の範囲で公共職業安定所長の定める期間不支給	／

❶**延長給付**（待期及び受講中の訓練延長給付を除く）を受けている受給資格者が、就職拒否、受講拒否、指導拒否をした場合は、**その日以後**基本手当は支給されない

❷基本手当の給付制限期間中は、傷病手当、技能習得手当、寄宿手当も支給されない

❸公共職業訓練等受講等の場合は、上記離職理由**による給付制限**は**解除**されることがある

(2) その他の給付制限

	要件		効果
労災法	**少年院等に収容**等の場合(未決勾留者除く)	→	**休業(補償)等給付**の支給は行われない
雇保法	**偽り**その他**不正の行為**により次の失業等給付等を受け、又は受けようとした場合		その日以後次の失業等給付等の支給は行われない
	❶求職者給付又は就職促進給付	→	❶日雇労働求職者給付金以外の求職者給付及び就職促進給付
	❷高年齢雇用継続基本給付金	→	❷高年齢雇用継続基本給付金
	❸高年齢再就職給付金又は当該給付金に係る受給資格に基づく求職者給付若しくは就職促進給付	→	❸高年齢再就職給付金
	❹教育訓練給付	→	❹教育訓練給付
	❺介護休業給付	→	❺介護休業給付
	❻育児休業等給付	→	❻育児休業等給付

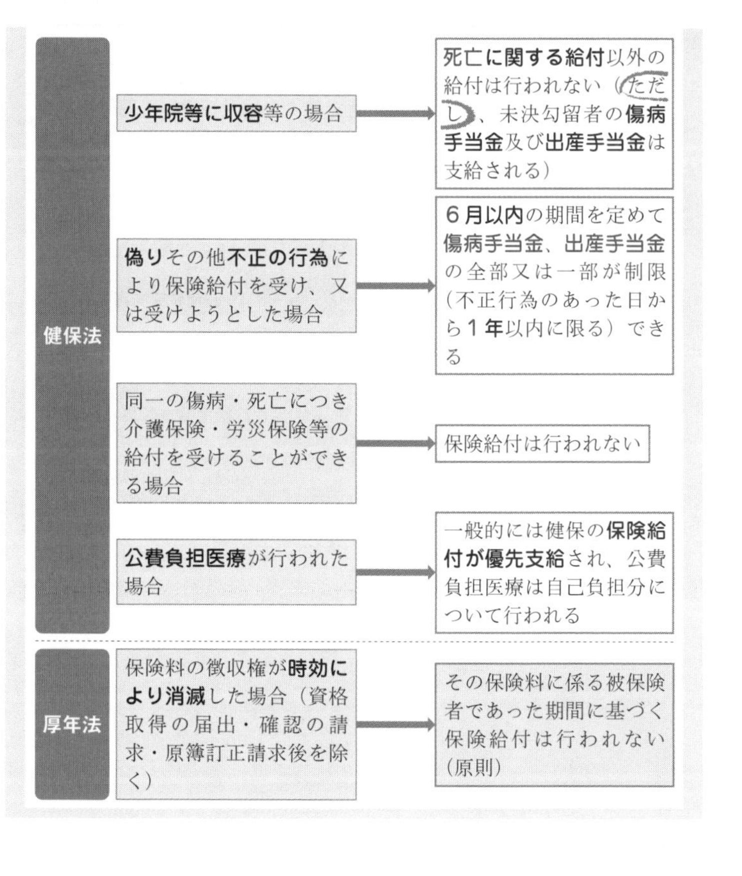
健保法
少年院等に収容等の場合
死亡に関する給付以外の給付は行われない（ただし、未決勾留者の傷病手当金及び出産手当金は支給される）
偽りその他不正の行為により保険給付を受け、又は受けようとした場合
6月以内の期間を定めて傷病手当金、出産手当金の全部又は一部が制限（不正行為のあった日から1年以内に限る）できる
同一の傷病・死亡につき介護保険・労災保険等の給付を受けることができる場合
保険給付は行われない
公費負担医療が行われた場合
一般的には健保の保険給付が優先支給され、公費負担医療は自己負担分について行われる
厚年法
保険料の徴収権が時効により消滅した場合（資格取得の届出・確認の請求・原簿訂正請求後を除く）
その保険料に係る被保険者であった期間に基づく保険給付は行われない（原則）

3 費用徴収

労災法

保険給付〔療養（補償）等給付、介護（補償）等給付及び二次健康診断等給付を除く〕につき、労働基準法等の規定による**災害補償**の**価額の限度**で、その支給のつど事業主からの**費用徴収**が行われる

ただし、療養開始日（即死の場合は事故発生日）の翌日から起算して**3年以内**に支給事由の生じたものに限られる

事由		費用徴収内容
故意又は**重過失**により保険関係成立の届出をしていない期間（認定決定後の期間を除く）中に生じた事故	**故意**に未届	保険給付額の**100%**相当額
	重過失により未届	保険給付額の**40%**相当額
事業主が一般保険料を**納付しない**期間（督促状の指定期限後の期間に限る）中に生じた事故		保険給付額×**滞納率**（**40%上限**）
事業主が**故意**又は**重過失**により生じさせた**業務災害**の原因である事故		保険給付額の**30%**相当額

9 不正利得の徴収

共通内容

偽りその他**不正の手段**（雇保法と健保法は「行為」）により保険給付（雇保法は「失業等給付等」、国年法は「給付」。以下同じ）を受けた者があるとき

⬇

政府（健保法は「**保険者**」、国年法は「**厚生労働大臣**」、厚年法は「**実施機関**」）はその保険給付の額の全部又は一部をその者から**徴収**する（雇保法は「返還することを命ずる」）ことができる

個別内容

法律	内容
労災法 雇保法 徴収法 健保法	虚偽の報告・証明等をした事業主（労働保険事務組合）等に対して**連帯納付**を命ずることができる
雇保法	不正受給者に対して不正受給額の2倍**相当額以下**の金額の**納付を命ずる**ことができる
健保法	❶虚偽の診断書を提出した**保険医等**に対して連帯納付を命ずることができる ❷診療報酬を不正受給した保険医療機関等に不正受給額の**返還**に加えてその額の**40%**を支払わせることができる

10 損害賠償との調整

共通内容

事故が**第三者の行為**によって生じた場合には、次のように調整する

❶政府（健保法は「保険者」、厚年法は「政府等」。以下同じ）が保険給付（国年法は「給付」。以下同じ）をしたときは、その給付の**価額の限度**で、保険給付を受ける者（健保法は**被扶養者**を含む。以下同じ）が第三者に対して有する損害賠償の請求権を取得する

❷保険給付を受ける者が**第三者**から同一の事由について損害賠償を受けたときは、政府は、その**価額の限度**で保険給付をしないことができる（健保・国年法は「保険給付を行う責めを免れる」）

個別内容

労災法

保険給付の原因である事故が**第三者の行為**によって生じたときは、**保険給付を受けるべき者**は、その事実、第三者の氏名及び住所（第三者の氏名及び住所がわからないときは、その旨）並びに被害の状況を、遅滞なく、**所轄労働基準監督署長**に届け出なければならない

	第三者行為災害	事業主損害賠償との調整
調整の範囲	逸失利益、療養費、葬祭費用、介護損害（**慰謝料**の額、**見舞金**、**香典**等又は贈与と認められる金額は調整しない）	逸失利益、療養費、葬祭費用、介護損害（**慰謝料、労災上積み分、企業内労災補償、示談金、和解金、見舞金**等は調整対象としない）
調整期間	**求償**：災害発生後**5年以内**に支給事由が生じたもので、この期間内に保険給付を行ったものに限る **控除**：災害発生後**7年以内**に支給事由が生じたもので、この期間内に支払うべきものに限る	9年又は**就労可能年齢**までを限度とする
転給者との調整	行われる	行われない
特別支給金との調整	行われない	
猶予免責規定	なし	**あり**（**前払一時金給付**の**最高限度額**まで）

健保法

療養の給付、入院時食事療養費、入院時生活療養費又は保険外併用療養費の支給に係る事由が第三者の行為によるものであるときは、被保険者は、その事実、第三者の氏名及び住所又は居所（氏名又は住所若しくは居所が明らかでないときはその旨）並びに被害の状況を、**遅滞なく、保険者**に届け出なければならない

11 不服申立て

1 不服申立て（労働）

(1) 不服申立て制度

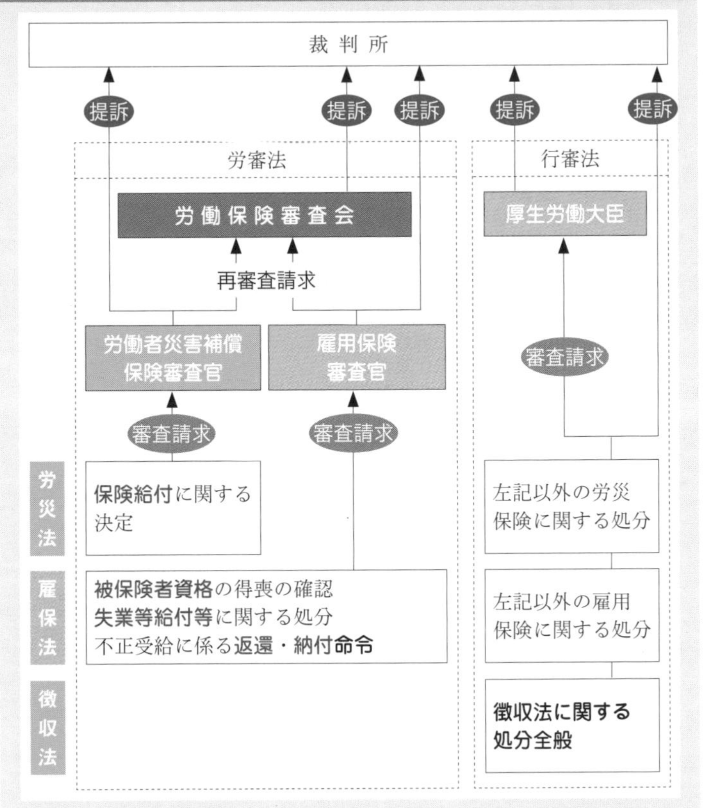

（注１）不服申立ての対象となる保険給付に関する決定とは、直接受給権者の権利に法律的効果を及ぼす処分をいい、業務上外や傷病の治ゆの認定など決定の前提としての**要件事実の認定**はこれに含まれない

（注２）特別支給金（労災法）や二事業の助成金等（雇保法）については、労審法による不服申立ての対象とはされていない

(2) 請求手続

労審法（労災法・雇保法）の審査請求等	行政不服審査法（徴収法等）の審査請求等
提訴 ◆処分の取消しの訴えは、当該処分についての審査請求に対する労働者災害補償保険審査官又は雇用保険審査官の決定を経た後でなければ、提起することができない	**提訴** 不服申立て前置に関する規定なし（直ちに提訴することもできる）
再審査請求 ◆審査請求に対する決定書の謄本が送付された日の翌日から起算して2月**以内**（**文書のみ**・代理人可） ◆審査請求をしている者は、審査請求をした日の翌日から起算して3月を経過しても審査請求についての決定がないときは、労働者災害補償保険審査官又は雇用保険審査官が審査請求を棄却したものとみなすことができる（労働保険審査会に対して再審査請求することも、裁判所に対して処分の取消しの訴えを提起することもできる）	
審査請求 処分があったことを知った日の翌日から起算して3月**以内**（文書又は**口頭可**・代理人可）	**審査請求** 処分があったことを知った日の翌日から起算して3月**以内**、かつ、処分があった日の翌日から起算して1年**以内**（原則書面・代理人可）

参考

被保険者資格の得喪の確認に関する処分が確定したときは、当該処分についての不服を当該処分に基づく失業等給付等に関する処分についての不服の理由とすることができない（雇保法）

2 不服申立て（社会）

(1) 不服申立て制度

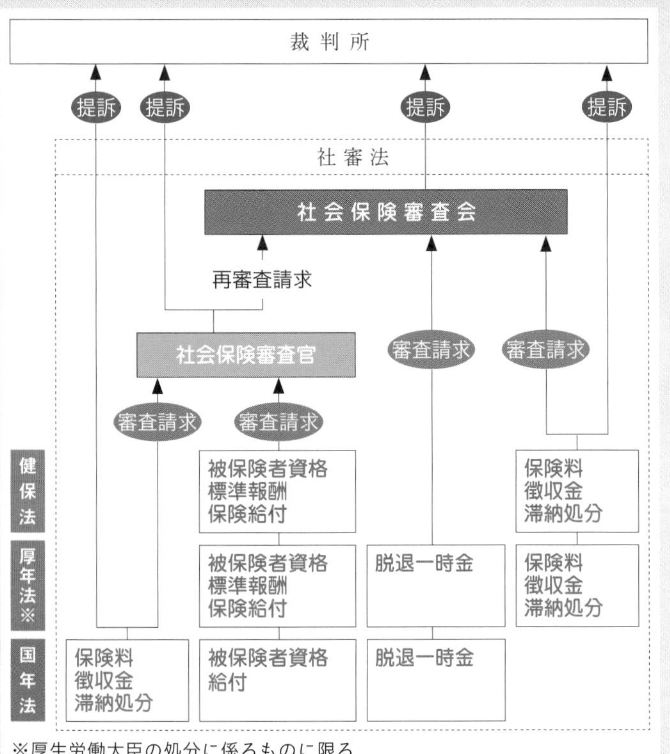

※厚生労働大臣の処分に係るものに限る

法　律	審査請求
船員保険法	健康保険法と同様
国民健康保険法	保険給付に関する処分（被保険者資格情報を記載した書面の交付等の求めに対する処分を含む）又は保険料その他国民健康保険法の規定による徴収金に関する処分に不服がある者は、**国民健康保険審査会**に審査請求をすることができる 改正
介護保険法	保険給付に関する処分（被保険者証の交付の請求に関する処分及び要介護認定又は要支援認定に関する処分を含む）又は保険料その他の徴収金（財政安定化基金拠出金、納付金及び当該納付金に係る延滞金を除く）に関する処分に不服がある者は、**介護保険審査会**に審査請求をすることができる

⑵ 請求手続

社審法の審査請求等

◆**被保険者の資格**、**標準報酬**又は**保険給付**に関する処分の取消しの訴えは、当該処分についての審査請求に対する社会保険審査官の決定を経た後でなければ、提起することができない

◆**脱退一時金**に関する処分の取消しの訴えは、当該処分についての審査請求に対する社会保険審査会の裁決を経た後でなければ提起することができない

↑

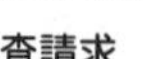

◆審査請求についての決定書の謄本が送付された日の翌日から起算して**2月以内**（文書又は**口頭可**・代理人可）

◆審査請求をした日から**2月以内**に決定がないときは、審査請求人は、社会保険審査官が審査請求を棄却したものとみなすことができる

↑

◆**処分があったことを知った日**の翌日から起算して**3月以内**（文書又は**口頭可**・代理人可）

◆ただし、被保険者資格、標準報酬に関する処分についての審査請求は、**原処分があった日**の翌日から起算して**2年**を経過したときはすることができない

参考

被保険者の資格又は**標準報酬**（国年法は「被保険者の資格」のみ）に関する処分が確定したときは、その処分についての不服を当該処分に基づく**保険給付**（国年法は「給付」）**に関する処分**についての**不服の理由**とすることができない（健保法・国年法・厚年法）

12 記録の保存

労基法

使用者は、労働者名簿、賃金台帳及び雇入れ、解雇、災害補償、賃金その他労働関係に関する重要な書類を**5年間**（当分の間、**3年間**）保存しなければならない

保存書類	保存期間の起算日
❶労働者名簿、雇入れ・退職に関する書類	労働者の死亡、解雇又は退職の日
❷賃金台帳	**最後の記入をした日**
❸賃金その他労働関係に関する重要な書類	その完結の日
❹災害補償に関する書類	**災害補償を終った日** （「災害を被った日」ではない）

※❷❸については、これらの日より賃金支払期日が遅い場合には当該支払期日を起算日とする

安衛法

❶事業者は、健康診断の結果に基づき、**健康診断個人票**を作成し、これを**5年間**保存しなければならない。なお、特殊健康診断の記録保存期間も一般的には**5年間**であるが、製造許可対象物質等（特別管理物質）の製造・取扱業務、一定の放射線業務の場合は**30年間**、一定の石綿等の製造・取扱業務の場合は**40年間**である

❷事業者は、**特別教育**を行ったときは、当該特別教育の受講者、科目等の記録を作成して、これを**3年間**保存しておかなければならない。なお、雇入時等教育及び職長教育については記録保存規定はない

労災法

事業主又は労働保険事務組合若しくは労働保険事務組合であった団体は、労災保険に関する書類を、その完結の日から**3年間**保存しなければならない

雇保法

事業主及び労働保険事務組合は、雇用保険二事業に関する書類を除き、雇用保険に関する書類をその完結の日から**2年間**（**被保険者に関する書類**にあっては**4年間**）保管しなければならない

徴収法

事業主若しくは事業主であった者又は労働保険事務組合若しくは労働保険事務組合であった団体は、徴収法又は徴収法施行規則による書類を、その完結の日から**3年間**（**雇用保険被保険者関係届出事務等処理簿**は**4年間**）保存しなければならない

健保法

事業主は、健康保険に関する書類を、その完結の日より**2年間**保存しなければならない

厚年法 事業主は、厚生年金保険に関する書類を、その完結の日から**2年間**保存しなければならない

13 時 効

1 時効の期間等

法規	5年	2年	時効なし
労基法	❶**賃金**（❷を除く）（当分の間、**3年**） ❷**退職手当** ❸**付加金**は、違反のあった時から**5年**（当分の間、**3年**）以内に裁判所に請求しなければならない	**災害補償、年次有給休暇**	解雇予告手当（解雇の意思表示に際して支払わなければ解雇の効力を生じないため）
労災法	❶**障害**（補償）等年金 ❷**障害**（補償）等一時金 ❸**障害**（補償）等年金差額一時金 ❹**遺族**（補償）等年金 ❺**遺族**（補償）等一時金	❶障害（補償）等年金**前払一時金** ❷遺族（補償）等年金**前払一時金** 請求期限は**1年**である〔請求は、**治ゆした日**（死亡した日）の翌日起算**2年以内**、かつ、年金の**支給決定通知日**の翌日起算**1年以内**に行わなければならない〕 ❸特別支給金には、**休業特別支給金が2年以内**、それ以外は**5年以内**という申請期限がある	**傷病（補償）等年金**（政府が職権で支給決定するため）
国年法	**年金給付**を受ける権利	死亡一時金	時効特例法により、**年金記録の訂正**が行われた場合
厚年法	**保険給付**を受ける権利（**障害手当金、脱退手当金**を含む）	**脱退一時金**は資格喪失日又は日本国内に住所を有しなくなった日から起算して2年を経過したときは請求できない	

❶厚年法の「年金たる保険給付」、国年法の「年金給付」を受ける権利の時効は、当該年金たる保険給付（年金給付）がその全額**につき支給停止**されている間は進行しない
❷**療養の給付**等（現物給付）については時効の問題は生じない

2 時効の起算日

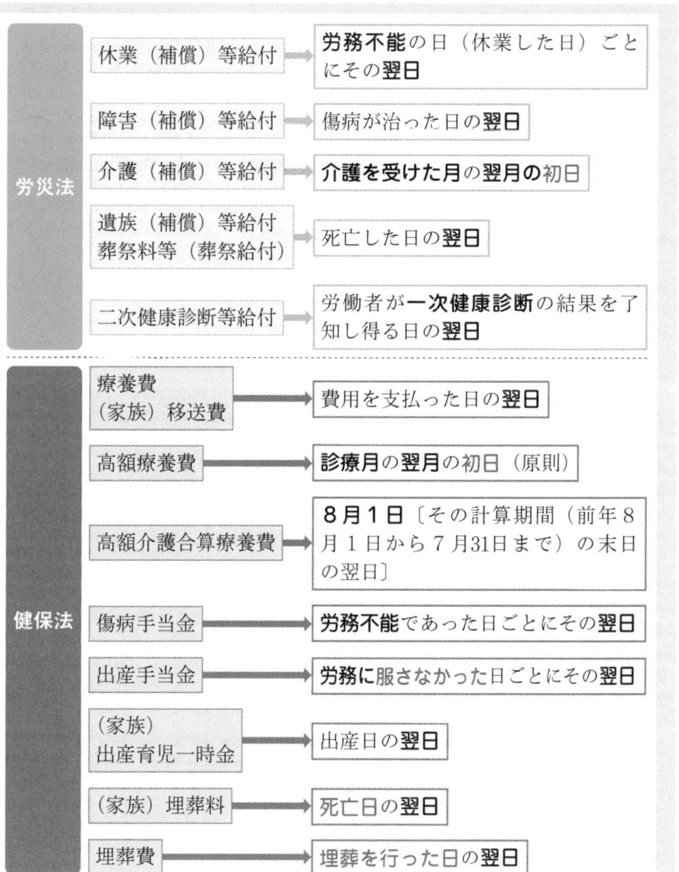

法	給付	起算日
労災法	休業（補償）等給付	**労務不能**の日（休業した日）ごとにその**翌日**
	障害（補償）等給付	傷病が治った日の**翌日**
	介護（補償）等給付	**介護を受けた月**の**翌月の**初日
	遺族（補償）等給付 葬祭料等（葬祭給付）	死亡した日の**翌日**
	二次健康診断等給付	労働者が**一次健康診断**の結果を了知し得る日の**翌日**
健保法	療養費 （家族）移送費	費用を支払った日の**翌日**
	高額療養費	**診療月**の**翌月**の初日（原則）
	高額介護合算療養費	**8月1日**〔その計算期間（前年8月1日から7月31日まで）の末日の翌日〕
	傷病手当金	**労務不能**であった日ごとにその**翌日**
	出産手当金	**労務に**服さなかった日ごとにその**翌日**
	（家族） 出産育児一時金	出産日の**翌日**
	（家族）埋葬料	死亡日の**翌日**
	埋葬費	埋葬を行った日の**翌日**

14 罰　則

1 事業主等に対する罰則

(1) 懲役刑

法律	違反内容	罰則
労基法	強制労働をさせた場合	**1年以上10年以下の懲役**又は**20万円以上300万円以下の罰金**
労基法	◆**中間搾取**をした場合 ◆**児童を使用**した場合 ◆年少者又は女性の**坑内労働違反**の場合	1年以下の**懲役**又は**50万円**以下の**罰金**
労基法	均等待遇規定違反、**法定労働時間**・休日・休憩規定違反、年少者・妊産婦の**保護規定**違反等	6**箇月**以下の懲役又は**30万円**（健保法・厚年法は**50万円**）以下の**罰金**
労災法 雇保法 徴収法	◆**報告**をせず、虚偽の報告をし、文書の**提出**をせず、虚偽の記載をした文書を提出した場合 ◆質問に対して**答弁**せず、虚偽の陳述（徴収は答弁）をし、**検査**を拒み、妨げ、忌避した場合	（同上）
健保法 厚年法	◆物件提出命令に違反し物件を**提出**しない場合 ◆質問に対して**答弁**せず、虚偽の陳述（健保は答弁）をし、**検査**を拒み、妨げ、忌避した場合	（同上）
雇保法	◆被保険者に関する**届出**をせず、偽りの届出をした場合 ◆労働者が確認の請求等をしたことを理由として**不利益取扱い**をした場合	（同上）

法律	違反内容	罰則
徴収法	◆**雇用保険印紙**をはらず、消印しなかった場合 ◆**印紙保険料**の納付に関する**帳簿**を備えておかず、**記載**せず、虚偽の記載をし、納付状況の**報告**をせず、虚偽の報告をした場合 ◆労働者の２分の１以上の希望に反して雇用保険に任意加入しない、又は雇用保険への任意加入を希望した労働者に対し**不利益取扱い**をした場合	6**箇月**以下の懲役又は30万**円**以下の**罰金**
健保法 厚年法	◆**被保険者の資格の得喪、報酬月額、賞与額**について**届出**をせず、虚偽の届出をした場合 ◆厚生労働大臣から通知された事項を被保険者に**通知**しない場合 ◆**保険料**を督促状に指定する期限までに**納付**しない場合	6**箇月**以下の懲役又は50万**円**以下の**罰金**
健保法	**印紙受払等**に関する**帳簿**を備え付けず、受払等の状況の**報告**をせず、虚偽の報告をした場合	（同上）

（注）労働保険においては、労働保険事務組合又は一人親方等の団体の代表者又は代理人、使用人その他の従業者も事業主とほぼ同様の罰則の適用を受ける

(2) 罰金刑・過料

法律	違反内容	罰則
労基法	労使協定・就業規則の**届出違反**、契約期間・労働条件の明示・賃金の支払等の規定違反	30万**円**以下の**罰金**
健保法 厚年法	被保険者の資格の得喪、報酬月額、賞与額**以外**の事項に関して**報告・届出**をせず、又は虚偽の報告・届出をしたとき	10万**円**以下の**過料**
健保法	健保組合の設立を命じられた事業主が指定期日までに設立の認可申請をしないとき	遅延した期間に負担すべき保険料額の2**倍以下**の**過料**

2 事業主等以外の者に対する罰則

(1) 懲役刑

法律	対象となる行為	罰則
国年法	**不正受給**をした場合	3年以下の**懲役**又は100万**円**以下の**罰金**
労災法 雇保法	命令に違反して**報告・届出**をせず、虚偽の報告・届出をし、物件の**提出**をせず、虚偽の記載をした文書を提出した場合	6箇月以下の**懲役**又は20万**円**(健保法・厚年法・国年法は30万**円**)以下の**罰金**
労災法 雇保法 健保法 厚年法	職員の質問に対して**答弁**せず、虚偽の陳述(健保は答弁)をし、**検査**を拒み、妨げ、忌避した場合	〃
雇保法	不正行為によって**日雇労働被保険者手帳**の交付を受けた場合	〃
健保法	**日雇特例被保険者手帳**交付の虚偽申請をした場合	〃
国年法	◆被保険者等が**資格の得喪、種別変更、氏名・住所変更**について**虚偽の届出**をした場合 ◆被保険者が**物件提出命令**に従わず、職員の質問に対して**答弁**せず、虚偽の陳述をした場合	〃

(2) 罰金刑・過料

法律	内容	罰則
健保法	被保険者等が、療養の給付等に係る**診療等**の内容に関する**報告**命令に従わず、**答弁**せず、虚偽の答弁をした場合	30万**円**以下の**罰金**
国年法	被保険者が、**資格の得喪、種別変更、氏名・住所変更**の**届出**をしなかった場合	30万**円**以下の**罰金**
国年法 厚年法	国税徴収法の規定による**徴収職員の質問**に対して**答弁**せず、偽りの陳述をし、**検査**を拒み、妨げ、忌避し、物件の提示提出要求に対して正当な理由なくこれに応じず、又は偽りの記載記録をした帳簿書類その他の物件を提示提出した場合	30万**円**（厚年法は50万**円**）以下の**罰金**
健保法 厚年法	被保険者等が**申出・届出**をせず、虚偽の申出・届出をした場合等	10万**円**以下の**過料**
国年法	被保険者等が資格の得喪、種別変更、氏名・住所変更**以外**の事項につき**届出**をせず、虚偽の届出をした場合	10万**円**以下の**過料**

15 国民年金基金と健康保険組合

	国民年金基金	健康保険組合
設立要件	**〈地域型〉**（各都道府県に１個） ❶**300人以上**の加入員資格を有する者が厚生労働大臣に設立希望の申出 ❷**厚生労働大臣**が設立委員を任命 ❸**1,000人以上**の加入員 ❹**厚生労働大臣**の**認可** **〈職能型〉**（全国に１個） ❶**15人以上**の発起人 ❷**3,000人以上**の加入員 ❸厚生労働大臣の認可	❶単独で常時**700人以上**又は合算して常時**3,000人以上**の被保険者を使用 ❷各適用事業所ごとに被保険者の**２分の１以上**の同意を得て規約作成 ❸**厚生労働大臣**の**認可** （注）厚生労働大臣は、常時政令（現在未制定）で定める数以上の被保険者を使用する事業主には設立を命じることができる
同月得喪	資格取得日にさかのぼって**加入員でなかったもの**とみなされる（０箇月）	**１箇月**として保険料算定（その月内にさらに取得すればそれも１箇月）
給付水準等	◆年金（老齢）の額は、**付加年金**相当額（200円×加入員期間）を超えるものでなければならない ◆一時金（死亡）の額は**8,500円**を超えるものでなければならない	**付加給付**を行うことができるほか、事業主の保険料負担割合の増加、**一部負担金**の**減免**等を行うことができる
合併等の要件	国民年金基金を吸収合併又は吸収分割する場合は、吸収合併契約又は吸収分割契約について、代議員の定数の**３分の２以上**の多数による代議員会の議決（厚生労働大臣の**認可要**）	組合を合併又は分割する場合は、組合会議員の定数の**４分の３以上**の多数による組合会の議決（厚生労働大臣の**認可要**）
解散要件	❶代議員（健保組合は組合会議員）の定数の**４分の３以上**の多数による代議員会（組合会）の議決（厚生労働大臣の**認可要**） ❷基金（組合）の事業の**継続の不能**（厚生労働大臣の**認可要**） ❸厚生労働大臣の**解散命令**	
承継	解散により消滅した基金・組合の権利義務は **国民年金基金連合会**が承継	**全国健康保険協会**が承継

16 端数処理

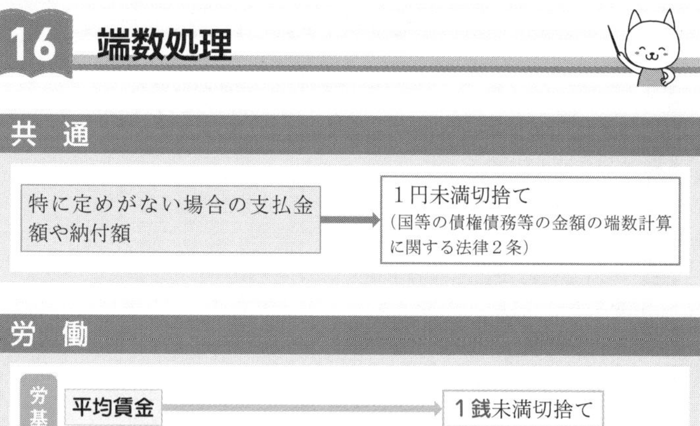

共 通

対象	端数処理
特に定めがない場合の支払金額や納付額	1円未満切捨て（国等の債権債務等の金額の端数計算に関する法律2条）

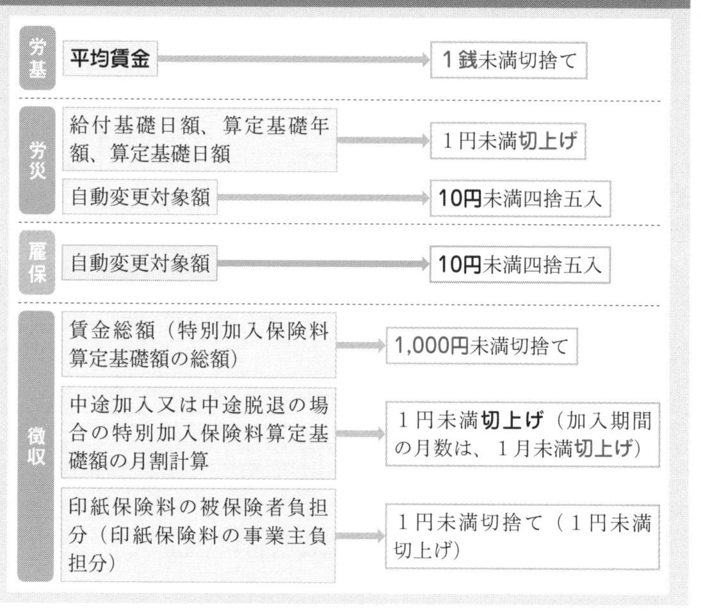

労 働

法律	対象	端数処理
労基	**平均賃金**	**1銭**未満切捨て
労災	給付基礎日額、算定基礎年額、算定基礎日額	1円未満**切上げ**
労災	自動変更対象額	**10円**未満四捨五入
雇保	自動変更対象額	**10円**未満四捨五入
徴収	賃金総額（特別加入保険料算定基礎額の総額）	**1,000円**未満切捨て
徴収	中途加入又は中途脱退の場合の特別加入保険料算定基礎額の月割計算	1円未満**切上げ**（加入期間の月数は、1月未満**切上げ**）
徴収	印紙保険料の被保険者負担分（印紙保険料の事業主負担分）	1円未満切捨て（1円未満切上げ）

社　会

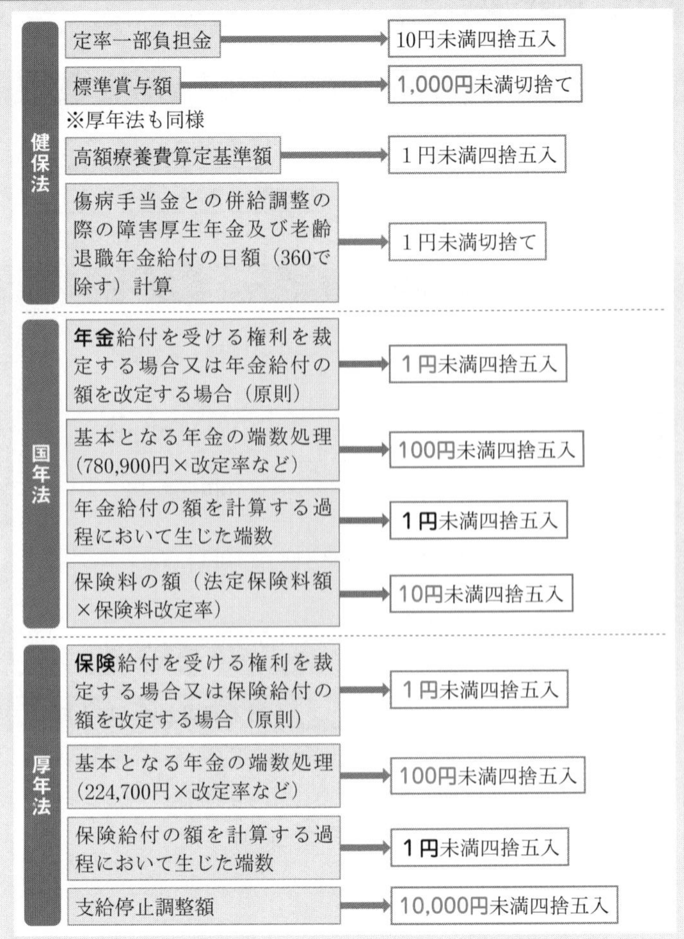

健保法
定率一部負担金
10円未満四捨五入
標準賞与額
1,000円未満切捨て
※厚年法も同様
高額療養費算定基準額
1円未満四捨五入
傷病手当金との併給調整の際の障害厚生年金及び老齢退職年金給付の日額（360で除す）計算
1円未満切捨て
国年法
年金給付を受ける権利を裁定する場合又は年金給付の額を改定する場合（原則）
1円未満四捨五入
基本となる年金の端数処理（780,900円×改定率など）
100円未満四捨五入
年金給付の額を計算する過程において生じた端数
1円未満四捨五入
保険料の額（法定保険料額×保険料改定率）
10円未満四捨五入
厚年法
保険給付を受ける権利を裁定する場合又は保険給付の額を改定する場合（原則）
1円未満四捨五入
基本となる年金の端数処理（224,700円×改定率など）
100円未満四捨五入
保険給付の額を計算する過程において生じた端数
1円未満四捨五入
支給停止調整額
10,000円未満四捨五入

総まとめ編

1 労働基準法

1 労働基準法の基本理念等

CH1 Sec1

労働条件の原則

❶ 労働条件は、労働者が人たる**に値する**生活を営むための必要を充たすべきものでなければならない

❷ 労働基準法で定める労働条件**の**基準は最低のものであるから、労働関係**の**当事者は、この**基準を理由**として労働条件**を**低下させてはならないことはもとより、その向上を図るように**努めなければならない**

◆労働基準法の基準を理由に労働条件を引き下げることは、労使の合意に基づいたものであっても違反となる

◆労働基準法の規定があることを主たる理由として労働条件を低下させることは違反となるが、**社会経済情勢の変動等他に決定的な理由**がある場合には、上記❷に抵触しない

◆罰則の適用はない

労働条件の決定

❶ 労働条件は、労働者と使用者が、対等**の**立場**において決定**すべきものである

❷ 労働者及び使用者は、労働協約、就業規則及び労働契約を**遵守**し、誠実に各々その義務**を**履行しなければならない

◆罰則の適用はない

均等待遇の原則

使用者は、労働者の国籍、信条**又は**社会的身分**を理由**として、**賃金**、**労働時間その他の**労働条件について、差別的取扱をしてはならない

◆労働条件とは、職場における労働者の一切の待遇をいう

◆**採用**は労働条件に含まれない

男女同一賃金の原則

使用者は、労働者が**女性であることを理由**として、**賃金**について、**男性と差別的取扱い**をしてはならない

◆差別的取扱いには、不利に取り扱う場合のみならず、有利に取り扱う場合も含む
◆男女労働者について、職務、能率、技能、年齢、勤続年数等によって賃金に個人的差異が生じても違反ではない
◆賃金とは賃金額だけでなく賃金体系、賃金形態等も含むので、「男性は月給制で、女性は日給制」とするようなことは違反である

強制労働の禁止

使用者は、**暴行**、**脅迫**、**監禁**その他**精神又は身体の自由**を**不当に拘束する手段**によって、**労働者の意思**に反して**労働を強制**してはならない

◆暴行、脅迫、監禁以外には、長期労働契約、賠償額予定契約、前借金契約、強制貯蓄などが該当する
◆労働すべく強要すれば、現実に労働させていなくても違反となる
◆詐欺の手段が用いられても、必ずしも労働者の意思に反して労働を強制したとはいえない
◆この違反については、労働基準法上最も重い罰則（1年以上10年以下の懲役又は20万円以上300万円以下の罰金）が適用される

中間搾取の排除

何人も、**法律**に基いて許される場合の外、**業として他人の就業に介入**して**利益**を得てはならない

◆「何人も」➡ 個人・団体、公人・私人を問わない
◆「業として利益を得る」➡ 主業・副業を問わない
◆「利益」➡ 有形・無形を問わず、労働者・第三者から得る利益を含む
◆たとえ1回の行為でも**反覆継続して利益を得る意思**があれば、違反となる

公民権行使の保障

使用者は、労働者が**労働時間中**に、選挙権その他公民**としての**権利を行使し、又は公**の**職務を執行するために**必要な**時間**を**請求した場合においては、拒んではならない。但し、権利**の行使**又は公**の**職務の執行に妨げがない限り、請求**された**時刻**を**変更することができる

◆公民権行使の時間については、無給でもよい

公民としての権利	該当	◆選挙権及び被選挙権 ◆行政事件訴訟法に規定する民衆訴訟 ◆公職選挙法に規定する選挙人名簿に関する訴訟や選挙又は当選に関する訴訟
	不該当	◆応援のための選挙活動 ◆一般の訴権の行使
公の職務	該当	◆衆議院議員等の議員の職務 ◆裁判員の職務 ◆民事訴訟法の規定による証人の職務 ◆公職選挙法の規定による投票立会人等の職務
	不該当	◆予備自衛官の防衛招集、訓練招集 ◆非常勤の消防団員の職務

ワンポイントアドバイス

1 に記載している基本原則の条文は、どこが空欄になっていても答えられるように、すべて覚えましょう。

2 労働契約の締結

CH1 Sec2

1 労働契約締結時の措置

労働基準法の強行的効力・直律的効力

❶ **労働基準法で定める**基準**に達しない**労働条件を定める労働契約は、**その部分**については無効とする

❷ 無効となった部分は、**労働基準法で定める**基準による

労働契約の期間

労働契約は、期間**の**定め**のない**ものを除き、一定の事業**の**完了に必要な期間を定めるもののほかは、3**年**（一定の労働契約にあっては、5**年**）**を超える**期間について締結してはならない

5年の上限	❶**高度の**専門的知識**等**を有する労働者（当該高度の専門的知識等を必要とする業務に就く者に限る）との間に締結される労働契約 ❷**満**60**歳以上**の労働者との間に締結される労働契約
上限の例外	❶一定の**事業の完了**に必要な期間を定める労働契約 ❷職業能力開発促進法による都道府県知事の認定を受けて行う職業訓練を受ける労働者との間に締結される労働契約

労働者からの解約

有期労働契約（一定の事業**の**完了に必要な期間を定めるものを除き、その期間が1**年を超える**ものに限る）を締結した労働者（**契約期間の上限が5年とされる労働者**を除く）は、当該**労働契約の期間の**初日から1**年を経過した日以後**においては、その**使用者に申し出る**ことにより、**いつでも**退職することができる

雇止め等に関する基準

❶ 厚生労働大臣は、期間の定めのある労働契約の締結時及び当該労働契約の期間の満了時において労働者と使用者との間に紛争が生ずることを未然に防止するため、使用者が講ずべき労働契約の期間の満了に係る通知に関する事項その他必要な事項についての基準を定めることができる

❷ 行政官庁は、上記❶の基準に関し、期間の定めのある労働契約を締結する使用者に対し、必要な助言及び指導を行うことができる

労働条件の明示

使用者は、労働契約の締結に際し、労働者に対して労働条件を明示しなければならない

労働者に対して明示しなければならない労働条件を事実と異なるものとしてはならない

(1)労働条件の明示（後記(2)の労働者に対する明示以外の場合）

	明示事項	書面の交付※
絶対的明示事項	❶労働契約の期間	○
	❷有期労働契約を更新する場合の基準（更新がある場合に限るものとし、通算契約期間又は有期労働契約の更新回数に上限がある場合の当該上限を含む）	○
	❸就業の場所及び従事すべき業務（これらの変更の範囲を含む）	○
	❹始業及び終業の時刻、所定労働時間を超える労働の有無、休憩時間、休日、休暇並びに労働者を２組以上に分けて就業させる場合における就業時転換	○
	❺賃金（退職手当等を除く）の決定、計算及び支払の方法、賃金の締切り及び支払の時期並びに昇給	○ （昇給を除く）
	❻退職（解雇の事由を含む）	○
相対的明示事項	❶退職手当の定めが適用される労働者の範囲、退職手当の決定、計算及び支払の方法並びに退職手当の支払の時期	×
	❷臨時に支払われる賃金（退職手当を除く）、賞与その他これに準ずるもの並びに最低賃金額	×
	❸労働者に負担させるべき食費、作業用品等	×

相対的明示事項	❹安全及び衛生	×
	❺職業訓練	×
	❻災害補償及び業務外の傷病扶助	×
	❼表彰及び制裁	×
	❽休職	×

※書面の交付　○：必要　×：不要　（次表において同じ）

(2)契約期間内に無期転換申込権が発生する有期契約労働者に対する労働条件の明示

	明示事項	書面の交付
絶対的明示事項	❶～❻　上記(1)の**絶対的明示事項**と同じ	
	❼**無期転換申込み**に関する事項	○
	❽**無期転換後の労働条件**のうち、上記(1)の**絶対的明示事項**の❶及び❸～❻	○ （昇給を除く）
相対的明示事項	❶～❽　上記(1)の**相対的明示事項**と同じ	
	❾**無期転換後の労働条件**のうち、上記(1)の**相対的明示事項**（❶～❽）	×

◆明示方法

絶対的明示事項（昇給に関する事項を除く） → **書面の交付**※により明示

※労働者が**希望**した場合は、次の方法によることができる
- ファクシミリを利用してする送信の方法
- 電子メール等の送信の方法（その記録を出力して書面を作成できるものに限る）

◆派遣労働者に対しては、**派遣**元の使用者が労働条件を明示しなければならない

労働契約の即時解除と帰郷旅費

❶ 労働契約**の締結**に際し**明示された労働**条件が事実**と**相違する場合においては、労働者は、即時に**労働**契約を解除することができる

❷ ❶の場合、**就業**のために住居**を**変更した労働者が、契約解除**の日**から**14日以内に**帰郷する場合においては、使用者は、**必要な**旅費を負担しなければならない

賠償額予定の禁止

使用者は、**労働契約の**不履行について違約金を定め、又は損害賠償額**を予定**する契約をしてはならない

◆現実に生じた損害について賠償を請求することまで禁止するものではない

前借金相殺の禁止

使用者は、前借金その他労働**することを条件**とする前貸**の**債権と賃金を相殺してはならない

◆労働することが条件となっている場合には、いかなる場合であっても使用者の側から前貸の債権と賃金を相殺することはできない
◆労働者が使用者からの人的信用に基づいて受ける金融、弁済期の繰上げ等で明らかに身分的拘束を伴わないものとの相殺は禁止されていない

2 強制貯蓄の禁止

強制貯蓄と任意貯蓄

❶ 使用者は、**労働契約に**附随して貯蓄**の**契約をさせ、又は貯蓄金**を管理**する契約をしてはならない

❷ 使用者は、**労働者の貯蓄金**をその委託**を受けて管理**しようとする場合は、一定の措置をとらなければならない

強制貯蓄 ➡ 禁止
任意貯蓄 ➡ 一定の制約の下で可能
- **社内預金**…使用者自身が労働者の預金を受け入れて直接管理
- **通帳保管**…労働者の預貯金通帳や印鑑を使用者が保管

◆労働契約に附随している場合には、いかなる場合であっても、貯蓄の契約をさせ、又は貯蓄金を管理する契約をすることはできない
◆派遣先の使用者が派遣労働者の委託を受けて貯蓄金を管理することはできない
◆貯蓄の自由及び返還請求の自由が保障されている限り、貯蓄金額を賃金の一定率としても違法ではない

任意貯蓄のための措置

<table>
<tr><th>社内預金</th><th>通帳保管</th></tr>
<tr><td colspan="2">(1) 労使協定（貯蓄金管理協定）を締結し、所轄労働基準監督署長に届け出ること
(2) 貯蓄金の管理に関する規程（貯蓄金管理規程）を定め、これを労働者に周知させるため作業場に備え付ける等の措置をとること
(3) 労働者が貯蓄金の返還を請求したときには、遅滞なく返還すること</td></tr>
<tr><td>(4) 貯蓄金管理協定に以下の事項を定めること
❶預金者の範囲
❷預金者1人当たりの預金額の限度
❸預金の利率及び利子の計算方法
❹預金の受入れ及び払いもどしの手続
❺預金の保全の方法
(5) 上記(4)の事項及びそれらの具体的取扱いについて、貯蓄金管理規程に規定すること
(6) 毎年3月31日以前1年間における預金の管理の状況を、4月30日までに、所轄労働基準監督署長に報告すること
(7) 年5厘以上の利率による利子をつけること</td><td>(4) 貯蓄金管理規程に以下のことを規定すること
❶預金先の金融機関名及び預金の種類
❷通帳の保管方法
❸預金の出入れの取次の方法</td></tr>
</table>

貯蓄金管理中止命令

〈労働者〉貯蓄金返還請求 ➡ 〈使用者〉遅滞なく返還せず ➡ 〈労基署長〉貯蓄金管理中止命令 ➡ 〈使用者〉労働者に遅滞なく返還

◆**貯蓄金管理中止命令の発動要件**

❶労働者が貯蓄金**の**返還を請求したにもかかわらず、使用者が遅滞**なく**これを返還していない

❷当該貯蓄金**の**管理**を**継続することが労働者**の**利益を**著しく害する**と認められる

❸所轄労働基準監督署長がその**必要な限度の範囲内**で、当該貯蓄金**の管理を**中止すべきことを**命ずる**

ワンポイントアドバイス

所轄労働基準監督署長による貯蓄金管理の中止命令は、上記❶❷の2つがそろったときに出されます。

3 労働契約の解除

CH1 Sec2

解雇制限

使用者は、以下の期間は、労働者を解雇してはならない

❶ **業務上負傷・疾病の療養休業期間**
❷ 産前産後**の休業期間**

＋ **その後30日間**

◆契約期間の満了により労働者を辞めさせても、解雇ではないので、解雇制限の問題は生じない

◆業務上負傷・疾病の療養期間又は産前産後の期間であっても、休業していなければ解雇制限の規定は適用されない

解雇制限の解除

次の場合には、**解雇制限**の規定は適用されない

解除事由	所轄労働基準監督署長の認定
❶打切補償**の支払**	不要
❷天災事変**その他やむを得ない事由**のため**事業の継続**不能	要

◆解雇制限期間中に**労働者の責に帰すべき事由**があっても解雇制限は解除されない

◆**天災事変その他やむを得ない事由**

該当する	・事業場が火災により焼失した（事業主の故意又は重大な過失によるものを除く） ・震災に伴う工場等の倒壊
該当しない	・事業主が法令に違反したため強制収容された ・事業経営上の見通しを誤ったため経営困難に陥った

◆**事業継続不能**

該当する	・事業の全部又は大部分の継続が不可能となった場合
該当しない	・多少の労働者を解雇すれば事業を継続できる ・一時的操業中止ですむ

解雇予告

使用者は、労働者を解雇しようとする場合においては、**少なくとも30日前**にその予告をしなければならない。**30日前**に予告をしない使用者は、**30日分以上の**平均賃金を支払わなければならない

❶ **解雇の予告** ➡ 30日以上前の予告
❷ **解雇予告手当の支払** ➡ 30日分以上の平均賃金の支払
（❶❷）**併用可**

◆**解雇予告手当**は**賃金ではない**が、**解雇の申渡しと同時**に、通貨で直接支払うべきとされている
◆例えば10月31日に解雇（その日の終了をもって解雇の効力が発生）するためには、遅くとも10月1日には解雇の予告をしなければならない（予告日と効力発生日の間に暦日30日の期間が必要）

解雇予告の注意点

◆解雇予告は一般的には取り消すことができないが、労働者が具体的事情の下に自由な判断によって**同意**を与えた場合には取り消すことができる
◆解雇の予告はしたものの、解雇予定日を過ぎて労働者を使用してしまった場合には、通常同一条件でさらに労働契約がなされたものとみなされるので、その解雇予告については**無効**となり、その後解雇しようとするときは改めて解雇予告等の手続が必要となる
◆解雇予告期間の満了前に労働者が業務上負傷し又は疾病にかかり療養のために休業した場合には、解雇制限の適用があるので制限期間中は解雇できないが、その休業が長期にわたるようなものでない限り、**解雇予告の効力の発生が中止**したにすぎないので、改めて解雇予告をする必要はない
◆解雇予告と同時に休業を命じ、解雇予告期間中は平均賃金の60％の**休業手当**しか支払わなかった場合でも、30日前に予告がなされている限り、その労働契約は予告期間の満了によって終了する

解雇予告の除外

次の場合には、解雇予告の規定は**適用されない**

除外事由	所轄労働基準監督署長の認定
❶**天災事変**その他**やむを得ない事由**のため**事業の継続**不能	要
❷**労働者の責に**帰すべき**事由**に基いて解雇	要

◆**労働者の責に帰すべき事由**

・事業場内における盗取、横領、傷害等刑法犯に該当する行為
・賭博等職場規律を乱し、他の労働者に悪影響を及ぼす行為
・雇入れの際の重大な経歴の詐称
・他の事業場への転職
・**2週間以上**の正当な理由なき無断欠勤
・出勤不良が改まらない　等

解雇予告の適用除外

解雇予告の適用除外者	解雇予告が必要となる場合
日日**雇い入れられる者**	1箇月**を超えて**引き続き使用
2箇月**以内の期間**を定めて使用される者	所定**の**期間**を超えて**引き続き使用
季節的業務に4箇月**以内の期間**を定めて使用される者	
試**の**使用期間**中**の者	14日**を超えて**引き続き使用

◆試の使用期間中の者は、就業規則で定めた試用期間にかかわらず、14日を超えた時点で、解雇予告の規定が適用される

金品の返還

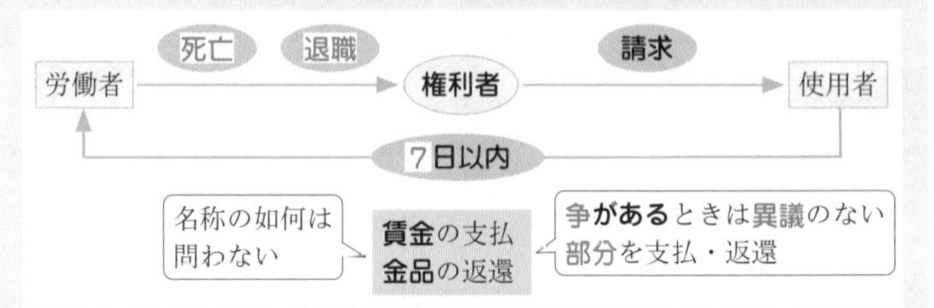

◆権利者とは、退職の場合は労働者本人、死亡の場合は労働者の遺産相続人をいい、一般債権者は含まれない

◆**退職手当**については、予め就業規則等で定められた支払時期に支払えば足りる

退職時等の証明

●退職時の証明

労働者が、退職の場合において、以下の事項について**証明書を請求**した場合においては、使用者は、遅滞なくこれを**交付**しなければならない

❶ 使用**期間**

❷ 業務**の**種類

❸ その事業における地位、賃金

❹ 退職**の**事由（解雇の場合にあっては、その**理由**を含む）

◆証明書には、**労働者の請求しない事項**を記入してはならない
◆懲戒解雇の場合であっても証明書の交付義務がある

●解雇の理由に関する証明

労働者が、解雇**の**予告**がされた日**から退職**の日**までの間において、当該解雇**の**理由について証明書**を請求**した場合においては、使用者は、遅滞なくこれを**交付**しなければならない

➡ ただし、労働者が、解雇**の**予告**がされた日以後**に当該解雇**以外の事由**により退職した場合は、退職**の日以後**、証明書を**交付する必要はない**

◆証明書には、労働者の請求しない事項を記入してはならない
◆**即時解雇**の場合には上記の規定は適用されない

●就業妨害の禁止

使用者は、あらかじめ**第三者と謀り**、労働者の就業**を**妨げることを目的として、以下のことをしてはならない

❶ 労働者の、①国籍、②信条、③**社会的**身分、④労働組合**運動**、に関する通信をすること

❷ 退職時等の証明書に秘密**の**記号を記入すること

◆上記❶は制限列挙であって例示ではない
◆秘密の記号は、「国籍、信条、社会的身分、労働組合運動」に関するものに限られない
◆事前の申し合わせに基づかない具体的照会に回答することは、禁止されていない

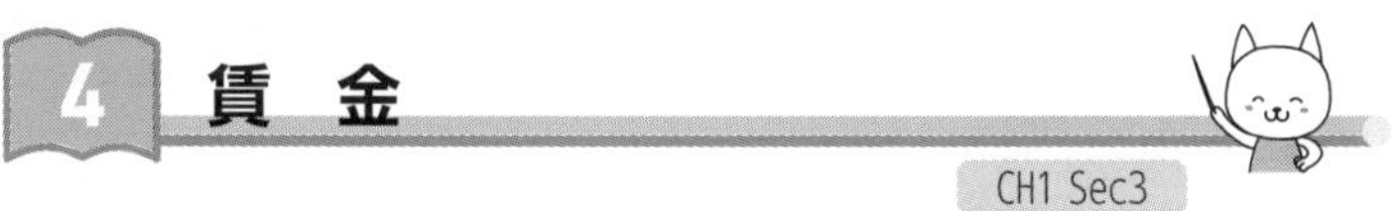

4 賃金

CH1 Sec3

1 賃金支払の5原則

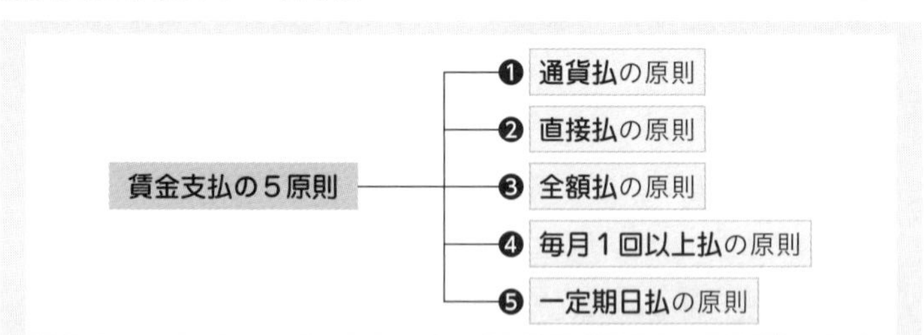

通貨払の原則

■原則■ 賃金は、**通貨で**支払わなければならない

■例外■ ❶ **法令・労働協約**に**別段の定め**がある場合（現在法令の定めなし）

❷ 次の**確実な支払の方法**による場合 ⇐ **労働者の同意 要**

①金融機関の**預金・貯金への**振込み
②金融商品取引業者の**預り金への払込み**
③**指定資金移動業者の口座**への**資金移動**（①②を選択することができるようにするとともに、必要事項を**説明**する必要あり）
④銀行振出小切手
⑤銀行支払保証小切手
⑥普通為替証書等

（④～⑥）退職手当の支払のみ可

留意点

- ◆労使協定に定めても賃金を通貨以外のもので支払うことはできない
- ◆労働協約の定めにより通貨以外のもので支払うことができるのは、その労働協約の適用を受ける労働者に限られる

直接払の原則

■内容■ 賃金は、直接**労働者**に支払わなければならない

留意点

◆労働者の**代理人**、**賃金債権の譲受人**等への支払は不可
◆使者に支払うことは可
◆派遣先使用者が派遣元使用者からの賃金を派遣労働者に手渡すことは可

全額払の原則

■原則■ 賃金は、その全額**を**支払わなければならない

■例外■ 以下の場合は、賃金の**一部控除**ができる

❶ 法令**に別段の定め**がある場合
例 所得税・地方税の源泉徴収、社会保険料の控除

❷ **労使協定**がある場合（**届出は不要**）
例 購買代金、社宅費、組合費の控除

留意点

以下の取扱いは、違反とはならない

❶ 1箇月の時間外・休日・深夜労働時間数の合計
➡ 30分未満切捨て、30分以上1時間未満を1時間に切上げ
❷ 1時間当たりの賃金額・割増賃金額
➡ 1円未満四捨五入
❸ 1箇月の時間外・休日・深夜労働の各割増賃金の総額
➡ 1円未満四捨五入
❹ 1箇月の賃金支払額
➡ 100円未満四捨五入
❺ 1箇月の賃金支払額に生じた1,000円未満の端数
➡ 翌月に繰り越して支払う

毎月１回以上払の原則・一定期日払の原則

■原則■ 賃金は、毎月１回以上、一定の期日を定めて支払わなければならない

■例外■
❶ 臨時に支払われる賃金
❷ 賞与
❸ 以下の厚生労働省令で定める賃金
①１箇月超の期間の出勤成績による精勤手当
②１箇月超の一定期間の継続勤務に対する勤続手当
③１箇月超の期間にわたる事由による奨励加給・能率手当

留意点
◆月給制での例 ➡ （○）毎月25日　（○）月の末日　（×）第３金曜日
◆週給制での例 ➡ （○）金曜日
◆所定の支払日が休日の場合に、繰り上げ又は繰り下げて支払うことは可

2 保障給等

非常時払

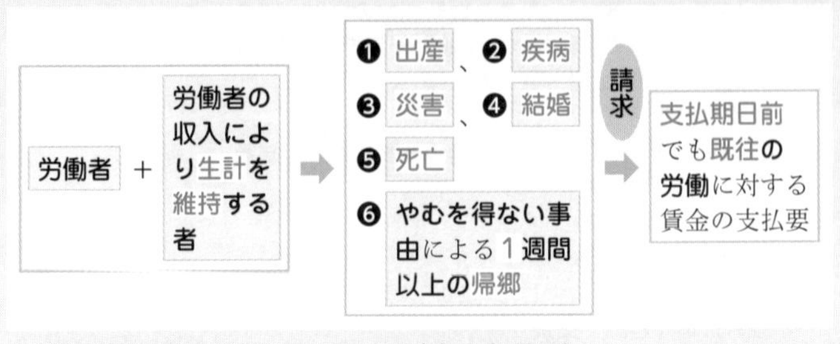

◆労務の提供のない部分についてまで支払う必要はない

休業手当

使用者の責に帰すべき事由による休業 ➡ **平均賃金の60％以上の手当**

◆その日の労働時間がたまたま短く定められていても、平均賃金の60％以上の休業手当の支払要

◆一部休業の場合で、現実に就労した時間に対する賃金が平均賃金の60％に満たないときは、その差額以上の休業手当の支払要

◆**使用者の責に帰すべき事由**

該当するもの	該当しないもの
・材料不足、輸出不振、資金難、不況等による休業 ・解雇予告又は解雇予告手当の支払なしに解雇した場合の予告期間中の休業 ・新規学卒採用内定者の自宅待機	・天災地変等の不可抗力による休業 ・ロックアウトによる休業（社会通念上正当と認められるものに限る） ・代休付与命令による休業

※派遣労働者の場合は、**使用者の責に帰すべき事由があるかどうかの判断**は、**派遣**元の使用者についてなされる

出来高払制の保障給

出来高払制 その他の請負制 ➡ **労働時間に応じた一定額の賃金の保障**

◆労働者が労働していない場合には保障給の支払不要

5 法定労働時間と適用除外

CH1 Sec4

法定労働時間

	原　則	特例事業
事業内容	右以外の事業	**常時10人未満**の労働者を使用する以下の事業 ❶ **商業** ❷ **映画演劇業**(**映画の**製作の事業を除く) ❸ **保健衛生業** ❹ **接客娯楽業**
1週間の法定労働時間	40時間	44時間
1日の法定労働時間	8時間	

◆ 1週間とは日曜日から土曜日までのいわゆる暦週をいい、1日とは午前0時から午後12時までのいわゆる暦日をいう

◆ **映画の製作**の事業の1週間の労働時間の上限は、常時10人未満の労働者を使用する場合であっても**40時間**である

労働時間の通算

労働時間は、**事業場を**異にする場合においても、**労働時間に関する規定**の適用については通算する

労働時間、休憩、休日の適用除外

以下の労働者には、労働時間、休憩及び休日に関する規定は、**適用されない**

	法41条該当者	所轄労働基準監督署長の許可
❶	**農業又は**水産・養蚕・畜産**業**の事業に従事する者	不要
❷	**管理監督者**、機密**の**事務を取り扱う者	不要
❸	監視・断続**的**労働に従事する者	要

◆ 林業に従事する者は、法41条該当者ではない

◆ 法41条該当者であっても、**深夜業**や**年次有給休暇**の規定は適用される

高度プロフェッショナル制度

内容

対象業務に従事した対象労働者（書面等により**同意**を得た者に限る）

↓ ← 労使委員会の決議・届出

労働時間、休憩、休日、深夜の割増賃金につき適用除外

条件	決議事項の❸～❺の措置のいずれかを講じていない場合は、高度プロフェッショナル制度を採用することはできない

決議

労使委員会※の委員の**5分の4以上**の多数による議決による決議

↓

所轄労働基準監督署長に届出

※後述の「企画業務型裁量労働制」の「労使委員会」とほぼ同じである

決議事項

❶**対象業務**
❷**対象労働者**となる者の範囲
❸**健康管理時間を把握する措置**（タイムカードによる記録、パーソナルコンピュータ等の電子計算機の使用時間の記録等）を使用者が講ずること
❹対象業務に従事する対象労働者に対し、**1年間に104日以上、かつ、4週間に4日以上**の**休日**を与えること
❺対象業務に従事する対象労働者に対し、後述の選択的措置の**いずれかの措置**を講ずること
❻対象業務に従事する対象労働者の**健康管理時間**に応じた**健康及び福祉**を確保するための措置であって、**有給休暇**（年次有給休暇を除く）の付与、健康診断の実施、代償休日の付与、配置転換、産業医等による保健指導等のうち決議で定めるものを講ずること
❼対象労働者の**同意の撤回手続**
❽対象業務に従事する対象労働者からの**苦情の処理**に関する措置を講ずること
❾**同意**のない対象労働者に対して**解雇その他不利益取扱**いをしてはならないこと

決議事項	⑩その他厚生労働省令で定める事項 ・**決議の**有効期間 ・**自動更新されない**旨 ・対象労働者の同意及びその撤回、職務内容、賃金額、健康管理時間の状況、必要な措置の実施状況等に関する対象労働者ごとの記録を、決議の**有効期間中**及びその満了後5**年間**（**当分の間**は3**年間**）保存すること　等
対象業務	高度の専門的知識等を必要とし、その性質上**従事した**時間と**従事して得た**成果との**関連性が**通常高**くない**と認められるものとして厚生労働省令で定める業務のうち、労働者に就かせることとする業務 〈厚生労働省令で定める業務〉 ・金融商品の開発業務 ・金融商品のディーリング業務 ・アナリストの業務（企業・市場等の高度な分析業務） ・コンサルタントの業務（事業・業務の企画運営に関する高度な考案又は助言の業務） ・新たな技術・商品等の研究開発業務
対象労働者	高度プロフェッショナル制度により**労働する期間**において次の**いずれにも**該当する労働者をいう (1) 使用者との間の書面等による合意に基づき職務が**明確**に定められていること (2) 賃金の見込額を1年**間当たりの賃金の額に換算した額**が、**基準年間平均給与額**（**毎月勤労統計**に基づき算定した労働者1人当たりの給与の平均額）の3**倍**の額を**相当程度上回る水準**として**厚生労働省令で定める額**（1,075**万円**）**以上**であること
健康管理時間	対象労働者が事業場内**にいた時間**※と事業場外**において労働した時間**との**合計の時間**をいう ※上記「事業場内にいた時間」については、労使委員会が休憩時間その他対象労働者が労働していない時間を除くことを決議したときは、当該決議に係る時間を除いた時間とする
選択的措置（決議事項⑤）	決議事項⑤について、使用者は、決議及び就業規則等に定めるところにより、次の(1)〜(4)の**いずれか**の措置を講じなければならない

選択的措置（決議事項❺）	⑴ **労働者ごと**に**始業から24時間を経過するまで**に11**時間以上**の**継続した休息時間**を確保する かつ **深夜の時間帯**において労働させる回数を**1箇月**について**4回以内**とする ⑵ 1週間当たりの健康管理時間が40時間を超えた場合におけるその超えた時間について、**1箇月**に**100時間**及び**3箇月**に**240時間**を超えないものとする ⑶ **1年に1回以上の継続した2週間**※1 ※2について**休日**を与える ※1 労働者が**請求**した場合は、1年に**2回以上**の継続した1**週間** ※2 **年次有給休暇**を与えたときは、その日を**除く** ⑷ 1週間当たりの健康管理時間が40時間を超えた場合におけるその超えた時間が1箇月当たり**80時間**を超えた労働者又は申出のあった労働者に、一定の**健康診断**※を実施すること ※「健康診断」は以下の項目を含むものであることが必要である ・安衛則に定める定期健康診断項目のうちの「既往歴・業務歴の調査」「自覚・他覚症状の有無の検査」「身長、体重、腹囲の検査」「血圧の測定」「血中脂質検査」「血糖検査」「尿検査」「心電図検査」 ・長時間労働者に対する面接指導の確認事項
報　告	決議の届出をした使用者は、当該**決議の有効期間の始期**から起算して**6箇月以内ごと**に、「**健康管理時間の状況**」及び「決議事項の❹～❻に規定する**措置の実施状況**」を、**所轄労働基準監督署長**に**報告**しなければならない
指導・助言	行政官庁は、厚生労働大臣が定める対象業務に従事する労働者の適正な労働条件の確保を図るための**指針**に関し、**決議をする委員**に対し、必要な**助言及び指導**を行うことができる

ワンポイントアドバイス

法41条該当者については、労働時間、休憩及び休日に関する規定が適用除外となるのに対して、高度プロフェッショナル制度の対象労働者については、労働時間、休憩及び休日のほか、深夜の割増賃金に関する規定も適用除外となります。

6 休憩と休日

CH1 Sec4

1 休　憩

休憩時間

労働時間	休憩時間
6時間以下	付与義務なし
6時間を超え8時間以下	少なくとも45分
8時間超	少なくとも1時間

◆労働時間6時間
➡ 休憩時間を与えなくてよい

◆労働時間8時間
➡ 45分の休憩時間でよい

ワンポイントアドバイス

労働時間が8時間を超える場合、その超える時間が何時間であっても、1時間の休憩を与えていれば、法違反となりません。

休憩の適用除外

以下の者には、法定の休憩時間を与えなくてもよい

❶**法41条該当者**
❷**高度プロフェッショナル制度の対象労働者**
❸列車、自動車等の運転手・車掌等の**乗務員**のうち、**6時間を超える**長距離区間に連続して乗務するもの
❹❸に該当しない乗務員のうち、業務の性質上休憩時間を与えることができず、かつ、停車時間や待合せ時間等の合計が法定の休憩時間に相当するもの
❺屋内勤務者**30人未満の日本郵便株式会社の営業所**（**郵便窓口業務**を行うものに限る）において郵便**の業務**に従事するもの

休憩の３原則

原則	例外
途中付与の原則 休憩時間は、**労働時間の**途中に与えなければならない	■例外■ なし
一斉付与の原則 休憩時間は、一斉**に**与えなければならない	■例外■ ❶**労使協定**がある場合（**届出は不要**） ❷坑内労働 ❸**運輸交通業、商業、金融広告業、映画演劇業、通信業、保健衛生業、接客娯楽業、官公署**
自由利用の原則 休憩時間は、自由**に**利用させなければならない	■例外■ ❶坑内労働 ❷**警察官、消防吏員、常勤の消防団員、准救急隊員、**児童自立支援**施設**に勤務する職員で児童と**起居をともに**する者 ❸**乳児院、児童養護施設**及び障害児入所**施設**に勤務する職員で児童と**起居をともに**する者であって、使用者があらかじめ**所轄労働基準監督署長の**許可を受けたもの ❹児童福祉法に規定する居宅訪問型保育**事業**に使用される労働者のうち、家庭的保育者として**保育を行う者**

休憩の３原則の注意点

◆派遣労働者がいる場合には、**派遣**先の使用者は、**派遣労働者を含めて**事業場の労働者に休憩を**一斉に**与えなければならない

◆休憩時間の自由利用について事業場の規律保持上、必要な制限を加えることは、休憩の目的を害わない限り差し支えない

◆休憩時間中の外出を許可制とすることは、事業場内において自由に休憩し得る場合であれば差し支えない

2 休　日

法定休日

■原則■

毎週少くとも1回の休日を与えなければならない

■変形休日制■

4週間を通じ4日以上の休日を与えることでもよい

◆日曜日や祝日を休日としなくても法違反ではない

◆変形休日制では、**特定の4週間に4日の休日**があればよい（どの4週間を区切っても4日の休日とならなければならない趣旨ではない）

休日の振替と代休

休日の振替	内容	あらかじめ休日とされた日を労働日とし、その代わりに他の労働日を休日とするもの
	要件	❶**就業規則等**において、**休日を振り替えることができる旨**の規定を設けておくこと ❷休日を振り替える**前**に**あらかじめ振り替えるべき日を特定**すること ❸4週間を通じ4日以上の休日が確保されていること
	割増賃金の支払	休日の振替により労働日とされた日の労働は、休日労働ではないので、**割増賃金の支払義務は生じない**
代　休	内容	休日労働をさせた後に、その代償として、その後の特定の労働日の労働義務を免除するもの ◆休日労働をさせた労働者に対し、必ず代休を与えなければならないわけではない
	割増賃金の支払	休日には既に休日労働が行われているので、**割増賃金の支払義務が生じる**

◆休日を振り替えたことにより、その週の労働時間が**1週間の法定労働時間を超える**場合には、時間外労働に対する割増賃金を支払わなければならない

7 変形労働時間制

CH1 Sec5

変形労働時間制の種類

変形労働時間制
- 1箇月単位の変形労働時間制
- フレックスタイム制
- 1年単位の変形労働時間制
- 1週間単位の非定型的変形労働時間制

1箇月単位の変形労働時間制

業種・規模	全業種が対象・規模による制限なし
要　件	**労使協定又は就業規則等**に以下の事項を定める ❶変形期間 ❷変形期間の起算日 ❸変形期間を平均し、1週間当たりの労働時間が週法定労働時間を超えない定め ❹変形期間における各日、各週の労働時間 ❺労使協定の場合は**有効期間の定め**（労働協約である場合を除く）
労使協定等の届出	必要 （就業規則等は常時10人未満のときは届出不要）
変形期間	**1箇月以内**
週平均労働時間の上限	**40時間**（特例事業は**44時間**）
労働日数の上限	なし
週平均労働時間以外の労働時間の上限	なし

フレックスタイム制

業種・規模	全業種が対象・規模による制限なし	
要　件	⑴ **就業規則等**に始業・終業**時刻**を労働者**の**決定**にゆだねる旨**を定める ⑵ **労使協定**に以下の事項を定める ❶**対象**労働者**の**範囲 ❷**清算期間とその**起算日 ❸清算期間における総労働時間 ❹**標準となる**1日**の労働時間** ❺**コアタイムを定める**場合、又はフレキシブルタイム**に制限を設ける**場合には、その**時間帯の**開始・終了**時刻** ❻**有効期間**の定め（清算期間が1箇月**超**の場合に限り、労働協約である場合を除く）	
清算期間	3箇月以内	
清算期間を平均した週の労働時間等の限度	清算期間 1箇月以内	清算期間を平均し**1週間当たり**の労働時間が**40時間**（特例事業は**44時間**）を超えない範囲内
	清算期間 **1箇月超**	清算期間を平均し**1週間当たり**の労働時間が**40時間**（特例事業についても40時間）を超えない **かつ** 清算期間をその**開始の日以後**1箇月**ごと**に区分した各期間を平均し1週間当たりの労働時間が**50時間**を超えない範囲内
完全週休2日制を採用する場合の限度	1週間の所定労働日数が**5日**である労働者にフレックスタイム制を適用する場合に、**労使協定**で労働時間の限度について「**所定労働日数×8時間**」とする旨定めたときは、清算期間を平均した1週間当たりの労働時間は、以下の範囲内とする	
	清算期間 1箇月以内	（清算期間の**所定労働日数** × **8時間**）÷（清算期間の**暦日数**／7） を超えない範囲内

完全週休2日制を採用する場合の限度

清算期間1箇月超

（清算期間の**所定労働日数** × **8時間**）÷（清算期間の**暦日数**／7）

を超えない

かつ

清算期間をその開始の日以後1箇月ごとに区分した各期間を平均し1週間当たりの労働時間が**50時間**を超えない範囲内

労働日数の上限

なし

労使協定の届出

清算期間	届出の要否
1箇月以内	**不要**
1箇月超	**必要**

賃金清算

使用者が、**清算期間が1箇月を超える**フレックスタイム制により当該清算期間中に**労働させた期間**が当該**清算期間より短い**労働者について、当該**労働させた期間を平均し1週間当たり40時間を超えて**労働させた場合には、**その超えた時間**（災害等・公務による臨時の必要又は36協定により時間外又は休日に労働させた時間を除く）の労働については、法第37条［割増賃金］の規定の例により**割増賃金**を支払わなければならない

1年単位の変形労働時間制

業種・規模

全業種が対象・規模による制限なし

要件

労使協定に以下の事項を定める

❶対象労働者の範囲
❷対象期間とその起算日
❸特定期間
❹対象期間における労働日及び当該労働日ごとの労働時間
❺有効期間の定め（労働協約である場合を除く）

労使協定の届出

対象期間	**1箇月を超え1年以内**
週平均労働時間の上限	**40時間**（特例事業も**40時間**）
労働日数の上限	◆**労働日数の限度** 対象期間が**3箇月以下**：制限なし 対象期間が**3箇月超**　：**1年280日** ◆**連続労働日数の限度** 対象期間における限度：**6日** （**特定期間の連続労働日数**の限度は、**1週1日の**休日が確保できる日数）
週平均労働時間以外の労働時間の上限	◆対象期間が**3箇月以下**の場合 ・**1週52時間** ・**1日10時間** ◆対象期間が**3箇月超**の場合 ・1週52時間 ・1日10時間 ＋ ・**48時間超の週が連続**する場合の**週数が3以下** ・**対象期間を3箇月ごとに区分した各期間**で、**48時間超の週の初日の数**が**3以下**
賃金清算	使用者が、対象期間中に1年単位の変形労働時間制により**労働させた期間**が当該**対象期間より短い**労働者について、当該**労働させた期間を平均**し**1週間当たり40時間を超えて**労働させた場合には、**その超えた時間**（災害等・公務による臨時の必要又は36協定により時間外又は休日に労働させた時間を除く）の労働については、法第37条［割増賃金］の規定の例により**割増賃金**を支払わなければならない

1週間単位の非定型的変形労働時間制

業種・規模	常時30人未満の小売業、旅館、料理店、飲食店
要　件	労使協定に定める
労使協定の届出	必要
変形期間	1週間
週所定労働時間の上限	40時間（特例事業も40時間）
労働日数の上限	なし
労働時間の上限	1週40時間 1日10時間

ワンポイントアドバイス

変形労働時間制のうち、1週間単位の非定型的変形労働時間制についてのみ、事業の規模と業種が問われます。

8 時間外労働・休日労働と割増賃金

CH1 Sec6

1 臨時の必要による時間外労働・休日労働

	災害その他避けることのできない事由により臨時の必要がある場合	公務のために臨時の必要がある場合
許可等	所轄労働基準監督署長の許可（事態急迫のため許可を受ける暇がない場合は、事後に遅滞なく届出）	許可（事後の届出）は不要
割増賃金	必要	

2 36協定による時間外労働・休日労働

36協定による時間外・休日労働

使用者は、**労使協定**をし、厚生労働省令で定めるところによりこれを所轄労働基準監督署長に**届け出た**場合には、**時間外労働又は休日労働**をさせることができる

協定事項

(1) 時間外労働又は休日労働をさせることができる**労働者の範囲**

(2) **対象期間**（**1年間**に限る）

(3) 時間外労働又は休日労働を**させることができる場合**

(4) **対象期間**における**1日、1箇月及び1年**のそれぞれの期間について**時間外労働**をさせることができる**時間**(注)又は**休日労働**をさせることができる**日数**

（注）通常予見される時間外労働の範囲内において、**限度時間を超えない**時間に限る（※）

(5) 厚生労働省令で定める以下の事項（❹～❼については、特別条項を定める場合に限る）

❶**有効期間**の定め（労働協約である場合を除く）

❷対象期間における**1年の起算日**

❸後記「実労働時間の制限」の❷・❸の要件を満たすこと

❹**限度時間を超えて**労働させることができる場合

❺限度時間を超えて労働させる労働者に対する**健康及び福祉**を確保するための措置(注)

（注）措置の実施状況**に関する記録**を**有効期間中**及び当該有効期間の**満了後5年間**（**当分の間**は**3年間**）**保存**しなければならない

❻限度時間を超えた労働に係る**割増賃金の率**

❼限度時間を超えて労働させる場合における**手続**

限度時間（※）

限度時間	
1箇月	**45時間**（42時間）
1　年	**360時間**（320時間）

（　）内：**1年単位**の変形労働時間制の対象期間として3箇**月を超える**期間を定めて労働させる場合

特別条項(※)

通常予見することのできない**業務量の大幅な増加**等に伴い**臨時的**に前記の**限度時間を超えて**労働させる必要がある場合には、36協定に、前記の協定事項のほか、下表の時間外・休日労働時間（❶・❷）を定めることができる

臨時の必要がある場合の協定事項	限度
❶**1箇月**についての**時間外・休日労働時間数**	上記協定事項(4)の時間を含め、**100時間**未満
❷**1年**についての**時間外労働時間数**	上記協定事項(4)の時間を含め、**720時間**以内
❸時間外労働時間が**1箇月**について**45時間**（42時間）を超えることができる**月数**	**1年**につき6**箇月**以内

（注）36協定に❶、❷を定める場合には、併せて❸を定めなければならない

実労働時間の制限

使用者は、36協定で定めるところによって時間外労働又は休日労働をさせる場合であっても、次の❶～❸の時間については、それぞれの要件を満たすものとしなければならない

❶坑内労働その他**健康上特に有害な業務**についての**1日**の時間外労働時間	2**時間**以内
❷**1箇月**についての時間外労働及び休日労働の時間数(※)	100**時間**未満
❸「対象期間の**初日**から**1箇月**ごとに区分した各期間＋各期間の**直前の1箇月、2箇月、3箇月、4箇月及び5箇月**の期間」の各期間における時間外労働及び休日労働の**1箇月当たりの平均時間**(※)	80**時間**以内

新技術・商品等の研究開発業務における規制の除外

新たな技術、商品又は役務の研究開発に係る業務については、前記の(※)の規定は、適用されない

3 割増賃金

割増率

割増賃金の対象となる労働		割増率
時間外労働	60時間以内	2割5分以上（限度時間を超える場合は、2割5分超の努力義務）
	60時間超	超える部分 ➡ 5割以上
休日労働		3割5分以上
深夜業		2割5分以上
時間外労働＋深夜業	時間外が60時間以内	5割以上（時間外が限度時間を超える場合は、5割超の努力義務）
	時間外が60時間超	超える部分 ➡ 7割5分以上
休日労働＋深夜業		6割以上

◆休日に8時間を超える労働をさせても、それが深夜に及ばない限り、割増率は「3割5分以上」である

除外賃金

割増賃金の基礎となる賃金には、以下のものは算入しない

❶**家族手当**　❷**通勤手当**　❸**別居手当**　❹**子女教育手当**
❺**住宅手当**　❻**臨時**に支払われた賃金
❼1**箇月を超える期間**ごとに支払われる賃金

4 月60時間を超える時間外労働

割増賃金

1箇月60時間超の時間外労働  **5割以上の率**で計算した割増賃金

代替休暇

内　容	1月60時間超の時間外労働に対する割増賃金のうち、「5割（**以上**）部分」と「2割5分（**以上**）部分」の差額については、**労使協定**で定めることにより、**割増賃金の支払に代えて代替休暇を付与**することができる ◆代替休暇の制度は、労働者に対して代替休暇の取得を義務づけるものではない（➡ 労働者の意思による） ◆労働者が代替休暇を取得しても、**2割5分以上**の割増賃金の支払は必要
手　続	労使協定に以下の事項を定める ❶**代替休暇の時間数の算定方法** ❷代替休暇の**単位**（**1日又は半日**） ❸代替休暇を与えることができる期間（時間外労働が60時間超となった1箇月の**末日の翌日から2箇月以内**）
計　算	(1)代替休暇として与えることができる時間数 代替休暇として与えることができる時間 ＝ 月60時間を超える時間外労働時間数 × **換算率** (2)5割以上の率で計算した割増賃金の支払が不要となる時間数 5割以上の**割増賃金支払が不要となる時間** ＝ **取得**した代替休暇の時間数 ÷ 換算率 ※換算率 換算率 ＝ 代替休暇を取得しない場合に支払う割増賃金の率（5割以上） － 代替休暇を取得した場合に支払う割増賃金の率（2割5分以上）

■**具体例**■

◆ 1月**76時間**の時間外労働をさせた場合

・1日の所定労働時間　　　：8時間

・月60時間以内の割増賃金率：**25%**

・月60時間超の割増賃金率　：**50%**

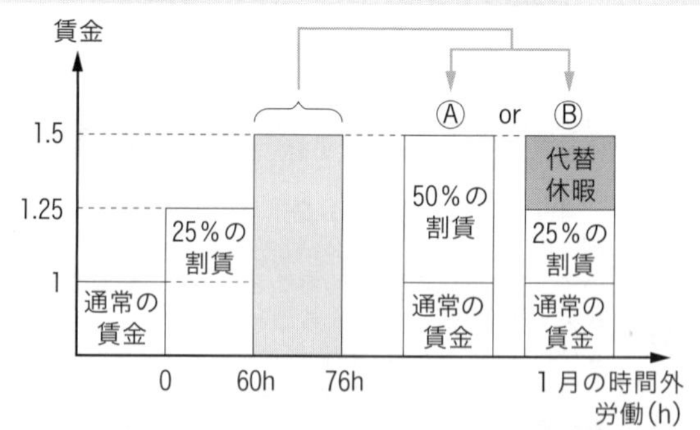

※代替休暇として与えることができる時間：4時間

計算式　換算率 ＝ 50% − 25% ＝ 25%

(76時間 − 60時間) × 25% ＝ 4時間 ➡ 半日分の代替休暇の取得が可能

9 みなし労働時間制

CH1 Sec7

事業場外労働のみなし労働時間制

	原則	業務遂行のため通常所定労働時間を超えて労働することが必要な場合：右以外の場合	業務遂行のため通常所定労働時間を超えて労働することが必要な場合：労使協定で定めた場合
要件	労働時間の全部又は一部につき事業場外での業務に従事 ＋ 労働時間を算定し難い		
手続	労使協定の締結・届出等は不要		労使協定で定める時間が法定労働時間以下である場合を除き、労使協定を所轄労働基準監督署長に届出
労働時間の算定	所定労働時間労働したものとみなす	その事業場外の業務の遂行に通常必要とされる時間労働したものとみなす	労使協定で定める時間労働したものとみなす
事業場内労働を含む場合	事業場内の労働時間を含めて、所定労働時間労働したものとみなす	事業場内の労働時間 ＋ 事業場外の業務の遂行に通常必要とされる時間 労働したものとみなす	事業場内の労働時間 ＋ 労使協定で定める時間 労働したものとみなす

適用できない場合	❶何人かのグループで事業場外労働に従事する場合で、そのメンバーの中に労働時間を管理する者がいる場合 ❷事業場外で業務に従事するが、無線や携帯電話等によって随時使用者の指示を受けながら労働している場合 ❸事業場において、訪問先、帰社時刻等当日の業務の具体的指示を受けた後、事業場外で指示通りに業務に従事し、その後事業場にもどる場合
みなし労働時間制の注意点(事・専・企に共通)	❶みなし労働時間制が適用される場合であっても、休憩、深夜業、休日**に関する規定**は**適用される** ❷みなし労働時間制に関する規定は、**年少者**や**妊産婦**の労働時間の規定に関する労働時間の算定については**適用されない**

専門業務型裁量労働制

内　容	対象業務に従事した対象労働者 ↓ ← **労使協定の締結・届出** **労使協定で定める時間労働**したものとみなす ◆数人でプロジェクトチームを組んで開発業務を行っている場合で、チーフの管理の下に業務遂行・時間配分が行われている者、プロジェクト内で業務に付随する雑用・清掃等のみを行う者については、専門業務型裁量労働制の対象とならない
対象業務	**業務の性質上**その**遂行の方法**を**大幅に**当該業務に従事する**労働者の裁量にゆだねる**必要があるため、当該**業務の遂行の手段**及び**時間配分の決定**等に関し**使用者が具体的な指示をすることが困難**なものとして厚生労働省令で定める業務（下記❶～⑲）のうち、労働者に就かせることとする業務 ❶新商品・新技術の研究開発等、❷情報処理システムの分析・設計、❸取材・編集、❹デザイナー、❺プロデューサー、ディレクター、❻コピーライター、❼システムコンサルタント、❽インテリアコーディネーター、❾ゲーム用ソフトウェアの創作、❿証券アナリスト、⓫金融商品の開発、⓬大学における教授研究、⓭M&Aアドバイザリー、⓮公認会計士、⓯弁護士、⓰建築士、⓱不動産鑑定士、⓲弁理士、⓳税理士、⓴中小企業診断士

手　続	労使協定に以下の事項を定め、所轄労働基準監督署長に**届出** （下記❷の労働時間が法定労働時間**以下**であっても届出**要**）
協定事項	❶**対象業務** ❷対象労働者の１日**当たりの**労働時間 ❸対象業務の遂行**の手段**及び時間配分**の決定**等に関し、**使用者が**具体的**な指示をしない**こと ❹対象労働者の労働時間**の**状況**に応じた**健康・福祉**確保措置**を講ずること ❺対象労働者からの苦情**処理措置**を講ずること ❻対象労働者を対象業務に就かせたときは**労使協定で定める時間労働したものとみなす**ことについて当該**労働者の**同意を得なければならないこと 及び 同意をしなかった労働者に対して解雇**その他不利益な取扱い**をしてはならないこと ❼上記❻の同意の撤回**手続** ❽労使協定の有効期間**の定め**（労働協約である場合を除く） ❾上記❹の労働時間の状況、健康・福祉確保措置の実施状況、❺の苦情処理措置の実施状況、❻の同意及びその撤回に関する**労働者ごとの記録**を、❽の**有効期間中**及び当該**有効期間満了後５年間**（当分の間は３**年間**）**保存**すること

企画業務型裁量労働制

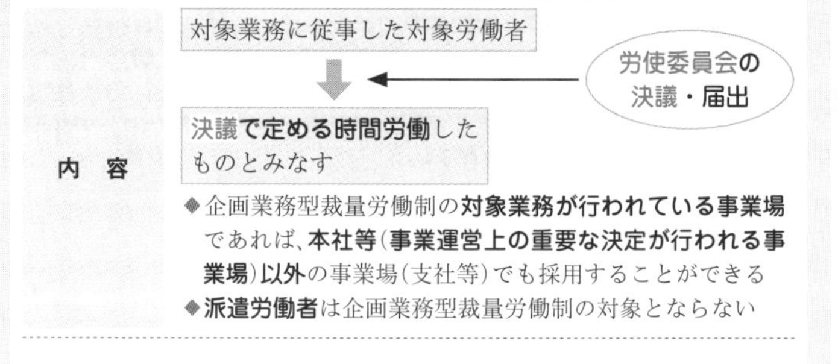

◆企画業務型裁量労働制の**対象業務が行われている事業場**であれば、**本社等**（**事業運営上の重要な決定が行われる事業場**）**以外**の事業場（支社等）でも採用することができる

◆**派遣労働者**は企画業務型裁量労働制の対象とならない

決　議	労使委員会の委員の**5分の4以上の多数による議決**による決議 ⬇ 所轄労働基準監督署長に**届出**
対象業務	**事業の運営に関する事項**についての企画、立案、調査及び分析の**業務**であって、当該**業務の性質上**これを適切に遂行するにはその**遂行の方法**を**大幅に**労働者の裁量**に委ねる**必要があるため、当該業務の遂行**の手段**及び時間配分**の決定**等に関し**使用者が具体的な指示をしない**こととする業務
決議事項	❶**対象業務** ❷**対象労働者の範囲** ❸対象労働者の1日**当たりの労働時間** ❹対象労働者の労働時間**の**状況に応じた**当該労働者の**健康・福祉確保**措置**を講ずること ❺対象労働者からの苦情処理措置を講ずること ❻対象労働者を対象業務に就かせたときは、当該**決議で定める時間労働したものとみなす**ことについて当該労働者**の**同意を得なければならないこと 及び 同意をしなかった労働者に対して解雇**その他不利益な取扱い**をしてはならないこと ❼上記❻の同意の撤回**手続** ❽対象労働者に適用される評価**制度及び**賃金**制度を**変更する場合には、その変更内容を**労使委員会**に説明すること ❾決議の**有効期間**の定め ❿上記❹の労働時間の状況、健康・福祉確保措置の実施状況、❺の苦情処理措置の実施状況、❻の同意及びその撤回に関する**労働者ごとの記録**を、❾の**有効期間中**及び当該**有効期間満了後5年間**（当分の間は3**年間**）**保存**すること

<table>
<tr><td>労使委員会の要件</td><td>❶委員会の委員の半数については、管理監督者以外の者の中から、過半数組織労働組合等に任期を定めて指名されている（使用者の意向に基づくものであってはならない）こと
❷委員会の議事について、議事録が作成され、かつ5年間（当分の間は3年間）保存されるとともに、当該事業場の労働者に対する周知が図られていること
❸委員会の運営について必要な事項（開催頻度を6箇月以内ごとに1回とすること等）に関する規程が定められていること
※労使委員会…賃金、労働時間その他の当該事業場における労働条件に関する事項を調査審議し、事業主に対し当該事項について意見を述べることを目的とする委員会（使用者及び当該事業場の労働者を代表する者を構成員とするものに限る）</td></tr>
<tr><td>労使委員会の決議の効果</td><td>労使委員会において、次の事項について、その委員の5分の4以上の多数による議決による決議が行われたときは、当該決議は、次の事項に係る労使協定等と同様の効果を有する（高度プロフェッショナル制度の適用に係る労使委員会の委員の5分の4以上の多数による議決による決議が行われた場合も同様）
❶1箇月単位の変形労働時間制
❷フレックスタイム制
❸1年単位の変形労働時間制
❹1週間単位の非定型的変形労働時間制
❺休憩の一斉付与の適用除外
❻時間外及び休日の労働
❼代替休暇
❽事業場外労働又は専門業務型裁量労働のみなし労働時間制
❾時間単位年休
❿年次有給休暇の計画的付与
⓫年次有給休暇中の賃金
※上記のうち労使協定であれば届出を要するもののうち、❶❷❸❹❽については、決議による場合には、届出不要（❻のみ届出が必要）</td></tr>
</table>

報　告	労使委員会の決議の届出をした**使用者**は、当該**決議の有効期間の始期から起算して6箇月以内に1回**、及び**その後1年以内ごとに1回**、次の事項を**所轄労働基準監督署長に報告**しなければならない ❶対象労働者の**労働時間の状況** ❷対象労働者の**健康・福祉確保措置の実施状況** ❸対象労働者の**同意及びその撤回の実施状況**

労使委員会の決議の所轄労働基準監督署長への届出は、企画業務型裁量労働制（高度プロフェッショナル制度）の効力発生のための要件ですので、使用者が、この届出を行わなければ、企画業務型裁量労働制（高度プロフェッショナル制度）の効力は発生しません。

10 年次有給休暇

CH1 Sec8

発生要件

雇入日から起算して6**箇月間**継続勤務し、全労働日**の**8**割以上**出勤

継続・分割した10労働日**の年休**

全労働日

雇入日から6箇月間の総暦日数 －
- ❶所定**の**休日
- ❷不可抗力による**休業日**
- ❸使用者**側に起因**する経営、管理**上の障害**による**休業日**
- ❹正当な争議行為により**労務の提供が全くなされなかった日**
- ❺代替休暇**取得**により**終日出勤しなかった日**　等

出勤日（❶～❻の休業日は出勤したものとみなす）

労働日のうち出勤した日 ＋
- ❶業務上**負傷・疾病**の療養**休業期間**
- ❷育児**休業期間**
- ❸介護**休業期間**
- ❹産前産後**の休業期間**
- ❺**年休取得日**
- ❻労働者**の責に帰すべき事由によるとはいえない不就労日**

付与日数

勤続年数	0.5年	1.5年	2.5年	3.5年	4.5年	5.5年	6.5年以上
付与日数	10日	11日	**12日**	14日	16日	18日	**20日**

◆年休の権利は2**年**で時効により消滅するので、未消化日数については翌年度に限り繰り越すことができる

比例付与

◆**対象労働者**

	条件		
❶	1週間の所定労働時間が30時間未満	➡	**1週間の所定労働日数**が4日以下
❷		➡	**1年間**の所定労働日数が**216日以下**

時間単位年休

■**手続**■

労使協定に以下の事項を定める（⬅ **届出不要**）

❶時間単位年休の**対象労働者の**範囲
❷付与することができる**時間単位年休の**日数（5日以内に限り、前年度繰越分・比例付与分を含む）
❸**時間単位年休**1日**の**時間**数**（1日の所定労働時間以上の時間数とする）
❹「1時間」以外の時間を単位とする場合は、その時間数（1日の所定労働時間未満の時間数とする）

ワンポイントアドバイス

上記❸の「時間単位年休1日の時間数」とは、1日分の年次有給休暇が何時間分の時間単位年休に相当するのかということであり、所定労働時間数を基に定めることになります。

労働者の時季指定権と使用者の時季変更権

時季指定権	使用者は、年休を労働者の**請求する時季**に与えなければならない
時季変更権	使用者は、労働者より**請求された時季**に年休を与えることが**事業の正常な運営を妨げる**場合には、他**の時季**に与えることができる

◆時間単位年休も時季変更権の対象となる〔時間単位（日単位）で請求があった場合に、日単位（時間単位）への変更は不可 ➡ 時季変更に当たらない〕
◆派遣労働者の場合、**事業の正常な運営を妨げられるかどうかの判断**は、**派遣**元の事業についてなされる

計画的付与

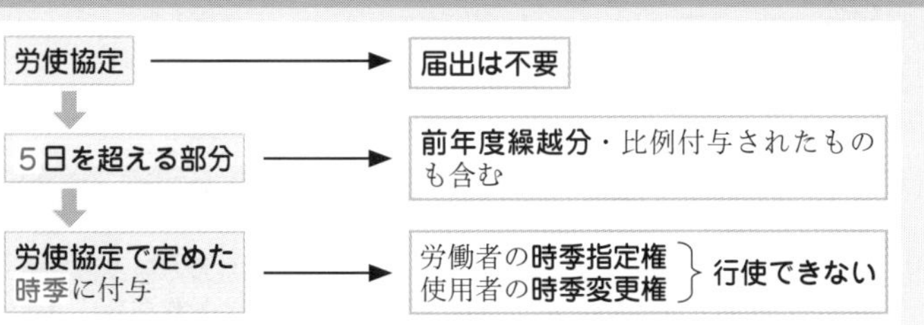

◆計画的付与として時間単位年休を与えることはできない

使用者による時季指定

使用者は、年次有給休暇のうち5日については、**労働者ごと**にその時**季を定める**ことにより与えなければならない

手　続	使用者は、労働者に年次有給休暇を**時季を定める**ことにより与えるに当たっては、あらかじめ、当該有給休暇を与えることを**明らかに**した上で、その**時季**について**当該労働者の意見を聴か**なければならない	
対象労働者	年次有給休暇の付与日数が**10労働日以上**である労働者	
時季を定めて付与する日数	5日	
時季を定めるべき期間	**原則**	**基準日**から**1年以内**の期間 ※基準日…継続勤務した期間を**6箇月経過日**から**1年ごとに区分した各期間**（最後に1年未満の期間を生じたときは、当該期間）**の初日**
	基準日より前の日から付与する場合	厚生労働省令で定めるところにより、**労働者ごとにその時季を定める**ことにより付与 ■例■基準日より前に10労働日以上の有給休暇を与えることとしたとき ⇒そのうち5日については、**10労働日以上の有給休暇を与えることとした日**から**1年以内**の期間に、時季を定めることにより付与

時季を定めて付与することを要しない有給休暇	❶**労働者の時季指定**により、その請求する時季に与える日数分 ❷**計画的付与**により与える日数分

年次有給休暇管理簿の作成・保存

使用者は、年次有給休暇を与えたときは、**時季、日数及び基準日を労働者ごと**に明らかにした書類（年次有給休暇管理簿）を**作成**し、当該**有給休暇を与えた期間中**及び当該期間の**満了後５年間**（**当分の間**は３**年間**）**保存**しなければならない

年次有給休暇中の賃金

日単位による取得	❶ **平均賃金**	就業規則等
	❷ 所定**労働時間労働**した場合に支払われる通常の**賃金**	
	❸ 健康保険法に規定する**標準報酬月額の30分の１**相当額	**労使協定**（届出不要）

時間単位による取得

$$\text{時間単位年休に対する賃金} = \frac{\text{❶平均賃金 or ❷通常の賃金 or ❸標準報酬月額} \times 1/30}{\text{時間単位年休を取得した日の所定労働時間数}} \times \text{時間単位年休を取得した時間数}$$

◆平均賃金、通常の賃金、標準報酬月額×1/30のいずれを基準とするかは、日単位による取得と同様としなければならない

年次有給休暇を取得した労働者に対する措置

使用者は、年休を取得した労働者に対して、**賃金の**減額その他不利益な取扱い**をしないよう**にしなければならない

11 年少者

CH1 Sec9

1 労働契約に関する規制

最低年齢

■原則■　使用者は、児童が満15歳に達した日以後の最初の３月31日が終了するまで、これを使用してはならない

■例外■

満13歳以上の児童を使用するための要件	満13歳未満の児童を使用するための要件
❶非工業的業種の事業であること	❶映画の製作又は演劇の事業であること

❷児童の健康及び福祉に有害でないこと
❸労働が軽易なものであること
❹所轄労働基準監督署長の許可を受けること
❺修学時間外に使用すること

証明書

対象	証明書
年少者（満18歳未満の者）	◆年齢を証明する戸籍証明書
満15歳年度末までの間にある児童	◆年齢を証明する戸籍証明書 ◆学校長の証明書 ◆親権者又は後見人の同意書

→ 事業場に備付け

2 労働条件に関する規制

労働時間

◆**下記の児童以外の年少者の場合**
休憩時間を除き１週40時間、１日８時間を超えて労働させてはならない（特例事業に使用される場合でも、１週40時間が上限となる）

◆**満15歳年度末までの間にある児童**
休憩時間を除き、修学時間を通算して１週間について40時間、１日について７時間を超えて労働させてはならない

休　日

法定通りの休日を与えなければならない

時間外・休日労働

■原則■　禁止

■例外■　次の場合には、年少者に時間外・休日労働をさせることができる

❶**災害等又は公務**のため**臨時の必要**がある場合
❷年少者が**法41条該当者である**場合

変形労働

■原則■　変形労働時間制は適用できない

■例外■　**満15歳年度末を過ぎた**年少者については、次に定めるところにより、労働させることができる

❶**1週40時間を超えない範囲内**において、**1週間**のうち**1日の労働時間**を**4時間以内に短縮**する場合は、**他の日（1日に限られない）**の労働時間を**10時間まで**延長することができる
❷**1週48時間、1日8時間を超えない範囲内**において、**1箇月単位の変形労働時間制**又は**1年単位の変形労働時間制**の例により労働させることができる

深夜業

■原則■　**年少者（満18歳未満の者）**を**午後10時**から**午前5時**まで（地域・期間を限って**午後11時**から**午前6時**まで）の間、使用してはならない

◆**満15歳年度末までの間にある児童の場合**

児童の区分	就業が禁止される時間帯
一般の児童	**午後8時〜午前5時**
演劇の事業に使用されて**演技の業務**に従事する児童	**午後9時〜午前6時**

■例外■

❶**交替制**によって使用する**満16歳以上の男性**である場合（**許可は不要**）
❷**交替制によって労働させる事業**で、**所轄労働基準監督署長の許可**を受けて、**午後10時30分まで**、又は**午前5時30分から**労働させる場合
❸**災害等による臨時の必要**がある場合の時間外・休日労働が深夜に及んだ場合
❹**農林・水産・養蚕・畜産業**、**保健衛生業**の事業又は**電話交換の業務**に使用される場合

休　憩	■原則■　法定通りの休憩を与えなければならない（**休憩の特例は適用されない**） ◆休憩を一斉に与える必要のない業種であっても、年少者には一斉に与えなければならない ■例外■ ❶**労使協定**があれば一斉に与えなくてもよい ❷**法41条該当者**である年少者には、休憩に関する規定は適用されない
坑内労働	■原則■　禁止 ■例外■　**満16歳以上の男性**である**訓練生**

年少者に**高度プロフェッショナル制度**を適用することはできない

ワンポイントアドバイス

年少者は、法41条該当者となることはありますが、高度プロフェッショナル制度の対象労働者となることはありません。

3 未成年者の労働契約等

未成年者の労働契約

❶ 親権者又は後見人は、未成年者に代って**労働契約を**締結してはならない

❷ 親権者若しくは後見人又は所轄労働基準監督署長は、**労働契約が**未成年者**に**不利であると認める場合においては、将来**に向って**これを解除することができる

未成年者の賃金請求権

未成年者は、独立して賃金**を**請求することができる。親権者又は後見人は、未成年者の賃金を**代って受け取ってはならない**

12 妊産婦等

CH1 Sec9

1 女性の就業に関する規制

坑内業務の就業制限

●満18歳以上の女性（下記の一定の妊産婦を除く）

坑内で行われる業務のうち**人力により行われる**掘削**の業務**その他の**女性に**有害**な業務**として厚生労働省令で定めるもの（人力、**動力**、**発破**による**鉱物等の掘削**、**掘採**の業務など） **就業禁止**

●一定の妊産婦

- 妊娠中**の女性**
- **従事しない旨**を使用者に**申し出た産後**1**年を経過しない女性**

→ 坑内**で行われるすべて**の業務 **就業禁止**

危険有害業務の就業制限

●妊産婦以外

使用者は、妊産婦**以外の女性**を、女性の妊娠**又は**出産**に係る**機能**に**有害である次の業務に就かせてはならない

❶ **重量物を取り扱う業務**（満18歳以上の女性であれば、**断続作業**の場合30**kg以上**、**継続作業**の場合20**kg以上**の重量物）

❷ 塩素化ビフェニル、エチルベンゼン、カドミウム化合物、水銀、鉛等の有害物を発散する場所において行われる一定の業務

●妊産婦

使用者は、妊産婦を、**重量物**を取り扱う業務、**有害ガス**を発散する場所における業務その他妊産婦の**妊娠**、**出産**、哺育**等に**有害**な業務**に就かせてはならない

2 妊産婦等に関する規制

妊産婦の労働時間等に関する規制

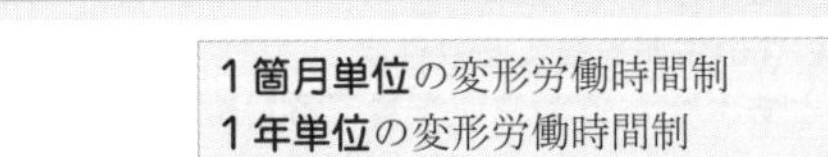

1箇月単位の変形労働時間制
1年単位の変形労働時間制
1週間単位の非定型的変形労働時間制
時間外労働
休日労働
深夜業

産前産後に関する規制

●産前産後の休業

❶ 使用者は、**6週間**（**多胎妊娠の場合**にあっては、**14週間**）**以内に出産する予定**の女性が**休業を請求**した場合においては、その者を**就業させてはならない**

❷ 使用者は、**産後8週間を経過しない**女性を就業させてはならない。ただし、**産後6週間を経過した**女性が**請求**した場合において、その者について**医師**が**支障がないと認めた業務**に就かせることは、差し支えない

産前6週間	出産日～6週間	産後8週間（6週間経過後）
請求あり→就業禁止	就業禁止（請求の有無を問わず）	■原則■ 就業禁止
請求なし→就業可		■例外■ 請求＆医師が支障がないと認めた業務→就業可

●軽易な業務への転換

妊娠中の女性 →請求→ **他の軽易な業務へ転換**させなければならない

その他の規制

●育児時間

❶ 生後満１年に達しない生児を育てる女性は、休憩時間のほか、１日２回各々少なくとも30分、その生児を育てるための時間を請求することができる

❷ 使用者は、この育児時間中は、その女性を使用してはならない

- ◆男性労働者は、当該育児時間の付与の対象となっていないので、請求があっても、使用者は付与する必要はない
- ◆１日の労働時間が４時間以内であるような場合には、１日１回の育児時間の付与をもって足りる

●生理休暇

使用者は、生理日の就業が著しく困難な女性が休暇を請求したときは、その者を生理日に就業させてはならない

- ◆生理休暇中の賃金は、労働契約、労働協約又は就業規則で定めるところにより、支給してもしなくても差し支えない
- ◆生理休暇の請求は必ずしも暦日単位で行わなければならないものではなく、労働者から半日又は時間単位での請求があった場合には、使用者はその範囲で就業させなければ足りる

13 就業規則

CH1 Sec10

作成・届出義務

常時10人**以上の労働者を使用**する使用者 → **就業規則の**作成・変更 → 届出（**意見書**添付）→ 所轄労働基準監督署長

◆「常時10人以上の労働者」の「労働者」には、正規従業員だけでなく臨時的・短期的な雇用形態の労働者や派遣中の労働者も含まれる

記載事項

就業規則の必要記載事項	参考 労働条件の明示事項
絶対的必要記載事項	**絶対的明示事項**
	❶労働契約の期間 ❷有期労働契約を更新する場合の基準（更新がある場合に限るものとし、通算契約期間又は有期労働契約の更新回数に上限がある場合の当該上限を含む） ❸就業の場所及び従事すべき業務（これらの変更の範囲を含む）
❶**始業及び**終業**の時刻、休憩時間、休日、休暇**並びに労働者を2組以上に分けて交替に就業させる場合における就業時転換	❹始業及び終業の時刻、所定労働時間を超える労働の有無、休憩時間、休日、休暇並びに労働者を2組以上に分けて就業させる場合における就業時転換
❷**賃金**（臨時の賃金等を除く）**の決定、計算及び支払の**方法、**賃金の**締切り及び**支払の**時期並びに昇給	❺賃金（退職手当等を除く）の決定、計算及び支払の方法、賃金の締切り及び支払の時期並びに昇給
❸**退職**（解雇**の事由**を含む）	❻退職（解雇の事由を含む）

相対的必要記載事項	相対的明示事項
❶**退職手当**の定めが適用される**労働者の範囲**、**退職手当の決定**、**計算**及び**支払の方法**並びに退職手当の**支払の時期**	❶退職手当の定めが適用される労働者の範囲、退職手当の決定、計算及び支払の方法並びに退職手当の支払の時期
❷**臨時の賃金等**（退職手当を除く）及び**最低賃金額**	❷臨時に支払われる賃金（退職手当を除く）、賞与その他これに準ずるもの並びに最低賃金額
❸**労働者に負担**させる**食費**、**作業用品等**	❸労働者に負担させるべき食費、作業用品等
❹**安全及び衛生**	❹安全及び衛生
❺**職業訓練**	❺職業訓練
❻**災害補償**及び**業務外の傷病扶助**	❻災害補償及び業務外の傷病扶助
❼**表彰及び制裁の種類及び程度**	❼表彰及び制裁
❽上記❶～❼に掲げるもののほか、当該事業場の**労働者のすべてに適用される定め**をする場合においては、これに関する事項	❽休職

※無期転換申込権が発生する有期契約労働者については、上記以外にも、無期転換申込みや無期転換後の労働条件に関する絶対的・相対的明示事項あり

作成・変更の手続

就業規則の作成・変更 —**意見聴取**→ **過半数組織労働組合等**

◆所轄労働基準監督署長の命令により、法令又は労働協約に抵触する就業規則を変更する場合であっても、過半数組織労働組合等の意見を聴かなければならない

制裁規定の制限

減給の制裁			
減給の制裁	1回の減給額	➡	平均賃金の1日分の半額以内
	1賃金支払期の減給総額	➡	賃金の総額の10分の1以内

◆**減給の制裁に該当しないもの**

- **遅刻**、**早退**した時間分の賃金カット
- **出勤停止処分**による出勤停止期間中の賃金カット
- **昇給の欠格条件**の定め
- 制裁として**格下げ**になったことによる賃金の低下

法令・労働協約との関係

❶ 就業規則は、法令又は当該事業場について適用される労働協約に反してはならない

❷ 所轄労働基準監督署長は、**法令**又は労働協約に抵触する就業規則の変更**を命ずる**ことができる

cf.

就業規則で定める基準に達しない労働条件を定める**労働契約**は、その部分については、無効とする。この場合において、無効となった部分は、就業規則で定める基準による（労働契約法12条）

総まとめ編

2 労働安全衛生法

1 全産業の安全衛生管理体制

CH2 Sec2

全産業の安全衛生管理体制（大規模事業場）

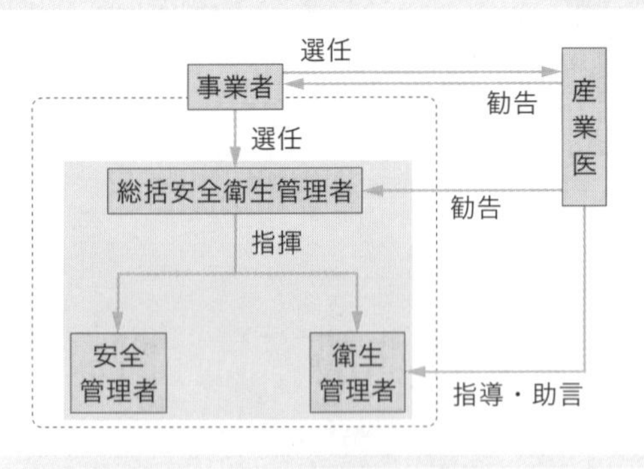

●総括安全衛生管理者、安全管理者、衛生管理者

選任業種・規模

<table>
<tr><th></th><th>総括安全衛生管理者</th><th>安全管理者</th><th>衛生管理者</th></tr>
<tr><td>❶</td><td colspan="2">林業、鉱業、建設業、運送業、清掃業
➡ 常時100人以上 ｜ ➡ 常時50人以上</td><td rowspan="3">全業種
➡ 常時50人以上</td></tr>
<tr><td>❷</td><td colspan="2">製造業（物の加工業を含む）、電気業、ガス業、熱供給業、水道業、通信業、各種商品卸売業、家具・建具・じゅう器等卸売業、各種商品小売業、家具・建具・じゅう器小売業、燃料小売業、旅館業、ゴルフ場業、自動車整備業、機械修理業
➡ 常時300人以上 ｜ ➡ 常時50人以上</td></tr>
<tr><td>❸</td><td>その他の業種
➡ 常時1,000人以上</td><td></td></tr>
</table>

選任人数

総括安全衛生管理者	安全管理者	衛生管理者
規定なし		規模に応じて以下の人数以上の衛生管理者を選任

常時使用労働者数	選任数
50～ 200人	➡**1人**
201～ 500人	➡2人
501～1,000人	➡3人
1,001～2,000人	➡4人
2,001～3,000人	➡5人
3,001人～	➡**6人**

選任時期・報告

総括安全衛生管理者	安全管理者	衛生管理者

時期 ➡ 選任すべき事由が発生した日から「**14日以内**」に**選任**

報告 ➡ 選任後、遅滞なく、**電子情報処理組織**を使用して、所定の事項（安全管理者及び衛生管理者については、一定の資格を有すること等につき証明することができる電磁的記録を添付）を**所轄労働基準監督署長に報告** 改正

資格

総括安全衛生管理者	安全管理者	衛生管理者
免許・経験等は不要 （ただし、その**事業の実施を統括管理する権限・責任**を有する者である必要がある）	❶次のいずれかの者で、**厚生労働大臣が定める研修を修了**したもの ⓐ**理科系大学**（高等専門学校）卒業後2**年以上**の**産業安全の実務経験**を有する者 ⓑ**理科系高校**（中等教育学校）卒業後4**年以上**の産業安全の実務経験を有する者 ❷労働安全コンサルタント ❸その他厚生労働大臣が定める者	❶都道府県労働局長**の**免許（第1種・第2種・衛生工学**衛生管理者免許）を受けた者** ❷**医師・歯科医師** ❸労働衛生コンサルタント ❹その他厚生労働大臣の定める者 ⓐ保健体育・保健の教科の教諭免許をもって中学校・高等学校等に常勤している教師 ⓑ大学・高等専門学校において保健体育を担当する常勤の教授・准教授・講師

専属

総括安全衛生管理者	安全管理者	衛生管理者
なし	■原則■**専属の者** ■例外■**複数**選任する場合でその中にコンサルタントがいる ➡ **コンサルタントのうち**1人は専属でなくてよい	

専　任

総括安全衛生管理者	安全管理者	衛生管理者
なし	以下の業種・規模では、**少なくとも1人を専任**の者とする必要あり ❶ 建設業、有機化学工業製品・石油製品製造業 ➡ **常時300人以上** ❷ 無機化学工業製品・化学肥料製造業、道路貨物・港湾運送業 ➡ **常時500人以上** ❸ 紙・パルプ製造業、鉄鋼業、造船業 ➡ **常時1,000人以上** ❹ 過去3年間の労働災害による休業1日以上の死傷者数の合計が**100人超**の一定業種の事業場 ➡ **常時2,000人以上**	以下の事業場では、**少なくとも1人を専任**の者とする必要あり ❶ **常時1,000人超**使用の事業場 ❷ **常時500人超**使用、かつ、**有害業務**に**常時30人以上を従事**させる事業場

業　務

総括安全衛生管理者	安全管理者	衛生管理者
❶**安全管理者・衛生管理者の指揮** ❷以下の事項の**統括管理** ◆労働者の危険・健康障害の防止の措置 ◆安全衛生教育の実施 ◆健康診断の実施など健康の保持増進の措置 ◆労働災害の原因調査、再発防止対策 ◆その他の労働災害防止の業務	◆左記❷の業務のうち**安全に係る**技術的事**項の管理** ◆**作業場等の巡視**、設備・作業方法等の危険防止のための措置	◆左記❷の業務のうち**衛生に係る**技術的事**項の管理** ◆**毎週1回以上の作業場等の巡視**、労働者の健康障害防止のための措置

勧告・命令

総括安全衛生管理者	安全管理者	衛生管理者
都道府県労働局長 ⇒ **事業者に勧告**	労働基準監督署長 ⇒ 増員・解任の命令	

代理者の選任

総括安全衛生管理者	安全管理者	衛生管理者
規定あり	規定あり	規定あり

●産業医、安全衛生推進者、作業主任者

選任業種・規模等

産業医	安全衛生推進者	作業主任者
全業種 ➡ **常時50人以上** 次の者**以外の者**から選任すること ❶事業者が法人の場合は「その代表者」、法人でない場合は「**事業を営む**個人」（事業場の**運営**について利害関係**を有しない者**を除く） ❷事業場においてその事業の実施を統括管理する者	**常時10人以上50人未満** かつ 安全管理者を選任すべき業種（**それ以外**の業種➡**衛生推進者**を選任）	危険・有害作業（規模は問わない）

選任人数

産業医	安全衛生推進者	作業主任者
規模に応じて以下の人数以上の産業医を選任 常時／選任数 50～3,000人 ➡ 1人 3,000人超 ➡ 2人	規定なし	

選任時期

産業医	安全衛生推進者	作業主任者
選任すべき事由が発生した日から「**14日以内**」に選任		規定なし

選任報告

産業医	安全衛生推進者	作業主任者
■原則■　選任後、遅滞なく、**電子情報処理組織**を使用して、所定の事項を、一定の資格を有する者であることにつき証明することができる電磁的記録を添付して、**所轄労働基準監督署長に報告** 改正 ■例外■　学校保健安全法の規定により任命・委嘱された学校医は、報告不要 ※産業医が辞任し、又は産業医を解任したときは、事業者は、遅滞なく**衛生委員会又は安全衛生委員会へ報告**	所轄労働基準監督署長への**選任報告は不要** （**関係労働者への周知義務**あり）	

資格

産業医	安全衛生推進者	作業主任者
医師であって、以下の者 ❶厚生労働大臣**の指定する者**（**法人に限る**）が行う研修を**修了**した者 ❷産業医の養成等を行うことを目的とする医学の正規の課程を設置している**産業医科大学**その他の大学の卒業者で、その**大学が行う**実習を**履修**したもの ❸労働衛生コンサルタント試験（**保健衛生**）の合格者 ❹**大学**で**労働衛生科目を担当**する常勤**の**教授・准教授・講師の職にあり、又はあった者 ❺その他厚生労働大臣が定める者	❶都道府県労働局長**の**登録を受けた者が行う**講習**を修了した者 ❷大（高専）卒で**1年以上**の安全衛生（衛生）の実務経験者 ❸高（中教）卒で**3年以上**の安全衛生（衛生）の実務経験者 ❹**5年以上**の安全衛生（衛生）の実務経験者 等	❶都道府県労働局長**の**免許**を受けた者** ❷**登録教習機関が行う**技能講習を修了した者

専　属

産業医	安全衛生推進者	作業主任者
以下の事業場では、**専属の者**を選任する必要あり ❶ **常時**1,000**人以上**の労働者を使用する事業場 ❷ 一定の**有害業務**に**常時**500**人以上の労働者を従事**させる事業場	■原則■　**専属の者** ■例外■　**コンサルタント**その他厚生労働大臣が定める者から選任する場合は、専属でなくてよい	なし

専　任

産業医	安全衛生推進者	作業主任者
なし	なし	なし

業　務

産業医	安全衛生推進者	作業主任者
◆**労働者の健康管理等** ➡必要な医学の知識に基づいて**誠実に**職務を行わなければならない ◆少なくとも**毎月1回**（一定の場合は、少なくとも2月に1回）の**作業場等の巡視**、労働者の健康障害防止のための措置 **2月に1回の巡視等でよい場合** 産業医が、事業者から、**毎月1回以上、❶、❷の情報の提供**を受け、**事業者の同意**を得ている場合 ❶**衛生管理者**が行う**巡視の結果** ❷労働者の健康障害防止・健康保持のために必要な情報で、**衛生委員会又は安全衛生委員会**における**調査審議**を経て事業者が産業医に提供するもの ※事業者は、**産業医の業務の内容**等を、**労働者に周知**させなければならない	総括安全衛生管理者が統括管理する業務（衛生推進者は衛生に係る業務に限る）	作業に従事する**労働者の指揮**など

勧告・命令

産業医	安全衛生推進者	作業主任者
◆**事業者**に対し、あらかじめ**意見を求めた**上で**勧告** ➡事業者は、**勧告の内容**等を、遅滞なく**衛生委員会又は安全衛生委員会**に**報告** ➡事業者は、**勧告の内容**等を**記録**し、3**年間保存** ◆**総括安全衛生管理者**に**勧告** ◆**衛生管理者への指導・助言** ※都道府県労働局長による勧告・労働基準監督署長による増員・解任命令はなし	なし	なし

代理者の選任

産業医	安全衛生推進者	作業主任者
規定なし	規定なし	規定なし

2 建設業等の安全衛生管理体制

CH2 Sec3

大規模作業場における安全衛生管理体制

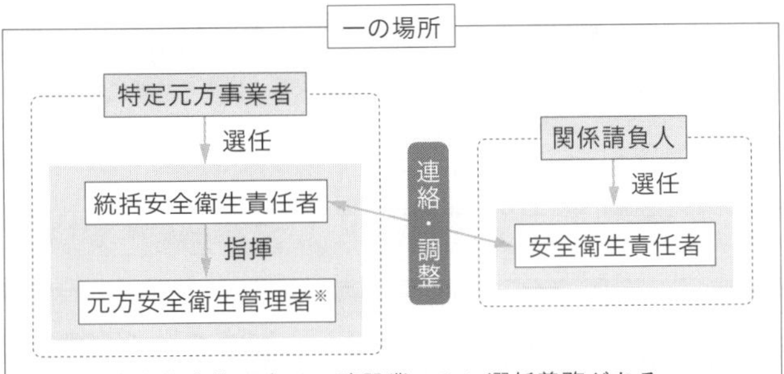

一の場所

特定元方事業者
↓ 選任
統括安全衛生責任者
↓ 指揮
元方安全衛生管理者※

連絡・調整

関係請負人
↓ 選任
安全衛生責任者

※元方安全衛生管理者は、建設業のみに選任義務がある。

●統括安全衛生責任者、元方安全衛生管理者

選任義務

統括安全衛生責任者（仕事の区分）	統括安全衛生責任者（労働者数）	元方安全衛生管理者
◆**ずい道等の建設** ◆**橋梁の建設**（一定の場所での仕事に限る） ◆**圧気工法**による作業	**常時30人以上**	**統括安全衛生責任者を選任**した事業者で**建設業**を行うもの
上記以外の**建設業**及び**造船業**の仕事	**常時50人以上**	

選任報告

統括安全衛生責任者	元方安全衛生管理者
特定元方事業者が、**作業開始後**、遅滞なく、労働基準監督署長に**報告**	

資　格

統括安全衛生責任者	元方安全衛生管理者
免許・経験等は不要 （ただし、その**事業の実施を**統括管理する者である必要がある）	❶**理系大**（**高専**）**卒**で３**年以上**の**建設工事の施工**における**安全衛生の実務経験**を有する者 ❷**理系高**（**中教**）**卒**で５**年以上**の建設工事の施工における安全衛生の実務経験を有する者 ❸その他厚生労働大臣が定める者

専　属

統括安全衛生責任者	元方安全衛生管理者
なし	その事業場に**専属の者**

専　任

統括安全衛生責任者	元方安全衛生管理者
なし	なし

業　務

統括安全衛生責任者	元方安全衛生管理者
❶**元方安全衛生管理者の**指揮 ❷以下の事項の**統括管理** ◆協議組織**の設置、運営** ◆**作業間の**連絡、調整 ◆**作業場所の**巡視 ◆**関係請負人が行う安全衛生教育に対する指導、援助**　等	統括安全衛生責任者が統括管理する事項のうち**技術的事項の管理**

勧告・命令

統括安全衛生責任者	元方安全衛生管理者
都道府県労働局長 ➡ 統括安全衛生責任者の業務の執行について、統括安全衛生責任者を選任した**事業者に勧告**	労働基準監督署長 ➡ 元方安全衛生管理者を選任した事業者に、**増員・解任の命令**

代理者の選任

統括安全衛生責任者	元方安全衛生管理者
規定あり	規定あり

●安全衛生責任者、店社安全衛生管理者

選任義務

安全衛生責任者	店社安全衛生管理者	
	仕事の区分	労働者数
統括安全衛生責任者が選任された場合 統括安全衛生責任者を選任すべき事業者**以外**の**請負人**（**関係請負人**）で、その**仕事を自ら行う**もの ↓ 選任 安全衛生責任者	◆ずい道等の建設 ◆橋梁の建設（一定の場所での仕事に限る） ◆圧気工法による作業	常時20人以上 30人未満
	主要構造部が**鉄骨造**又は**鉄骨鉄筋コンクリート造**である建築物の建設の仕事	常時20人以上 50人未満

報告等

安全衛生責任者	店社安全衛生管理者
安全衛生責任者を選任した請負人 ↓ 統括安全衛生責任者を選任した**事業者**に、**遅滞なく**、通報（労働基準監督署長への報告は不要）	元方事業者が、作業開始後、**遅滞なく**、労働基準監督署長に**報告**

資　格

安全衛生責任者	店社安全衛生管理者
なし	❶**大**（**高専**）**卒**で**3年以上**の**建設工事の施工**における**安全衛生の実務経験**を有する者 ❷**高**（**中教**）**卒**で**5年以上**の建設工事の施工における安全衛生の実務経験を有する者 ❸**8年以上**の建設工事の施工における安全衛生の実務経験を有する者 ❹その他厚生労働大臣が定める者

専　属

安全衛生責任者	店社安全衛生管理者
なし	なし

専　任

安全衛生責任者	店社安全衛生管理者
なし	なし

業　務

安全衛生責任者	店社安全衛生管理者
◆統括安全衛生責任者との連絡 ◆統括安全衛生責任者から連絡を受けた事項の関係者への連絡 ◆他の請負人の安全衛生責任者との作業間の連絡、調整 等	◆労働災害の防止のための措置に関する事項を担当する者の指導 ◆**毎月１回以上の作業場の巡視** ◆作業の実施状況の把握 ◆協議組織の会議への随時参加 等

勧告・命令

安全衛生責任者	店社安全衛生管理者
なし	なし

代理者の選任

安全衛生責任者	店社安全衛生管理者
規定あり	規定あり

3 委員会

CH2 Sec2

設置業種・規模

安全委員会	衛生委員会
業種に応じて **常時50人以上** 又は **常時100人以上** の 労働者を使用する事業場	**常時50人以上** の **全業種**の事業場

届　出

安全委員会	衛生委員会
委員会設置の**届出は~~不~~要**	

調査審議事項

安全委員会	衛生委員会
❶労働者の危険を防止するための基本となるべき対策	❶労働者の健康障害を防止するための基本となるべき対策 ❷労働者の健康の保持増進を図るための基本となるべき対策
❷労働災害の原因及び再発防止対策で安全に係るもの	❸労働災害の原因及び再発防止対策で衛生に係るもの
❸その他労働者の危険の防止に関する重要事項	❹その他労働者の健康障害の防止及び健康の保持増進に関する重要事項 ※**産業医**は、衛生委員会に対して労働者の**健康を確保する観点**から必要な**調査審議を求める**ことができる

委　員

安全委員会	衛生委員会
❶ 総括安全衛生管理者又は総括安全衛生管理者**以外**の者で当該事業場においてその**事業の実施を統括管理するもの**若しくはこれに準ずる者のうちから**事業者が**指名した者（➡ 委員会の議長**となる**）	
❷ 安全管理者のうちから**事業者が指名**した者 ❸ 当該事業場の労働者で**安全に関し経験を有するもの**のうちから**事業者が指名**した者	❷ 衛生管理者のうちから**事業者が指名**した者 ❸ 産業医のうちから**事業者が指名**した者 ❹ 当該事業場の労働者で**衛生に関し経験を有するもの**のうちから**事業者が指名**した者 ※当該事業場の労働者で、作業環境測定を実施している作業環境測定**士**であるものを委員として**指名す**ることができる

開催頻度

安全委員会	衛生委員会
毎月1回以上	

議　事

安全委員会	衛生委員会
委員会の**開催の都度** ❶ 遅滞なく、**議事の概要を労働者に周知** ❷ **委員会の**意見、当該意見を踏まえて講じた措置**の内容**その他の重要な議事内容を**記録**し、これを3**年間保存**	

安全衛生委員会

安全委員会と衛生委員会の両委員会を設けなければならないときは、それぞれの委員会の設置に代えて安全衛生委員会を設置することが**できる**

4 機械等に関する規制

CH2 Sec5

1 特定機械等

種　類

❶ ボイラー（**小型**ボイラー**等**を除く）

❷ 第１種圧力容器（小型圧力容器等を除く）

❸ **つり上げ荷重**が３t以上（**スタッカー式**クレーンは、１t以上）の**クレーン**

❹ つり上げ荷重が３t以上の移動式クレーン

❺ つり上げ荷重が２t以上のデリック

❻ **積載荷重**が１t以上のエレベーター（簡易リフト及び建設用リフトを除く）

❼ ガイドレールの高さが**18m以上**の建設用リフト（積載荷重が**0.25t未満**のものを除く）

❽ ゴンドラ

製造の許可

都道府県労働局長の許可 → あらかじめ → 特定機械等の製造

都道府県労働局長等の検査

特定機械等	都道府県労働局長・登録製造時等検査機関の検査の種類		
	製造時	輸入時・一定期間経過後の設置・廃止後の設置	検査証の交付
ボイラー(除移動式)	溶接・構造検査	使用検査	×
第１種圧力容器(除移動式)	溶接・構造検査	使用検査	×
移動式ボイラー	溶接・構造検査	使用検査	○
移動式第１種圧力容器	溶接・構造検査	使用検査	○
移動式クレーン	製造検査	使用検査	○
ゴンドラ	製造検査	使用検査	○
クレーン	なし		
デリック	なし		
エレベーター	なし		
建設用リフト	なし		

※特定機械等のうち特別**特定機械等**（ボイラー及び第１種圧力容器）が**登録製造時等検査機関**の製造時等検査の対象となる

※製造時等検査に合格した特定機械等のうち、移動式**のもの**についてのみ**検査証を交付**する

労働基準監督署長の検査

特定機械等	労働基準監督署長の検査の種類			
	設置時の検査	検査証の交付	変更時の検査	休止後の検査
ボイラー（除移動式）	落成検査	○	変更検査	使用再開検査
第１種圧力容器（除移動式）	落成検査	○	変更検査	使用再開検査
移動式ボイラー	なし		変更検査	使用再開検査
移動式第１種圧力容器	なし		変更検査	使用再開検査
移動式クレーン	なし		変更検査	使用再開検査
ゴンドラ	なし		変更検査	使用再開検査
クレーン	落成検査	○	変更検査	使用再開検査
デリック	落成検査	○	変更検査	使用再開検査
エレベーター	落成検査	○	変更検査	使用再開検査
建設用リフト	落成検査	○	変更検査	**なし**

※**落成検査に合格**した特定機械等については、**検査証を交付**する
※**変更検査又は使用再開検査に合格**した特定機械等については、**検査証に裏**書を行う

使用等の制限

❶ 検査証を受けていない又は検査証に裏書を受けていない特定機械等は、使用**してはならない**

❷ 検査証を受けた特定機械等は、検査証とともにするのでなければ、譲渡**し、又は**貸与**してはならない**

性能検査

検査証の有効期間の更新 ➡ **登録**性能検査**機関** ➡ 性能検査

◆**検査証の有効期間**

特定機械等	検査証の有効期間
❶ボイラー ❷第１種圧力容器 ❸エレベーター ❹ゴンドラ	１年
❺クレーン ❻移動式クレーン ❼デリック	２年
❽建設用リフト	設置**から**廃止**までの期間**

2 第42条の機械等

第42条の機械等

特定機械等以外の機械等で、法別表第２に掲げるものその他**危険・有害な作業**を必要とするもの、**危険な場所**において使用するもの又は**危険・健康障害を防止**するため使用するもののうち、政令で定めるもの

例 ◆個別検定、型式検定の対象機械等
◆アセチレン溶接装置のアセチレン発生器
◆フォークリフト
◆つり上げ荷重0.5トン以上３トン未満の移動式クレーン
◆不整地運搬車
等

譲渡等の制限

第42条の機械等は、**厚生労働大臣が定める**規格・安全装置**を具備**しなければ、譲渡・貸与・設置してはならない

参考　動力により駆動される機械等で、**作動部分上の**突起物又は**動力伝導部分・調速部分**に**防護**のための措置が施されていないものは、譲渡・貸与し、又は譲渡・貸与の目的で展示してはならない

個別検定

検定の実施	第42条の機械等で一定のものを**製造・輸入** ↓ **登録個別検定機関**による個別**検定** （個々の機械ごとに行う検定）
対象機械等	❶ゴム、ゴム化合物又は合成樹脂を練るロール機の急停止装置のうち電気的制動方式のもの ❷第２種圧力容器（一定のものを除く） ❸小型ボイラー（一定のものを除く） ❹小型圧力容器（一定のものを除く）
合　格	合格した機械等に**合格した旨の**表示を付す （検定合格証は交付されない）
制　限	合格した旨の表示が付されていない機械等は、**使用してはならない**

型式検定

検定の実施	第42条の機械等で一定のものを**製造・輸入** ↓ **登録型式検定機関**による**型式検定** （機械等の型式について行う検定）
対象機械等	❶ゴム、ゴム化合物又は合成樹脂を練るロール機の急停止装置のうち電気的制動方式以外の制動方式のもの ❷動力により駆動されるプレス機械のうちスライドによる危険を防止するための機構を有するもの ❸防爆構造電気機械器具（一定のものを除く） ❹プレス機械・シャーの安全装置 ❺クレーン・移動式クレーンの過負荷防止装置 ❻防じん・防毒マスク、防じん・防毒機能を有する電動ファン付き呼吸用保護具等
合　格	◆合格した型式について**型式検定合格証を交付** ◆製造・輸入時に、機械等に、**合格した型式の機械等である旨の表示**を付す
制　限	合格した型式の機械等である旨の表示が付されていない機械等は、**使用してはならない**

回収等の命令

厚生労働大臣又は都道府県労働局長は、第42条の機械等を製造・輸入した者が、当該機械等で厚生労働大臣が定める規格・安全装置を具備していないなど欠陥の存在するものを**譲渡・貸与**した場合には、その者に対し、当該機械等の**回収・改善**、当該機械等を使用している者への通知などを**命ずる**ことができる

3 定期自主検査

定期自主検査

ボイラーその他の一定の機械等 → **定期自主検査** → 結果の記録・保存

特定自主検査

特定自主検査 → **一定の資格を有する労働者** or 検査業者

※特定自主検査でない定期自主検査は、有資格者や検査業者に行わせなくてもよい

※検査業者…厚生労働省又は都道府県労働局に備える検査業者名簿に登録を受け、他人の求めに応じて特定自主検査を行う者

対象機械等

特定自主検査でない定期自主検査	特定自主検査
◆**特定機械等** ◆一定の小型ボイラー ◆一定のガンマ線照射装置 ◆動力により駆動されるシャー ◆アセチレン溶接装置及びガス集合溶接装置 等	◆フォークリフト ◆ブルドーザー等の車両系建設機械 ◆動力により駆動されるプレス機械 ◆作業床の高さが2m以上の高所作業車 ◆不整地運搬車

記録の保存

検査結果の記録の保存期間 → **3年間**

5 危険物及び有害物に関する規制

CH2 Sec5

1 製造等禁止物質と製造許可物質

	製造等禁止物質	製造許可物質
規制	黄りんマッチ、ベンジジン等労働者に**重度の健康障害を生ずる**物 ↓ **禁止**：製造・輸入・譲渡・提供・使用 --- 試験研究 ・都道府県労働局長の許可 ・厚生労働大臣が定める基準に従って製造・使用 ↓ **可能**：製造・輸入・使用	ジクロルベンジジン等労働者に**重度の健康障害を生ずるおそれのある**物 ↓ 厚生労働大臣の許可 ↓ 製造
対象物質	◆黄りんマッチ ◆ベンジジン ◆石綿（一定のものを除く） ◆ベーターナフチルアミン ◆ベンゼンを５％を超えて含有するゴムのり 等	◆ジクロルベンジジン ◆アルファ-ナフチルアミン ◆塩素化ビフェニル(PCB) ◆ジアニシジン ◆ベリリウム及びその化合物 ◆石綿分析用試料等 等

2 表示対象物と通知対象物

規制		表示対象物	通知対象物
規制	原則	表示対象物：爆発性、発火性、引火性の物その他の労働者に危険を生ずるおそれのある物又はベンゼン等労働者に健康障害を生ずるおそれのある物で政令で定めるもの／製造許可物質	通知対象物：労働者に危険・健康障害を生ずるおそれのある物で政令で定めるもの／製造許可物質
		↓ 容器に入れ、又は包装して譲渡・提供	↓ 譲渡・提供
		↓ 表示：容器又は包装に一定事項を表示（容器に入れ、かつ包装する場合は、容器に表示）	↓ 通知：文書の交付等の方法により一定事項を相手方に通知
	例外	主として一般消費者の生活の用に供するためのものであるときは、上記の表示は不要である	主として一般消費者の生活の用に供される製品であるときは、上記の通知は不要である

表示又は通知内容	❶次に掲げる事項 ⓐ名称 ⓑ人体に及ぼす作用 ⓒ貯蔵又は取扱い上の注意 ⓓ表示をする者の氏名（法人にあっては、その名称）、住所及び電話番号 ⓔ**注意喚起語** ⓕ安定性及び反応性 ❷当該物を取り扱う労働者に**注意を喚起するための標章**で**厚生労働大臣**が定めるもの	❶名称 ❷成分及びその含有量 ❸**物理的及び化学的性質** ❹人体に及ぼす作用 ❺貯蔵又は取扱い上の注意 ❻**流出その他の事故**が発生した場合において講ずべき**応急の措置** ❼通知を行う者の氏名（法人にあっては、その名称）、住所及び電話番号 ❽**危険性又は有害性の要約** ❾安定性及び反応性 ❿**想定される用途**及び当該用途における**使用上の注意** ⓫**適用される法令** ⓬その他参考となる事項

表示対象物を保管する際の危険性・有害性の明示義務

事業者は、**表示対象物**を、前記の譲渡・提供の際の方法による表示をせずに容器に入れ、又は包装して**保管**する場合（＝表示対象物を他の容器に移し替えて保管する場合又は自ら製造した表示対象物を容器に入れて保管する場合）は、当該**物の名称及び人体に及ぼす作用**について、当該**物の保管に用いる容器又は包装への表示**、**文書の交付**その他の方法により、当該物を**取り扱う者**に、**明示**しなければならない

3 表示対象物及び通知対象物についての事業者の調査等

(1) 危険性・有害性等の調査及び危険・健康障害防止措置

調　査	事業者は、表示対象物及び通知対象物による**危険性又は有害性等**を**調査**しなければならない
措　置	事業者は、上記の**調査の結果**に基づいて、労働安全衛生法令の規定による措置を講ずるほか、**労働者の危険又は健康障害を防止**するため**必要な措置**を講ずるように**努めなければならない**

(2) 化学物質管理者及び保護具着用管理責任者の選任

化学物質管理者	
選任事業場・職務	〈リスクアセスメント対象物の**製造・取扱**事業場〉 事業者は、**リスクアセスメント**(注1)をしなければならないリスクアセスメント対象物(注2)を**製造し、又は取り扱う事業場**（**規模・業種**を問わない）**ごと**に、**化学物質管理者を選任**し、その者に当該事業場における**化学物質の管理に係る技術的事項を管理**させなければならない 〈リスクアセスメント対象物の**譲渡・提供**を行う事業場〉 事業者は、リスクアセスメント対象物の**譲渡又は提供を行う事業場**（**規模・業種**を問わず、上記の製造・取扱事業場を除く）**ごと**に、**化学物質管理者を選任**し、その者に当該事業場における**表示等及び教育管理に係る技術的事項を管理**させなければならない （注1）リスクアセスメント …上記（1）の**「危険性又は有害性等」の調査**（主として一般消費者の生活の用に供される製品に係るものを除く）をいう （注2）リスクアセスメント対象物 …事業者がリスクアセスメントをしなければならない表示対象物及び通知対象物をいう
選任時期	選任すべき事由が発生した日から**14日以内**

資格等	事業場の区分（「製造」又は「取扱・譲渡・提供」）に応じて、講習修了や能力が必要
周　知	事業者は、化学物質管理者を選任したときは、その**氏名**を事業場の見やすい箇所に掲示すること等により**関係労働者に周知**させなければならない

保護具着用管理責任者

選任・職務	**化学物質管理者を選任**した事業者は、**リスクアセスメントの結果**に基づく措置として、労働者に**保護具を使用させる**ときは、**保護具着用管理責任者を選任**し、保護具の適正な選択・使用、保守管理に関する事項を管理させなければならない
選任時期	選任すべき事由が発生した日から**14日以内**
資格等	保護具に関する知識及び経験を有することが必要
周　知	事業者は、保護具着用管理責任者を選任したときは、その**氏名**を事業場の見やすい箇所に掲示すること等により**関係労働者に周知**させなければならない

4 新規化学物質の有害性の調査

<table>
<tr><td rowspan="2">規　制</td><td>原則</td><td>新規化学物質の製造・輸入
↓あらかじめ
有害性の調査
↓名称・調査結果等
厚生労働大臣に届出</td></tr>
<tr><td>例外</td><td>次のいずれかの場合には、有害性の調査を行わなくてよい
❶新規化学物質について予定されている製造又は取扱いの方法等からみて労働者が当該新規化学物質にさらされるおそれがない旨の厚生労働大臣の確認を受けたとき
❷新規化学物質に関し、既に得られている知見等に基づき厚生労働省令で定める有害性（がん原性）がない旨の厚生労働大臣の確認を受けたとき
❸新規化学物質を試験研究のため製造し、又は輸入しようとするとき
❹新規化学物質が主として一般消費者の生活の用に供される製品として輸入される場合で、労働者が当該新規化学物質にさらされるおそれがないとき
❺新規化学物質について、一の事業場における1年間の製造量又は輸入量が100kg以下である旨の厚生労働大臣の確認を受け、その確認を受けたところに従って当該新規化学物質を製造し、又は輸入しようとするとき</td></tr>
<tr><td colspan="2">事業者の措置</td><td>有害性の調査を行った事業者は、その結果に基づいて、当該新規化学物質による労働者の健康障害を防止するため必要な措置を速やかに講じなければならない</td></tr>
</table>

ワンポイントアドバイス

事業者が新規化学物質の有害性の調査を行わなくてもよいケースには、厚生労働大臣の確認が必要な場合と必要でない場合とがあります。しっかりと区別して押えておきましょう。

名称の公表	**厚生労働大臣**は、届出があった（確認をした）場合には、原則として、届出受理後（確認をした後）**1年以内**に、当該**新規化学物質の名称を公表**する ↓ **3月以内ごとに1回**、定期に、インターネット**の利用**その他の適切な方法により公表
勧　告	**厚生労働大臣**は、届出があった場合には、有害性の調査の結果について**学識経験者の意見**を聴き、労働者の健康障害を防止するため必要があると認めるときは、届出をした事業者に対し、**施設又は設備の設置又は整備**、**保護具の備付け**その他の措置を講ずべきことを勧告することができる

新規化学物質は、その名称・有害性の調査の結果等が公表されるまで、製造・輸入することができないわけではなく、届出を行った事業者は、名称・有害性の調査の結果等が公表される前であっても、その新規化学物質を製造・輸入することができます。

6 安全衛生教育

CH2 Sec6

雇入れ時・作業内容変更時の教育

項目	内容
教育の時期	◆労働者を**雇い入れた**とき ◆労働者の**作業内容を変更した**とき
対象業種	**すべての業種**（事業場の規模を問わない）
教育事項	❶機械等、原材料等の**危険性又は有害性**及びこれらの**取扱い方法** ❷**安全装置**、有害物抑制装置又は**保護具の性能**及びこれらの取扱い方法 ❸**作業手順** ❹**作業開始時の点検** ❺その業務に関して発生するおそれのある疾病**の原因及び予防** ❻**整理**、**整頓**及び**清潔**の保持 ❼事故時等における**応急措置及び退避** ❽その他、その業務に関する**安全又は衛生**のために必要な事項
教育の省略	上記の教育事項の全部又は一部に関し**十分な知識及び技能**を有していると認められる労働者については、その事項についての教育を**省略**することができる
記録の作成・保存義務	**なし**

特別教育

項目	内容
教育の時期	**危険又は有害な業務**に労働者をつかせるとき
対象業務	危険又は有害な業務（則36条に定める業務） ※事業場の規模は問わない
教育の科目・範囲・時間	業務の種類に応じ、厚生労働省令又は告示により定められている

教育の省略	特別教育の科目の全部又は一部について**十分な知識及び技能**を有していると認められる労働者については、その科目についての特別教育を**省略**することができる
記録の作成・保存義務	受講者・科目等の**記録を作成**し、**3年間保存**

職長教育

対象者	**新たに職務につくこととなった**職長など、**作業中の労働者を直接指導又は監督**する者
対象業種	❶建設業　❷製造業（一定のものを除く）　❸電気業 ❹ガス業　❺自動車整備業　❻機械修理業 ※事業場の規模は問わない

教育事項 教育時間

	教育事項	教育時間
1	**作業方法の決定及び労働者の配置**に関する事項 ❶作業手順の定め方 ❷労働者の適正な配置の方法	2時間以上
2	**労働者に対する指導又は監督の方法**に関する事項 ❶指導及び教育の方法 ❷作業中における監督及び指示の方法	2.5時間以上
3	**危険性又は有害性等の調査及びその結果に基づき講ずる措置**に関する事項 ❶危険性又は有害性等の調査の方法 ❷危険性又は有害性等の調査の結果に基づき講ずる措置 ❸設備、作業等の具体的な改善の方法	4時間以上
4	**異常時等における措置**に関する事項 ❶異常時における措置 ❷災害発生時における措置	1.5時間以上
5	その他**現場監督者として行うべき労働災害防止活動**に関する事項 ❶作業に係る設備及び作業場所の保守管理の方法 ❷労働災害防止についての関心の保持及び労働者の創意工夫を引き出す方法	2時間以上

教育の省略	⑴　作業主任者である場合には**職長教育を行わなくてもよい** ⑵　教育事項の全部又は一部について**十分な知識及び技能**を有していると認められる者については、その事項に関する教育を**省略**することができる
記録の作成・保存義務	なし

ワンポイントアドバイス

職長教育の対象業種については、すべて正確に覚えておきましょう。

- 安全衛生教育は、「常時使用する労働者」に限って行うものではありません。
- 雇入れ時、作業内容変更時の教育は、事業場の規模や業種を問わず行わなければなりません。
- 安全衛生教育のうち、記録の作成・保存義務があるのは、特別教育のみです。
- すべての安全衛生教育において、教育事項について十分な知識及び技能を有しているときには、その事項についての教育を省略することができます。

7 健康診断等

CH2 Sec8・9

健康診断の種類

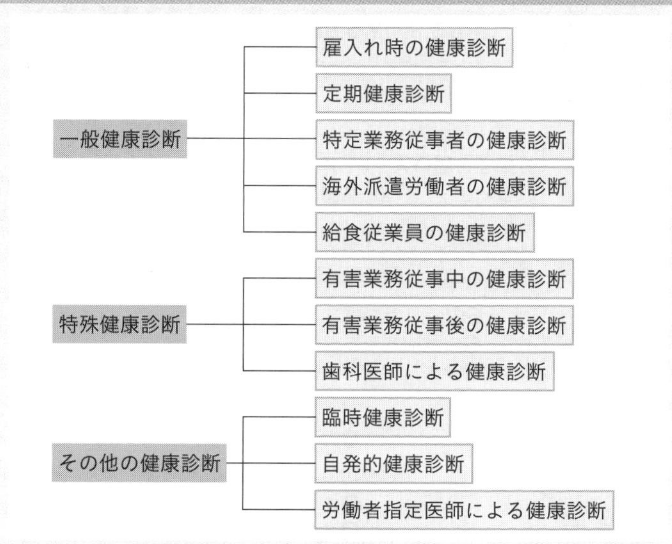

健康診断全般に関する留意点

◆一般健康診断の受診のために要した時間については、当然には事業者の負担すべきものではないが、労働者の健康の確保は事業の円滑な運営の不可欠な条件であることを考えると、その受診に要した時間の賃金を事業者が支払うことが望ましい

◆**特殊健康診断**の実施に要する時間は、労働時間であるので、**賃金の支払義務**が生じる

◆**再検査又は精密検査**は、診断の確定や症状の程度を明らかにするものであり、一律には事業者にその実施が義務づけられるものではないが、**特殊健康診断**においては、その実施が事業者に**義務づけられている**

1 一般健康診断①

	雇入れ時の健康診断	定期健康診断	特定業務従事者の健康診断
対象労働者	常時使用する労働者		特定業務に常時従事する労働者
実施時期	労働者を**雇い入れる**とき	1年**以内ごとに1回、定期に**	◆**配置替えの際** ◆6月（**胸部エックス線検査及び喀痰検査**については、1年）**以内ごとに1回、定期に**
検査項目	❶既往歴及び業務歴の調査 ❷自覚症状及び他覚症状の有無の検査 ❸身長、体重、腹囲、視力及び聴力の検査		
	❹胸部エックス線検査	❹胸部エックス線検査及び喀痰**検査**	
	❺血圧の測定 ❻貧血検査 ❼肝機能検査 ❽血中脂質検査 ❾血糖検査 ❿尿検査 ⓫心電図検査		

●検査項目の省略

雇入れ時の健康診断

過去3月**以内**に健康診断を受け、その**結果を証明する書面**を提出した項目

定期健康診断、特定業務従事者の健康診断

	定期健康診断	特定業務従事者の健康診断
1	過去1年**以内**に雇入時、海外派遣労働者の健康診断、有害業務従事中の特殊健康診断を受けた場合の、その項目	過去6月**以内**に雇入時、海外派遣労働者の健康診断、有害業務従事中の特殊健康診断を受けた場合の、その項目
2	**医師が必要でないと認めた**以下の(1)～(5)の検査項目 (1) **20歳以上の者**に対する**身長の検査** (2) 次の❶～❹の者に対する**腹囲の検査** ❶**40歳未満**の者（35**歳**の者を除く） ❷妊娠中の女性**等**であって、その腹囲が内臓脂肪**の蓄積を反映していない**と診断されたもの ❸**BMI**〔体重（kg）/身長（m）^{2}〕＜ 20の者 ❹**自ら腹囲を測定**し、その値を**申告**した者（BMI＜ 22の者に限る）	（同左）
2	(3) **40歳未満の者**(**20歳**、**25歳**、**30歳**及び**35歳**の者を除く)で、次のいずれにも該当しないものに対する**胸部エックス線検査** ❶**学校**、**医療機関**、福祉施設等の業務に従事する者(感染症予防法による定期の結核健康診断の受診が義務づけられている者) ❷**常時粉じん作業に従事**する者又は常時粉じん作業に従事させたことのある労働者で一定のもの	(3) なし ※胸部エックス線検査は省略できない
2	(4) 次の者に対する**喀痰検査**（特は❶のみ） ❶胸部エックス線検査によって病変の発見されない者又は結核発病のおそれがないと診断された者 ❷上記(3)に掲げる者（胸部エックス線検査を省略できる者） (5) **40歳未満の者**（**35歳の者を除く**）に対する貧血、肝機能、血中脂質、血糖、心電図**検査**	（同左）
3		前回の健康診断で**貧血**、**肝機能**、**血中脂質**、**血糖**、**心電図検査**を受けた者については、医師が必要でないと認めた、その項目の全部又は一部

2 一般健康診断②

	海外派遣労働者の健康診断	給食従業員の健康診断
対象労働者	◆**海外に6月以上派遣**しようとする労働者 ◆**海外に6月以上派遣**した労働者であって、帰国後**国内の業務**に就かせるもの（一時的**に就かせる**者を除く）	事業附属の食堂・炊事場において**給食の業務**に従事する労働者
実施時期	◆海外派遣前 ◆帰国後	◆**雇入れの際** ◆上記の業務への**配置替えの際**
検査項目	**定期健康診断**の検査項目 ＋ 以下の項目のうち**医師が必要**と認めるもの ❶腹部画像検査 ❷血液中の尿酸の量の検査 ❸B型肝炎ウイルス抗体検査 ❹ABO式及びRh式の血液型検査（派遣前に限る） ❺糞便塗抹検査（帰国後に限る）	検便
検査項目の省略	(1)　過去**6月以内**に雇入時、定期、特定業務従事者の健康診断、有害業務従事中の特殊健康診断を受けた場合の、その項目 (2)　**医師が必要でないと認めた**次の検査項目 ❶**20歳以上の者** ➡ **身長の検査** ❷**胸部エックス線検査**で病変の発見されない者・結核発病のおそれがないと診断された者 ➡ **喀痰検査** ※　(1)は派遣前に限る	なし

3 特殊健康診断

有害業務従事中・従事後の健康診断

	有害業務従事中の健康診断	有害業務従事後の健康診断
対象労働者	一定の有害業務に**常時従事**する労働者 ↓ 医師による**特別の項目**についての健康診断	一定の有害業務に**常時従事させたことのある**労働者で、**現に使用**しているもの ↓ 医師による**特別の項目**についての健康診断
有害業務	❶高圧室内業務、潜水業務 ❷放射線業務 ❸一定の特定化学物質の製造・取扱等の業務 ❹石綿等の取扱等に伴い石綿の粉じんを発散する場所における業務 ❺鉛業務 ❻四アルキル鉛等業務 ❼有機溶剤業務	❶以下の物の製造・取扱業務 ◆ベンジジン ◆ジクロルベンジジン ◆1.2-ジクロロプロパン ◆ベンゼン　等 ❷石綿等の取扱等に伴い石綿の粉じんを発散する場所における業務
実施時期	◆**雇入れの際** ◆有害業務への**配置替えの際** ◆有害業務についた後**所定の期間（通常6月）以内ごとに1回、定期に**	**6月（1年）以内ごとに1回、定期に**

歯科医師による健康診断

内容	歯**又はその支持組織に有害な物のガス等を発散**する場所での業務 ➡ **歯科医師による健康診断**
対象労働者	歯又はその支持組織に有害な物※のガス、蒸気、粉じんを発散する場所における業務に**常時従事**する労働者 ※塩酸、硝酸、硫酸、亜硫酸、弗化水素、黄りん　等
実施時期	◆**雇入れの際** ◆有害業務への**配置替えの際** ◆上記の業務についた後**6月以内ごとに1回、定期に**

4 その他の健康診断

臨時健康診断

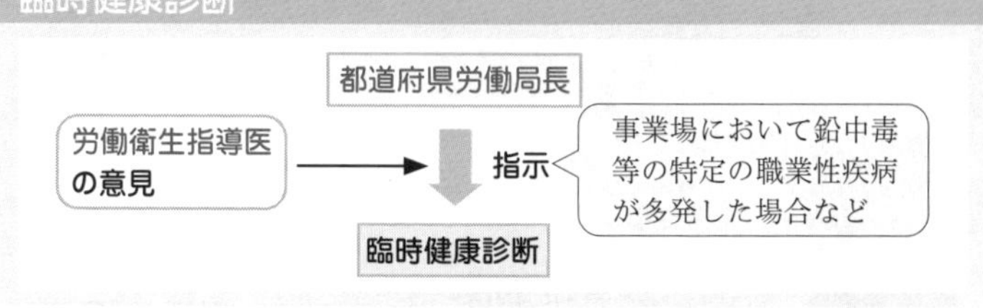

労働者指定医師による健康診断

内　容	事業者の指定した医師又は歯科医師が行う健康診断を受けることを**希望しない**労働者は、**他の医師又は歯科医師**の行うこれらの健康診断に相当する健康診断を受けることができる
提　出	他の医師又は歯科医師が行った**健康診断の結果を証明する書面**を**事業者に提出**
提出の効果	◆当該健康診断の結果、異常の所見があると診断されていたときは、事業者は、労働者の健康を保持するために必要な措置について、医師又は歯科医師の意見を聴かなければならない ◆事業者は、当該健康診断の結果に基づき、健康診断個人票を作成し、保存しなければならない

自発的健康診断

内　容	深夜業**に**従事する労働者 → 提出（**自ら**受けた健康診断の**結果を証明する書面**） → 事業者
対象労働者	常時**使用**され、自ら受けた医師による健康診断を受けた日**前6月間を平均**して**1月当たり4回以上**深夜業に従事した労働者
提出期限	自ら受けた医師による健康診断を受けた日から**3月以内**

5 心理的な負担の程度を把握するための検査（ストレスチェック）

心理的な負担の程度を把握するための検査（ストレスチェック）の実施

内容	常時50人以上使用の事業場	事業者は、労働者に対し、**心理的な負担の程度を把握するための検査を行わなければならない**（義務）
	常時50人未満使用の事業場	事業者は、労働者に対し、心理的な負担の程度を把握するための検査を**行うよう努めなければならない**（努力義務）
対象労働者		常時使用する労働者
実施頻度		1年以内ごとに1回、**定期に**
検査の実施者		❶医師 ❷保健師 ❸検査を行うために必要な知識についての研修で**厚生労働大臣**が定めるものを**修了**した歯科医師、看護師、精神保健福祉士又は公認心理師 ※　以下において、❶～❸の者を「**医師等**」という
	検査の実施事務に従事できない者	検査を受ける労働者について解雇、昇進又は異動に関して**直接の権限**を持つ監督**的地位**にある者
検査項目		❶職場における心理的な負担の原因 ❷心理的な負担による心身の自覚症状 ❸職場における他の労働者による当該労働者への支援
結果の通知等	労働者に対する通知	事業者は、検査を受けた労働者に対し、当該検査を行った医師等から、**遅滞なく**、当該検査の結果が**通知**されるようにしなければならない
	事業者に対する提供	検査を行った医師等は、あらかじめ当該検査を受けた**労働者の同意**を得ないで、当該労働者の検査の結果を**事業者に提供**してはならない

記録の作成・保存		事業者は、検査を受けた労働者の同意を得て、当該検査を行った医師等から当該労働者の**検査の結果の提供**を受けた場合には、当該検査の結果に基づき、**記録を作成**して、これを**5年間保存**しなければならない
報告 改正		**常時50人以上**の労働者を使用する事業者は、**1年以内ごとに1回、定期に、電子情報処理組織**を使用して、検査の結果を、後述の当該検査に基づく面接指導の結果等とともに、**所轄労働基準監督署長に報告**しなければならない
分析等	検査結果の分析	事業者は、検査を行った場合は、当該検査を行った医師等に、当該**検査の結果**を**事業場の部署に所属する労働者の集団**その他の一定規模の集団ごとに**集計**させ、その結果について**分析**させるよう**努め**なければならない
	適切な措置の実施	事業者は、分析の結果を勘案し、その必要があると認めるときは、当該集団の**労働者の実情**を考慮して、当該集団の労働者の**心理的な負担**を**軽減**するための**適切な措置**を講ずるよう**努め**なければならない

6 面接指導

(1) 長時間労働者に対する面接指導

実施

対象労働者から**申出** ➡ 事業者：**遅滞なく**、面接指導を実施

対象労働者

次の❶、❷のいずれにも該当する労働者（後記(2)又は(3)の面接指導の対象者を除く）

❶休憩時間を除き**1週間当たり40時間を超えて**労働させた場合のその超えた時間が**1月当たり80時間超**である

❷**疲労の蓄積**が認められる

週40時間を超えた時間

算定	**毎月1回以上、一定の期日に算定**する
情報通知	事業者 ―算定後**速やかに**／**超えた時間に関する**情報を通知→ 1月80時間超の労働者

除外者

超えた時間の算定期日**前1月以内**に当該面接指導又は後記(2)の面接指導を受けた労働者等であって当該**面接指導を受ける必要がない**と**医師**が認めたもの

申出の時期

超えた時間の算定期日後、**遅滞なく**申出

確認事項

❶労働者の勤務の状況
❷労働者の疲労の蓄積の状況
❸その他労働者の心身の状況

勧奨

面接指導の要件に該当する労働者に対して、申出を行うよう**勧奨**することができる

勧奨者 産業医

労働時間の状況の把握	事業者は、**面接指導を実施**するため、以下の方法により、**労働者の労働時間の状況を把握**しなければならない	
	把握するための方法	タイムカードによる記録、パーソナルコンピュータ等の電子計算機の使用時間の記録等の**客観的な方法** 等
	記録の作成・保存	労働時間の状況の**記録を作成**し、**3年間保存**するための必要な措置を講じなければならない

(2) 研究開発業務従事者に対する面接指導

実　施	下記の対象労働者の要件に該当 ➡ 事業者：**算定期日後、遅滞なく**面接指導を実施
対象労働者	**新たな技術、商品又は役務の研究開発**に係る業務に従事する者であって、休憩時間を除き**1週間当たり40時間を超えて**労働させた場合のその**超えた時間**が**1月当たり100時間を超える**もの
週40時間を超えた時間の算定	**毎月1回以上、一定の期日**に算定する
確認事項	❶労働者の勤務の状況 ❷労働者の疲労の蓄積の状況 ❸その他労働者の心身の状況 (※長時間労働者に対する面接指導の確認事項と同じである)
労働時間の状況の把握	事業者に対し、「(1)長時間労働者に対する面接指導」の場合と同様の労働時間の把握義務が課されている

(3) 高度プロフェッショナル制度対象労働者に対する面接指導

実施	下記の対象労働者の要件に該当 ➡ 事業者：**算定期日後、遅滞なく**面接指導を実施
対象労働者	**高度プロフェッショナル制度の対象労働者**であって、1週間当たりの**健康管理時間**が**40時間を超えた**場合のその超えた時間が**1月当たり100時間**を超えるもの
週40時間を超えた時間の算定	**毎月1回以上、一定の期日**に算定する
確認事項	❶労働者の勤務の状況 ❷労働者の疲労の蓄積の状況 ❸その他労働者の心身の状況 （※長時間労働者に対する面接指導の確認事項と同じである）
労働時間の状況の把握	なし（労基法において、健康管理時間の把握措置の義務あり）

(4) ストレスチェックに基づく面接指導

実施	**対象労働者**から**申出** ➡ 事業者：**遅滞なく**、面接指導を実施
対象労働者	心理的な負担の程度を把握するための検査（ストレスチェック）の**結果の通知**を受けた労働者であって、検査の結果、**心理的な負担の程度が高く、面接指導を受ける必要がある**と当該検査を行った**医師等**が認めたもの
申出の時期	検査の結果の通知を受けた後、**遅滞なく**申出
確認事項	心理的な負担の程度を把握するための検査における検査項目のほか、次に掲げる事項 ❶労働者の勤務の状況 ❷労働者の心理的な負担の状況 ❸その他労働者の心身の状況

勧奨	面接指導の要件に該当する労働者に対して、申出を行うよう**勧奨**することができる **勧奨者** 検査を行った**医師等**

7 事後措置

(1) 健康診断後の措置

記録の作成・保存 **健康診断個人票**の作成 ➡ **5年間**（原則）保存

<table>
<tr><th rowspan="2">報告
改正</th><th>一般健康診断</th><th>特殊健康診断</th></tr>
<tr><td>常時50人以上の労働者を使用する事業者で定期健康診断又は特定業務従事者の健康診断（定期のものに限る）を行ったもの
⬇
遅滞なく、電子情報処理組織を使用して、所定の事項を所轄労働基準監督署長に報告</td><td>歯科医師による健康診断又は有機溶剤業務に係る特殊健康診断（いずれも定期のものに限る）を行った事業者（使用労働者数を問わない）
⬇
遅滞なく、電子情報処理組織を使用して、所定の事項を所轄労働基準監督署長に報告

上記以外の特殊健康診断（定期のものに限る）を行った事業者（使用労働者数を問わない）
⬇
遅滞なく、健康診断結果報告書を所轄労働基準監督署長に提出</td></tr>
</table>

<table>
<tr><th rowspan="3">意見
聴取</th><th>内容</th><td colspan="2">健康診断の結果
⬇
異常の所見があると診断された労働者
⬇
労働者の健康を保持するために必要な措置につき、事業者が医師又は歯科医師から意見聴取</td></tr>
<tr><th rowspan="2">時期</th><td>原則</td><td>健康診断が行われた日から3月以内</td></tr>
<tr><td>自発的健康診断</td><td>結果を証明する書面を事業者に提出した日から2月以内</td></tr>
</table>

就業場所変更等の措置	事業者は、**医師又は歯科医師**の意見を勘案し、その必要があると認めるときは、当該**労働者の実情**を考慮して、以下の措置を講じなければならない ◆**就業場所の変更**、**作業の転換**、**労働時間の短縮**、**深夜業の回数の減少**等の措置 ◆**作業環境測定**の実施、施設・設備の設置・整備、**医師又は歯科医師の意見**の**衛生委員会**、**安全衛生委員会**又は**労働時間等設定改善委員会**への報告　等

(2) 長時間労働者に対する面接指導後の措置

記録の作成・保存		結果の記録の作成 ➡ **5年間**保存
報　告		なし
意見聴取	内容	面接指導の結果 ⬇ 労働者の**健康を保持**するために必要な措置につき、事業者が**医師**から**意見聴取**
	時期	面接指導が行われた後、**遅滞なく**
就業場所変更等の措置		事業者は、**医師**の意見を勘案し、その必要があると認めるときは、当該**労働者の実情**を考慮して、以下の措置を講じなければならない ◆**就業場所の変更**、**作業の転換**、**労働時間の短縮**、**深夜業の回数の減少**等の措置 ◆**医師の意見**の**衛生委員会**、**安全衛生委員会**又は**労働時間等設定改善委員会**への報告　等

(3) 研究開発業務従事者に対する面接指導後の措置

記録の作成・保存	結果の記録の作成 ➡ **5年間**保存
報　告	なし

意見聴取	内容	面接指導の結果 ↓ 労働者の**健康を保持**するために必要な措置につき、事業者が**医師**から**意見聴取**
	時期	面接指導が行われた後、**遅滞なく**
就業場所変更等の措置		事業者は、**医師**の意見を勘案し、その必要があると認めるときは、当該労働者の実情を考慮して、以下の措置を講じなければならない ◆就業場所の変更、**職務内容の変更**、**有給休暇**（年次有給休暇を除く）**の付与**、労働時間の短縮、深夜業の回数の減少等の措置 ◆**医師**の意見の衛生委員会、安全衛生委員会又は労働時間等設定改善委員会への報告　等

⑷ 高度プロフェッショナル制度対象労働者に対する面接指導後の措置

記録の作成・保存		結果の記録の作成 ➡ **5年間**保存
報告		なし
意見聴取	内容	面接指導の結果 ↓ 労働者の**健康を保持**するために必要な措置につき、事業者が**医師**から**意見聴取**
	時期	面接指導が行われた後、**遅滞なく**
就業場所変更等の措置		事業者は、**医師**の意見を勘案し、その必要があると認めるときは、当該**労働者の実情**を考慮して、以下の措置を講じなければならない ◆**職務内容の変更**、**有給休暇**（年次有給休暇を除く）**の付与**、**健康管理時間が短縮されるための配慮等** ◆**医師**の意見の衛生委員会、安全衛生委員会又は労働時間等設定改善委員会への報告　等

(5) ストレスチェックに基づく面接指導後の措置

記録の作成・保存		結果の記録の作成 ➡ **5年間**保存
報告 改正		**常時50人以上**の労働者を使用する事業者 ⬇ **1年以内ごとに1回、定期に、電子情報処理組織**を使用して、検査及び面接指導の結果等についての事項を、**所轄労働基準監督署長に報告**
意見聴取	内容	面接指導の結果 ⬇ 労働者の**健康を保持**するために必要な措置につき、事業者が**医師**から**意見聴取**
	時期	面接指導が行われた後、**遅滞なく**
就業場所変更等の措置		事業者は、**医師**の意見を勘案し、その必要があると認めるときは、当該労働者の実情を考慮して、以下の措置を講じなければならない ◆**就業場所の変更、作業の転換、労働時間の短縮、深夜業の回数の減少**等の措置 ◆**医師**の意見の衛生委員会、安全衛生委員会又は労働時間等設定改善委員会への報告 等

8 計画の届出

CH2 Sec10

危険・有害機械等の設置等の届出

内容	**一定の危険・有害機械等**の**設置**、**移転**、**主要構造部分の変更** → 計画の届出
対象となる危険・有害機械等	◆特定機械等 ◆一定の動力プレス ◆一定のアセチレン溶接装置 等
届出の免除	次の措置を講じているものとして**労働基準監督署長が認定**した事業者については、届出を要しない ❶**危険性又は有害性等の調査**及びその結果に基づき講ずる措置 ❷則第24条の２の指針（**労働安全衛生マネジメントシステム**に関する指針）に従って事業者が行う**自主的活動**
期限	**工事開始日の30日前**まで
届出先	労働基準監督署長

	大規模建設業の仕事の届出	一定建設業等の仕事の届出
内容	**重大な労働災害**を生ずるおそれがある**特に大規模な建設業の仕事** → 計画の届出	一定の**建設業・土石採取業の仕事** → 計画の届出
対象となる仕事	◆高さ300m以上の塔の建設 ◆堤高150m以上のダムの建設 ◆最大支間500m（つり橋は1,000m）以上の橋梁の建設 ◆長さ3,000m以上のずい道等の建設 等	◆高さ31mを超える建築物、工作物（橋梁を除く）の建設等 ◆最大支間50m以上の橋梁の建設等 ◆ずい道等の建設等（ずい道等の内部に労働者が立ち入らないものを除く） ◆圧気工法による作業を行う仕事 等
届出の免除	なし	
期限	**仕事の開始日の30日前**まで	**仕事の開始日の14日前**まで
届出先	厚生労働大臣	労働基準監督署長

総まとめ編

3 労働者災害補償保険法

1 保険給付の種類

CH3 Sec4

<table>
<tr><th>給付事由</th><th colspan="2">業務災害</th><th colspan="2">複数業務要因災害</th><th colspan="2">通勤災害</th></tr>
<tr><td rowspan="3">傷病</td><td colspan="2">療養補償給付</td><td colspan="2">複数事業労働者療養給付</td><td colspan="2">療養給付</td></tr>
<tr><td colspan="2">休業補償給付</td><td colspan="2">複数事業労働者休業給付</td><td colspan="2">休業給付</td></tr>
<tr><td colspan="2">傷病補償年金</td><td colspan="2">複数事業労働者傷病年金</td><td colspan="2">傷病年金</td></tr>
<tr><td rowspan="4">障害</td><td rowspan="2">障害補償給付</td><td>障害補償年金</td><td rowspan="2">複数事業労働者障害給付</td><td>複数事業労働者障害年金</td><td rowspan="2">障害給付</td><td>障害年金</td></tr>
<tr><td>障害補償一時金</td><td>複数事業労働者障害一時金</td><td>障害一時金</td></tr>
<tr><td colspan="2">障害補償年金前払一時金</td><td colspan="2">複数事業労働者障害年金前払一時金</td><td colspan="2">障害年金前払一時金</td></tr>
<tr><td colspan="2">障害補償年金差額一時金</td><td colspan="2">複数事業労働者障害年金差額一時金</td><td colspan="2">障害年金差額一時金</td></tr>
<tr><td>要介護状態</td><td colspan="2">介護補償給付</td><td colspan="2">複数事業労働者介護給付</td><td colspan="2">介護給付</td></tr>
<tr><td rowspan="4">死亡</td><td rowspan="2">遺族補償給付</td><td>遺族補償年金</td><td rowspan="2">複数事業労働者遺族給付</td><td>複数事業労働者遺族年金</td><td rowspan="2">遺族給付</td><td>遺族年金</td></tr>
<tr><td>遺族補償一時金</td><td>複数事業労働者遺族一時金</td><td>遺族一時金</td></tr>
<tr><td colspan="2">遺族補償年金前払一時金</td><td colspan="2">複数事業労働者遺族年金前払一時金</td><td colspan="2">遺族年金前払一時金</td></tr>
<tr><td colspan="2">葬祭料</td><td colspan="2">複数事業労働者葬祭給付</td><td colspan="2">葬祭給付</td></tr>
</table>

◆上記以外に脳・心臓疾患予防のための保険給付として、二次健康診断等給付がある

2 傷病に関する保険給付

CH3 Sec4

療養（補償）等給付

支給要件

業務上の事由、複数事業労働者の２以上の事業の業務を要因とする事由又は通勤による傷病であること

給付内容

原　則	例外（困難・相当の理由）
療養の給付（**現物給付**）	療養の費用の支給（**現金給付**）
治ゆ又は**死亡**するまで支給	

請求手続

指定病院等経由	直接
↓	↓
所轄労働基準監督署長	**所轄労働基準監督署長**

一部負担金

通勤災害 ➡ 200円（日雇特例被保険者は100円）の一部負担金

↓

最初の休業給付から控除

◆一部負担金を徴収されない者

❶**第三者行為災害**により療養給付を受ける者
❷療養開始後３**日以内**に死亡した者その他**休業給付**を受けない者
❸同一の通勤災害に係る療養給付について既に一部負担金を納付した者
❹**特別加入者**

休業（補償）等給付

支給要件

❶業務上の事由、複数事業労働者の２以上の事業の業務を要因とする事由又は通勤による傷病に係る**療養のため休業する日**であること
❷労働することができない日であること
❸**賃金を受けない日**であること
❹**第４日目以後**の休業日であること

待　期

❶**金銭**を受けても可
❷**断続**でも可
❸**業務災害の場合**は事業主が休業補償

支給額

原則

受領金額が平均賃金の**60%**未満
➡ 給付基礎日額×**60%**

受領金額が平均賃金の**60%**以上
➡ **支給されない**（休業する日に該当しない）

部分算定日※

受領金額が「平均賃金－部分算定日に対する賃金」の**60%**未満
➡（給付基礎日額－部分算定日に対する賃金）×**60%**

受領金額が「平均賃金－部分算定日に対する賃金」の**60%**以上
➡ **支給されない**（休業する日に該当しない）

※療養のため所定労働時間のうちその一部分についてのみ**労働する日**又は**賃金が支払われる休暇**をいう

傷病（補償）等年金

支給要件

療養開始後１年６箇月経過日又は経過日後に
❶傷病が治って**いない**こと
❷**傷病等級**に該当すること

手続

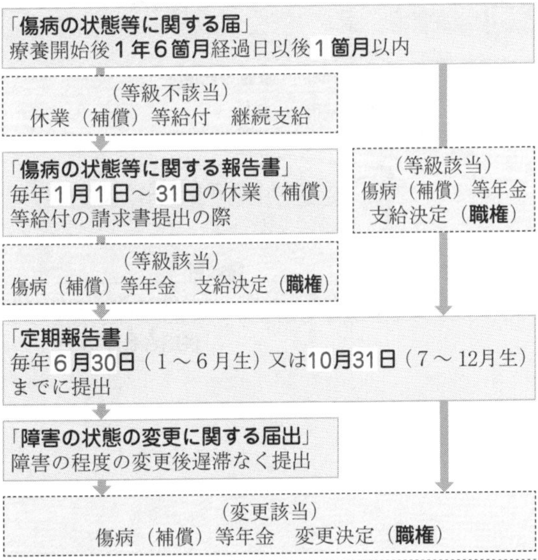

「傷病の状態等に関する届」
療養開始後**1年6箇月**経過日以後**1箇月**以内

↓

（等級不該当）
休業（補償）等給付　継続支給

↓

「傷病の状態等に関する報告書」
毎年**1月1日～31日**の休業（補償）等給付の請求書提出の際

↓

（等級該当）
傷病（補償）等年金　支給決定（**職権**）

（「傷病の状態等に関する届」から直接）
（等級該当）
傷病（補償）等年金
支給決定（**職権**）

↓

「定期報告書」
毎年**6月30日**（1～6月生）又は**10月31日**（7～12月生）までに提出

↓

「障害の状態の変更に関する届出」
障害の程度の変更後遅滞なく提出

↓

（変更該当）
傷病（補償）等年金　変更決定（**職権**）

支給額

傷病等級	年金額
第1級	給付基礎日額の**313日分**
第2級	給付基礎日額の**277日分**
第3級	給付基礎日額の**245日分**

打切補償との関係

業務上負傷し、又は疾病にかかった労働者は、次の❶又は❷の日に打切補償が支払われたものとみなし、**解雇制限が解除**される

❶負傷又は疾病に係る**療養の開始後3年**を経過した日において傷病補償年金を受けている場合
➡ **3年**を経過した日

❷負傷又は疾病に係る**療養の開始後3年**を経過した日**後**において傷病補償年金を受けることとなった場合
➡ 傷病補償年金を受けることとなった日

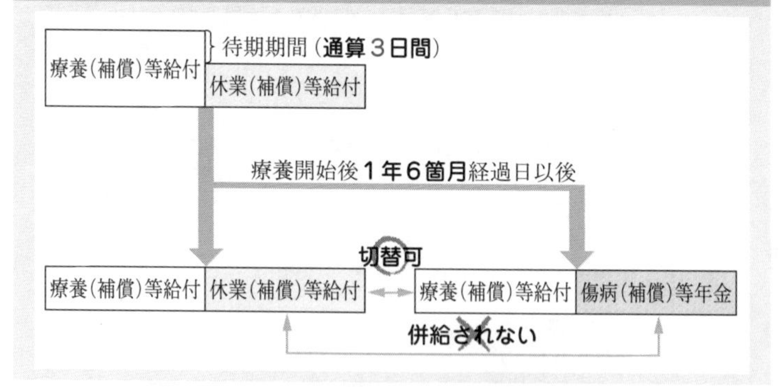
傷病に関する保険給付の流れ
療養(補償)等給付
待期期間(通算3日間)
休業(補償)等給付
療養開始後1年6箇月経過日以後
療養(補償)等給付
休業(補償)等給付
切替可
療養(補償)等給付
傷病(補償)等年金
併給されない

3 障害に関する保険給付

CH3 Sec5

障害（補償）等給付の支給要件及び支給額

支給要件

❶業務上の事由、複数事業労働者の２以上の事業の業務を要因とする事由又は通勤により負傷し、又は疾病にかかったこと
❷**治っている**こと
❸**障害等級**に該当すること

支給額

保険給付	障害等級	額
障害（補償）等年金	第１級	１年につき給付基礎日額の**313日分**
	第２級	１年につき給付基礎日額の**277日分**
	第３級	１年につき給付基礎日額の**245日分**
	第４級	１年につき給付基礎日額の 213 日分
	第５級	１年につき給付基礎日額の 184 日分
	第６級	１年につき給付基礎日額の 156 日分
	第７級	１年につき給付基礎日額の**131日分**
障害（補償）等一時金	第８級	給付基礎日額の**503日分**
	第９級	給付基礎日額の 391 日分
	第10級	給付基礎日額の 302 日分
	第11級	給付基礎日額の 223 日分
	第12級	給付基礎日額の 156 日分
	第13級	給付基礎日額の 101 日分
	第14級	給付基礎日額の **56 日分**

障害（補償）等給付の併合等

	要件	取扱
併合	**同一の事故**による身体障害が2以上あるとき	■**原則**■ ⇒ **重い方**の障害等級 以下の場合、**重い方の障害等級**をそれぞれに掲げる等級繰り上げる ❶**第13級以上**の身体障害が2以上あるとき ⇒ 1級 ❷**第8級以上**の身体障害が2以上あるとき ⇒ 2級 ❸**第5級以上**の身体障害が2以上あるとき ⇒ 3級 ※**第9級**と**第13級**の場合は第8級（503日分）となるが、例外として、支給額は第9級の391日分と第13級の101日分を合算した**492日分**とする
加重	既に身体障害（**業務災害・複数業務要因災害・通勤災害によるものであるかどうかを問わない**）のあった者が、業務災害・複数業務要因災害・通勤災害により、**同一部位**について加重	❶加重前後とも年金の場合 加重後年金額 − 加重前年金額 ❷加重前後とも一時金の場合 加重後一時金額 − 加重前一時金額 ❸加重前一時金、加重後年金の場合 加重後年金額 − 加重前一時金額 × 1/25
変更	**障害（補償）等年金**の支給事由となっている障害の程度が**自然変更**	❶変更後も**年金**の場合 ⇒ 変更後の年金支給 ❷変更後が**一時金**の場合 ⇒ 年金消滅、一時金支給 ※変更前が一時金の場合には変更の取扱いは行わない

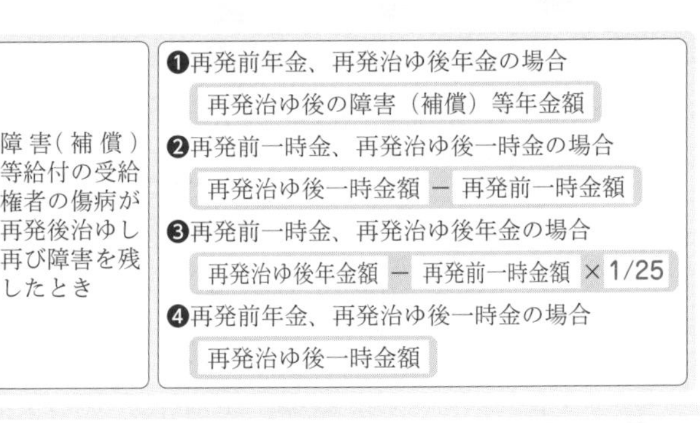

再発治ゆ	障害（補償）等給付の受給権者の傷病が再発後治ゆし再び障害を残したとき	❶再発前年金、再発治ゆ後年金の場合 再発治ゆ後の障害（補償）等年金額 ❷再発前一時金、再発治ゆ後一時金の場合 再発治ゆ後一時金額 − 再発前一時金額 ❸再発前一時金、再発治ゆ後年金の場合 再発治ゆ後年金額 − 再発前一時金額 × 1/25 ❹再発前年金、再発治ゆ後一時金の場合 再発治ゆ後一時金額

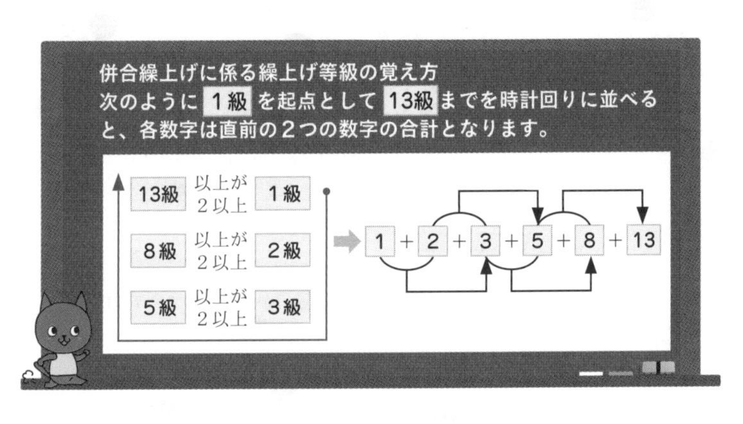

障害（補償）等年金前払一時金

支給要件　障害（補償）等年金の受給権を有すること

支給額

障害等級に応じ、以下の額から**受給権者の**選択した額

障害等級	額
第1級	給付基礎日額の200日分、400日分、600日分、800日分、1,000日分、1,200日分又は**1,340日分**
第2級	給付基礎日額の200日分、400日分、600日分、800日分、1,000日分又は**1,190日分**
第3級	給付基礎日額の200日分、400日分、600日分、800日分、1,000日分又は**1,050日分**
第4級	給付基礎日額の200日分、400日分、600日分、800日分又は920日分
第5級	給付基礎日額の200日分、400日分、600日分又は790日分
第6級	給付基礎日額の200日分、400日分、600日分又は670日分
第7級	給付基礎日額の200日分、400日分又は**560日分**

請　求

原　則	例　外
障害（補償）等年金の**請求と同時**	**治ゆした日の翌日**から起算して**2年以内** かつ **支給決定通知日の翌日**から起算して**1年以内**

同一の事由に関し、**1回に限り**請求することができる

障害（補償）等年金差額一時金

支給要件

❶障害（補償）等年金の受給権者が**死亡**したこと
❷支給された**障害（補償）等年金**の額と**障害（補償）等年金前払一時金**の額との合計額が、障害等級に応じ、**障害（補償）等年金前払一時金の最高限度額**（給付基礎日額の1,340日分～560日分）に**満たない**こと

支給額

「障害等級の区分に応じて定められた以下の額（前払一時金の最高限度額）」と、「障害（補償）等年金の受給権者の死亡前に既に支給されていた障害（補償）等年金の額及び障害（補償）等年金前払一時金の額の合計額」との差額

障害等級	額
第1級	給付基礎日額の**1,340日分**
第2級	給付基礎日額の**1,190日分**
第3級	給付基礎日額の**1,050日分**
第4級	給付基礎日額の920日分
第5級	給付基礎日額の790日分
第6級	給付基礎日額の670日分
第7級	給付基礎日額の**560日分**

受給資格者及び受給権者

順位	受給資格者	
1	労働者の死亡の当時その者と**生計を同じくしていた**	❶配偶者 ❷子 ❸父母 ❹孫 ❺祖父母 ❻兄弟姉妹
2	労働者の死亡の当時その者と**生計を同じくしていなかった**	

上記受給資格者のうち最先順位者が受給権者となる

4 死亡に関する保険給付

CH3 Sec6

遺族（補償）等年金

支給要件

業務上の事由、複数事業労働者の２以上の事業の業務を要因とする事由又は通勤により**死亡**したこと

受給資格者及び受給権者

順位	遺族	受給資格者	労働者の死亡の当時の要件
❶	妻	労働者の収入によって**生計を維持**していたこと	
❶	夫		**60歳以上**又は**障害の状態**※にあること
❷	子		**18歳**の年度末までの間にあるか又は**障害の状態**にあること
❸	父母		**60歳以上**又は**障害の状態**にあること
❹	孫		**18歳**の年度末までの間にあるか又は**障害の状態**にあること
❺	祖父母		**60歳以上**又は**障害の状態**にあること
❻	兄弟姉妹		**18歳**の年度末までの間にあるか若しくは**60歳以上**又は**障害の状態**にあること
❼	夫		**55歳以上60歳未満**の者で**障害の状態**にないものであること ◆年金額には**反映されない** ◆**60歳**まで**支給停止**（若年支給停止） ◆**前払一時金**は請求可 ◆60歳になっても順位は繰り上がらない
❽	父母		
❾	祖父母		
❿	兄弟姉妹		

上記受給資格者のうち最先順位者が受給権者となる

※**障害等級第５級以上**の障害の状態等をいう

支給額

遺族（補償）等年金の受給権者及びその者と生計を同じくしている遺族（補償）等年金の受給資格者（**若年支給停止**者を**除く**）の人数の区分に応じ、以下に掲げる額

遺族の数	年金額
1人	給付基礎日額の**153日分**（**55歳以上**の**妻**又は**障害の状態**にある**妻**にあっては、**給付基礎日額**の**175日分**）
2人	給付基礎日額の**201日分**
3人	給付基礎日額の**223日分**
4人以上	給付基礎日額の**245日分**

失　権

遺族（補償）等年金の受給権は、その受給権者が次のいずれかに該当するに至ったときは**消滅**し、この場合において、**同順位者**がなくて**後順位者**があるときは、**次順位者**に遺族（補償）等年金が支給される（**転給**）

❶ **死亡**したとき

❷ **婚姻**をしたとき

❸ **直系血族又は直系姻族以外の者**の養子となったとき

❹ **離縁**によって、死亡した労働者との**親族関係**が終了したとき

❺ 子、孫又は兄弟姉妹については、**18歳**の年度末が終了したとき（労働者の死亡の当時から**引き続き障害の状態**にあるときを除く）

❻ **障害の状態**にある夫、子、父母、孫、祖父母又は兄弟姉妹については、その事情がなくなったとき（夫、父母又は祖父母については、**労働者の死亡の当時60**※**歳**以上であったとき、子又は孫については、**18歳**の年度末までの間にあるとき、兄弟姉妹については、**18歳**の年度末までの間にあるか又は**労働者の死亡の当時60**※**歳**以上であったときを除く）

※労働者の死亡の当時55歳以上60歳未満で障害の状態にあった夫、父母、祖父母及び兄弟姉妹が障害の状態に該当しなくなった場合には、前ページの順位❼から❿に該当するものとして扱われることとなる

遺族（補償）等一時金

	ケース1	ケース2
支給要件	労働者の死亡の当時遺族（補償）等年金の受給資格者がいない	❶遺族（補償）等年金の受給権者の受給権が**消滅** ❷他に当該遺族（補償）等年金の**受給資格者**がない ❸当該労働者の死亡に関し支給された「**遺族（補償）等年金の額及び遺族（補償）等年金前払一時金の額**」の合計額が給付基礎日額の**1,000日分**に満たない
支給額	**給付基礎日額**の**1,000日分**	**給付基礎日額**の**1,000日分**から上に掲げる「**遺族（補償）等年金の額及び遺族（補償）等年金前払一時金の額**」の合計額を控除した額

受給資格者及び受給権者

順位	受給資格者
❶	配偶者
❷	労働者の死亡の当時その収入によって**生計を維持していた** ①子　②父母　③孫　④祖父母
❸	労働者の死亡の当時その収入によって**生計を維持していなかった** ①子　②父母　③孫　④祖父母
❹	兄弟姉妹

上記受給資格者のうち最先順位者が受給権者となる

遺族（補償）等年金前払一時金

支給要件 遺族（補償）等年金の受給権を有すること

支給額 給付基礎日額の200日分、400日分、600日分、800日分又は**1,000日分**に相当する額から**受給権者が選択**した額

請求

原則	例外
遺族（補償）等年金の請求と**同時**	**労働者が死亡した日の翌日**から起算して**2年以内** かつ 支給決定通知**日の翌日**から起算して**1年以内**

同一の事由に関し、1回**に限り**請求することができる

葬祭料等（葬祭給付）

支給要件 業務上の事由、複数事業労働者の2以上の事業の業務を要因とする事由又は通勤により死亡したこと

請求権者 葬祭**を行う者**

支給額 次の額のうち**いずれか高い方の額**
❶**315,000円** ＋（給付基礎日額 × **30日分**）
❷給付基礎日額 × **60日分**

5 その他の給付

CH3 Sec5･6

介護（補償）等給付

支給要件

❶**障害（補償）等年金**又は**傷病（補償）等年金**の受給権者であって一定の障害の状態（少なくとも第2級以上）にあること
❷当該障害により**常時又は随時介護**を要する状態にあること
❸**常時又は随時介護**を受けていること（**病院等に入院**等している場合を除く）

支給額

常時介護を要する場合	随時介護を要する場合
■原則■	
実費	
■上限■	
177,950円	88,980円
■親族等の介護があった場合の最低保障額■（支給事由が生じた月は最低保障なし）	
81,290円	40,600円

請　求

障害（補償）等年金受給権者
➡ 障害（補償）等年金の**請求と同時**又は**請求をした後**
傷病（補償）等年金受給権者
➡ 傷病（補償）等年金の**支給決定を受けた後**

二次健康診断等給付

支給要件

一次健康診断において、**業務上の事由**による**脳血管疾患及び心臓疾患**の発生にかかわる身体の状態に関する以下の検査の結果

❶**血圧の測定**
❷**血中脂質検査**
❸**血糖検査**
❹**腹囲の検査又は**
BMI（肥満度）**の測定**

➡ **いずれの項目**にも**異常の所見**

※既に脳血管疾患又は心臓疾患の症状を有すると認められる者は対象外

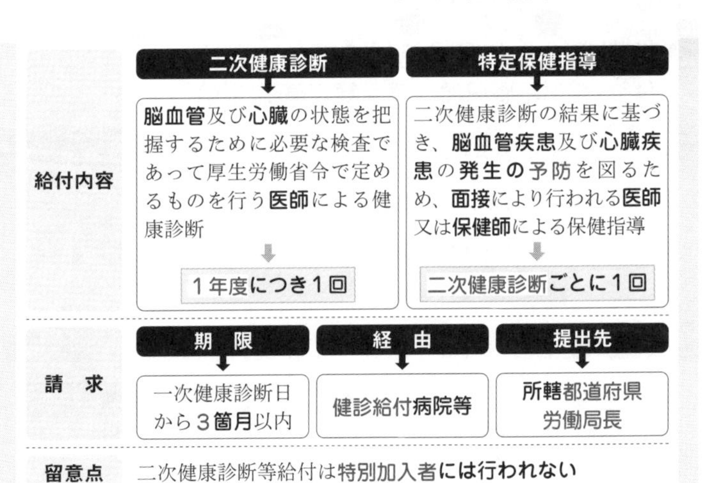

給付内容	**二次健康診断** **脳血管**及び**心臓**の状態を把握するために必要な検査であって厚生労働省令で定めるものを行う**医師**による健康診断 ↓ 1年度につき1回	**特定保健指導** 二次健康診断の結果に基づき、**脳血管疾患**及び**心臓疾患の発生の予防**を図るため、**面接**により行われる**医師**又は**保健師**による保健指導 ↓ 二次健康診断ごとに1回

	期　限	経　由	提出先
請　求	一次健康診断日から3**箇月**以内	健診給付病院等	所轄都道府県労働局長

留意点	二次健康診断等給付は**特別加入者には行われない**

6 特別支給金

CH3 Sec8

1 算定基礎年額及び算定基礎日額

算定基礎年額	❶ 発傷病日**以前1年間**の特別給与※の総額 ❷ 給付基礎日額 × 365 × 20% ❸ 150万円 のうち**最も低い額** ※3箇月を超える期間ごとに支払われる賃金をいう
算定基礎日額	**算定基礎年額** ÷ 365（**1円未満**切上げ）

2 特別支給金と保険給付の額のまとめ
（給＝給付基礎日額、算＝算定基礎日額）

休業

特別支給金	休業特別支給金	給の20％
保険給付	休業（補償）等給付	給の60％

傷病

特別支給金　傷病特別支給金

傷病等級	一時金額
第1級	114万円
第2級	107万円
第3級	100万円

特別支給金　傷病特別年金

傷病等級	年金額
第1級	算の313日分
第2級	算の277日分
第3級	算の245日分

保険給付　傷病（補償）等年金

傷病等級	年金額
第1級	給の313日分
第2級	給の277日分
第3級	給の245日分

障害

特別支給金

障害特別支給金

障害等級	一時金額	障害等級	一時金額
第1級	**342万円**	第8級	**65万円**
第2級	320万円	第9級	50万円
第3級	300万円	第10級	39万円
第4級	264万円	第11級	29万円
第5級	225万円	第12級	20万円
第6級	192万円	第13級	14万円
第7級	**159万円**	第14級	**8万円**

障害特別年金

障害等級	年金額
第1級	算の**313日分**
第2級	算の**277日分**
第3級	算の**245日分**
第4級	算の213日分
第5級	算の184日分
第6級	算の156日分
第7級	算の**131日分**

障害特別一時金

障害等級	一時金額
第8級	算の**503日分**
第9級	算の391日分
第10級	算の302日分
第11級	算の223日分
第12級	算の156日分
第13級	算の101日分
第14級	算の**56日分**

保険給付

障害（補償）等年金

障害等級	年金額
第1級	給の**313日分**
第2級	給の**277日分**
第3級	給の**245日分**
第4級	給の213日分
第5級	給の184日分
第6級	給の156日分
第7級	給の**131日分**

障害（補償）等一時金

障害等級	一時金額
第8級	給の**503日分**
第9級	給の391日分
第10級	給の302日分
第11級	給の223日分
第12級	給の156日分
第13級	給の101日分
第14級	給の**56日分**

遺族

特別支給金

遺族特別支給金　300万円

遺族特別年金

遺族の数	年金額
1人	算の153日分 55歳以上の妻 又は 障害の妻は 算の175日分
2人	算の201日分
3人	算の223日分
4人以上	算の245日分

遺族特別一時金

一時金額
算の1,000日分－受給額

保険給付

遺族（補償）等年金

遺族の数	年金額
1人	給の153日分 55歳以上の妻 又は 障害の妻は 給の175日分
2人	給の201日分
3人	給の223日分
4人以上	給の245日分

遺族（補償）等一時金

一時金額
給の1,000日分－受給額

3 特別支給金の支給停止

	保険給付の停止事由	
	前払一時金による支給停止	若年支給停止
障害特別支給金	なし（**支給**する）	―
障害特別年金	なし（**支給**する）	―
遺族特別支給金	なし（**支給**する）	なし（**支給**する）
遺族特別年金	なし（**支給**する）	あり（**停止**する）

4 保険給付との相違点

❶ **前払一時金**を受給しても支給停止されない（特別支給金に前払一時金制度はない）

❷ 費用徴収**の対象**とならない

❸ 損害賠償**との調整**は行われない

❹ 社会保険**との併給調整**は行われない

❺ **譲渡・担保・差押**は**禁止されていない**

❻ 特別給与**を算定基礎とする特別支給金**は特別加入者には支給されない

❼ 法第38条第１項の**不服申立て**〔労審法による（再）審査請求〕の対象とならない

5 保険給付との共通点

❶ 支給制限及び**一時差止め**の対象となる

❷ 年金たる特別支給金の**端数処理**、**支払時期**は年金たる保険給付と同様の取扱いである

❸ 支払の調整（**内払・充当**）の対象となる

❹ 未支給**の特別支給金**を申請することができる

❺ **公課の禁止**、**退職後の権利**が運用上認められている

❻ 定額**制**のものを除きスライド**制**の適用を受ける

❼ 船舶事故等の場合には**死亡の推定**の対象となる

❽ **若年**又は**所在不明**の場合には、**遺族特別年金も支給停止**の対象となる

❾ 刑事施設に拘置等された場合は、休業（補償）等給付と同様に休業特別支給金も支給されない

❿ **支給の事務**は所轄労働基準監督署長が行う

7 特別加入

CH3 Sec9

	第1種特別加入者	第2種特別加入者	第3種特別加入者
対象者	❶中小事業主 ❷事業従事者（労働者でない者に限る）	❶一人親方 例 個人タクシー業者 ❷事業従事者（労働者でない者に限る） 例 家族従事者 ❸特定作業従事者（労働者でない者に限る） 例 特定農作業従事者、介護作業・家事支援従事者、家内労働者及びその補助者	海外派遣者 対象除外者 ❶有期事業から派遣される者 ❷現地採用者
事務組合への委託	要	不要	不要
包括加入の要否	要 ■例外■ ❶病気療養、高齢等により就業の実態がない事業主 ❷事業主本来の業務のみに従事する事業主	不要	不要

中小事業主の範囲

業種	労働者
金融 保険 不動産 小売	50人以下
卸売 サービス	100人以下
上記以外	300人以下

	第1種特別加入者	第2種特別加入者	第3種特別加入者
業務災害、複数業務要因災害及び通勤災害の認定	**厚生労働省労働基準局長**の定める基準による		
	事業主本来の**業務**による災害は対象外	以下の者は通勤災害不適用 ◆個人タクシー業者 ◆個人貨物運送業者 ◆フードデリバリー配達員 ◆漁船による自営漁業者 ◆特定農作業従事者 ◆指定農業機械作業従事者 ◆家内労働者及びその補助者	国内の一般労働者と同様
休業(補償)等給付	❶全部**労働不能**が要件 ❷**賃金喪失**は要件ではない		
給付基礎日額	3,500円～25,000円	3,500円～25,000円(家内労働者及びその補助者は2,000円～25,000円)	3,500円～25,000円
支給制限	❶第1種特別加入保険料滞納中(督促状の指定期限後の期間に限る)の事故 ❷中小事業主の**故意又は重大な過失**により生じた業務災害の原因である事故	第2種特別加入保険料滞納中(督促状の指定期限後の期間に限る)の事故	第3種特別加入保険料滞納中(督促状の指定期限後の期間に限る)の事故
	↓**全部又は一部**の支給を行わないことができる		

総まとめ編

4 雇用保険法

1 給付の体系 改正

CH4 Sec3~5·7~9

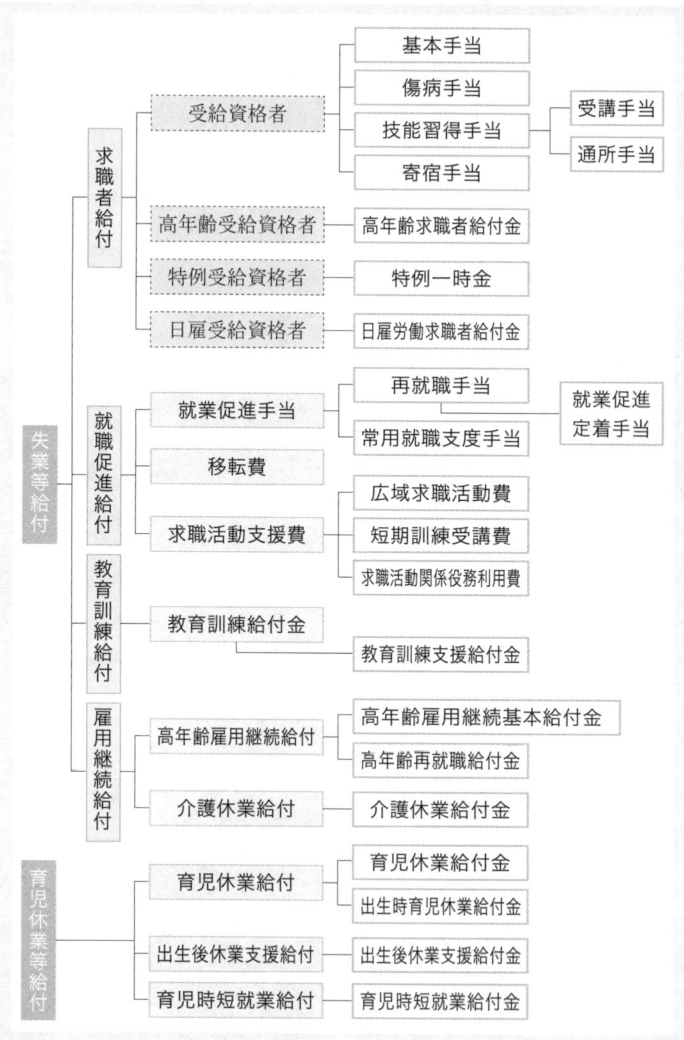

2　基本手当の受給資格

CH4 Sec3

1 受給資格要件

■原則■

算定対象期間（**離職日以前２年間**）に
被保険者期間が**通算12箇月以上**あること

■特例■

倒産・解雇等離職者又は特定理由離職者については、
算定対象期間（**離職日以前１年間**）に
被保険者期間が**通算６箇月以上**あること

■緩和■

上記**算定対象期間**に疾病・負傷等により**引き続き30日以上賃金の支払を受けることができなかった**期間がある場合

算定対象期間

❶**離職日以前**
2（1）年間

＋

❷**疾病、負傷等により**
引き続き30日以上
賃金の支払を受けることができなかった
期間

内※に

被保険者期間
が**通算**12（6）
箇月以上ある
こと

※❶＋❷の期間が**４年**を超えるときは**４年間**とする

2 被保険者期間の計算方法

原　則	１箇月未満の端数
資格喪失日前日からさかのぼり**１箇月毎**に区切った各期間の**賃金支払基礎日数**が11日以上ある場合 ↓ 被保険者期間１箇月	１箇月未満の日数が15日以上あり、かつ、その期間内に**賃金支払基礎日数**が11日以上ある場合 ↓ 被保険者期間２分の１箇月

上記により計算された被保険者期間が**12箇月**（受給資格要件の特例が適用される場合は**６箇月**）**に満たない場合**、賃金支払基礎日数が11日未満である各期間のうち、賃金支払基礎時間数が**80時間以上**であるものについても被保険者期間１箇月（２分の１箇月）として計算する

3 基本手当の日額

CH4 Sec3

1 基本手当の日額の算定

基本手当の日額の計算式

賃金日額 × **給付率**

賃金日額

■原則■

$$\frac{\text{算定対象期間において被保険者期間として計算された最後の6箇月間の賃金総額}}{180}$$

■日給・時給・出来高払制等の場合の最低保障■

$$\frac{\text{算定対象期間において被保険者期間として計算された最後の6箇月間の賃金総額}}{\text{上記最後の6箇月間の労働日数}} \times 70\%$$

給付率

■受給資格に係る離職日の年齢■

受給資格に係る離職日の年齢	給付率
60歳未満	賃金日額の範囲に応じて 100分の80～100分の50
60歳以上 65歳未満	賃金日額の範囲に応じて 100分の80～100分の45

2 自己の労働による収入に応じた減額

全額が支給される場合

「収入１日分相当額から1,354円を控除した額」と「基本手当の日額」の合計額が、「賃金日額の100分の80相当額」を超えないとき

基本手当の日額
収入額－1,354円
賃金日額×80%

（基本手当の日額－超過額）が支給される場合

「収入１日分相当額から1,354円を控除した額」と「基本手当の日額」の合計額が、「賃金日額の100分の80相当額」を超えるとき

基本手当日額
超過額
収入額－1,354円
賃金日額×80%

不支給の場合

「収入１日分相当額から1,354円を控除した額」と「基本手当の日額」の合計額から「賃金日額の100分の80相当額」を控除した額が、「基本手当の日額」以上であるとき

基本手当の日額
超過額
収入額－1,354円
賃金日額×80%

基本手当の所定給付日数

CH4 Sec3

一般の受給資格者

算定基礎期間	10年未満	10年以上20年未満	20年以上
全年齢	90日	120日	150日

特定受給資格者・一定の要件に該当した特定理由離職者※

年齢＼算定基礎期間	1年未満	1年以上5年未満	5年以上10年未満	10年以上20年未満	20年以上
30歳未満	90日	90日	120日	180日	—
30歳以上35歳未満		120日	180日	210日	240日
35歳以上45歳未満		150日		240日	270日
45歳以上60歳未満		180日	240日	270日	330日
60歳以上65歳未満		150日	180日	210日	240日

※受給資格に係る離職日が、平成21.3.31から令和9.3.31までの間にある特定理由離職者Ⅰ（希望に反して雇止めされた離職者）に限る

就職困難者

年齢＼算定基礎期間	1年未満	1年以上
45歳未満	150日	300日
45歳以上65歳未満		360日

5 基本手当の受給期間

CH4 Sec3

1 所定の受給期間

受給資格者の区分	受給期間	
❶下記❷❸以外の受給資格者	離職日の翌日から起算して	1年
❷所定給付日数が360日である受給資格者		1年+60日
❸所定給付日数が330日である受給資格者		1年+30日

2 受給期間の延長

	就労不能の特例	定年退職者等の特例
要件	**妊娠、出産、育児**等により引き続き30日以上**職業に就くことができない**	❶**60歳以上の定年** ❷**60歳以上の定年**後再雇用等期間満了
受給期間	所定の受給期間 + 就労不能期間 → **合計して最大4年**	所定の受給期間 + **求職の申込み**をしないことを希望する一定期間（**最大1年**）
手続	受給期間延長等申請書を**管轄**公共職業安定所長に提出	
期限	引き続き30日以上職業に就くことができなくなるに至った日の直前の離職日の翌日起算**4年経過日**まで（加算された期間が**4年**に満たない場合は、当該期間の**最後の日**まで）	離職日の翌日起算**2箇月以内**

※「就労不能の特例」と「定年退職者等の特例」は併用が可能である

3 受給期間の特例

事業を開始した受給資格者等に係る特例

要　件	(1) 事業の実施期間が**30日以上** (2) 受給資格に係る**離職日後**に開始した事業（離職日以前に当該事業を開始し、離職日後に当該事業に専念する場合を含む）である (3) 事業開始日等起算**30日経過日**が、**受給期間の末日以前**である (4) 当該事業について**再就職手当**の支給を受けていない (5) 当該事業により自立することができないと認められる事業ではない
受給期間	事業の実施期間を所定の受給期間から除いて算定 **除く期間の上限：4年**－〔「**1 所定の受給期間**」＋「**2 受給期間の延長**の対象となる期間」〕
手　続	受給期間延長等申請書を**管轄**公共職業安定所長に提出
期　限	**事業開始日**等の翌日起算**2箇月以内**

6 延長給付

CH4 Sec4

訓練延長給付

対象者・要件			発動基準	延長日数	優先順位
待期中	公共職業安定所長の指示した公共職業訓練等（**2年**を超えるものを除く）	待期中の受給資格者		最大**90日分**	4
受講中		受講中の受給資格者		訓練等を**受け終わる日**まで	
受講後		受け終わる日の基本手当の支給残日数が**30日未満**である一定の要件を満たす受給資格者		最大**30日分**	

個別延長給付

	対象者・要件	発動基準	延長日数	優先順位
(1)	◆**就職困難者**でないこと ◆**特定理由離職者Ⅰ**（希望に反して雇止めされた離職者）又は**特定受給資格者**であること ◆公共職業安定所長が**指導基準**に照らして**再就職を促進**するために必要な**職業指導**を行うことが適当であると認めた者であること ◆下記①から③のいずれかに該当すること		−	1
	①**心身の状況**が厚生労働省令で定める基準に該当する者	◆**難治性疾患**を有するものであること ◆**発達障害者**であること ◆その他障害者雇用促進法に規定する**障害者**であること	最大**60日分**※1	

	②雇用されていた適用事業が**激甚災害**の被害を受けたため離職を余儀なくされた者又は離職したものとみなされた者であって、政令で定める基準に照らして**職業に就くことが特に困難であると認められる地域**として厚生労働大臣が指定する地域内に居住する者	❶災害地域のうち、その地域における基本手当の初回受給率が、全国平均の基本手当の初回受給率の2倍以上となり、かつ、**その状態が継続する**と認められる地域であること 又は ❷❶の基準を満たす地域に**近接する地域**（災害地域に限る）のうち、**失業の状況**が❶の状態に準ずる地域であって、所定給付日数に相当する日数分の基本手当の支給を受け終わるまでに職業に就くことができない受給資格者が相当数生じると認められるものであること	最大 120日分※2	
	③雇用されていた適用事業が**激甚災害その他の災害**（厚生労働省令で定める災害に限る）の被害を受けたため離職を余儀なくされた者又は離職したものとみなされた者（②に該当する者を除く）		最大 60日分※1	
(2)	◆**就職困難者**であること ◆公共職業安定所長が**指導基準**に照らして**再就職を促進**するために必要な**職業指導**を行うことが適当であると認めたものであること ◆上記(1)の②に該当すること		最大 60日分	

※1　離職日に35歳以上60歳未満かつ算定基礎期間20年以上の者は最大30日分

※2　離職日に35歳以上60歳未満かつ算定基礎期間20年以上の者は最大90日分

広域延長給付

対象者・要件	発動基準	延長日数	優先順位
厚生労働大臣が必要と認めて指定した地域において**公共職業安定所長**が**広域職業紹介活動**により**職業のあっせん**を受けることが適当であると認定する受給資格者	その地域における基本手当の初回受給率が、全国平均の基本手当の初回受給率の２倍**以上**となり、かつ、その状態が**継続する**と認められること	最大90日分	2

全国延長給付

対象者・要件	発動基準	延長日数	優先順位
失業の状況が**全国的に著しく悪化**し、受給資格者の**就職状況**からみて**厚生労働大臣**が必要があると認める場合	**連続する**４月間の全国平均の基本手当の受給率が４％を超え、初回受給率が低下する傾向になく、かつ、これらの状態が**継続する**と認められること	最大90日分	3

地域延長給付

対象者・要件	発動基準	延長日数	優先順位
◆受給資格に係る離職の日が**令和9年3月31日**以前であること ◆**就職困難者**でないこと ◆**特定理由離職者Ⅰ**（希望に反して雇止めされた離職者）又は**特定受給資格者**であること ◆厚生労働省令で定める基準に照らして**雇用機会が不足している**と認められる地域として厚生労働大臣が指定する地域内に居住していること ◆公共職業安定所長が**指導基準**に照らして**再就職を促進**するために必要な**職業指導**を行うことが適当であると認めたものであること ◆**個別延長給付**を受けることができる者でないこと		最大 **60日分**※	**1**

※ 離職日に35歳以上60歳未満 かつ 算定基礎期間20年以上の者は最大**30日分**

7 基本手当以外の一般被保険者に係る求職者給付

CH4 Sec4

1 技能習得手当及び寄宿手当

	技能習得手当		寄宿手当
種類	受講手当	通所手当	
支給要件	受給資格者が公共職業安定所長の指示した**公共職業訓練等**（２年を超えるものを除く）を受ける場合に、その公共職業訓練等を受ける期間（基本手当の支給対象日に限る）について支給		受給資格者が公共職業安定所長の指示した**公共職業訓練等**（**2年**を超えるものを除く）を受けるため、その者により**生計を維持**されている同居の**親族**と**別居して寄宿**する場合に、その寄宿する期間について**月額10,700円**支給
支給額	受給資格者が公共職業安定所長の指示した公共職業訓練等を受けた日について、**40日分を限度として日額500円**支給	公共職業訓練等を行う施設への通所のため交通機関、自動車等を利用する者に対し、通所距離が原則として片道２km以上である場合に、**月額42,500円**を限度として支給	
不支給・減額	公共職業訓練等を受けなかった日や基本手当の支給対象とならない日(自己の労働による収入に応じた減額により基本手当が支給されなかった日を除く)については、支給されない	**公共職業訓練等**を受ける期間に属さない日や**待期期間中**など基本手当の支給対象とならない日がある場合は、日割りにより減額支給される ただし、**自己の労働による収入に応じた減額**により基本手当が支給されなかった日については減額されない	

2 傷病手当

傷病手当

支給要件		受給資格者が離職後公共職業安定所に出頭し、**求職の申込みをした後**において、**疾病又は負傷**のために、継続して**15日以上**職業に就くことができない場合に、**基本手当**の受給期間内の当該疾病又は負傷のために基本手当の支給を受けることができない日（**傷病の認定**を受けた日に限る）について支給
	支給対象とならない日	◆**給付制限期間中**の日 ◆**待期期間中**の日 ◆疾病又は負傷の日について、健康保険法の規定による**傷病手当金**、労働基準法の規定による**休業補償**、労災保険法の規定による**休業（補償）等給付**又はこれらに相当する給付を受けることができる日
受給手続（傷病の認定手続）	出頭先	**管轄**公共職業安定所
	書　類	傷病手当支給申請書
	期　限	職業に就くことができない理由がやんだ後における最初の**基本手当の支給日**（原則）までに行う
支給額		**基本手当の日額**に相当する額
支給日数		◆受給資格者の所定給付日数から既に基本手当を支給した日数を差し引いた日数（**支給残日数**）が限度 ◆延長給付に係る基本手当を受給中の受給資格者については支給されない
自己の労働による収入得た場合		基本手当と同様に**減額**される

8 高年齢求職者給付金

CH4 Sec5

支給要件	2 1「基本手当 受給資格要件の特例」と同様 ■原則■**算定対象期間**（**離職日以前**1年間）に 被保険者期間が**通算**6箇月**以上**あること ※「**算定対象期間**に疾病・負傷等により**引き続き30日以上賃金の支払を受けることができなかった**期間がある場合」の「受給資格要件の緩和」の適用あり
待　期	**通算**して7日（基本手当と同様）
受給手続	出頭先 ➡ **管轄**公共職業安定所 書　類 ➡ 高年齢受給資格者失業認定申告書 失業の認定 ➡ 1回限り
受給期間	離職日の翌日起算1年間（延長なし）
支給額	算定基礎期間1**年以上** ➡ 基本手当日額 × 50日 算定基礎期間1**年未満** ➡ 基本手当日額 × 30日
延長給付	適用なし
自己の労働による収入得た場合	減額なし
賃金日額	最低・最高限度額あり（ただし上限は基本手当の場合と異なる※）

※離職日に**30歳未満である者**についての最高限度額と同様の上限が1種類設けられている

9 特例一時金

CH4 Sec5

支給要件	2 1「基本手当 受給資格要件の特例」と同様 ■原則■算定対象期間（**離職日以前1年間**）に 被保険者期間が**通算6箇月以上**あること ※「**算定対象期間**に疾病・負傷等により**引き続き30日以上賃金の支払を受けることができなかった**期間がある場合」の「受給資格要件の緩和」の適用あり なお、被保険者期間は**暦月**で計算する
待　期	**通算して7日**（基本手当と同様）
受給手続	出頭先 ➡ **管轄**公共職業安定所 書　類 ➡ 特例受給資格者失業認定申告書 失業の認定 ➡ **1回限り**
受給期間	離職日の翌日起算**6箇月間**（延長なし）
支給額	基本手当日額 × **30日**（当分の間**40日**）
延長給付	適用なし
自己の労働による収入得た場合	**減額なし**
賃金日額	最低・最高限度額あり（ただし 上限は基本手当の場合と異なる※）
特例受給資格者が公共職業訓練等を受講した場合	❶ 職安長指示による訓練 ❷ **30日（当分の間は40日）以上2年以内**の訓練 ❸ 受講指示日までに特例一時金を受給していない ❹ 受講指示日までに受給期限経過していない ❶～❹全てに該当する場合、**訓練期間中**、特例一時金に代えて一般被保険者に係る**求職者給付**（**基本手当・技能習得手当・寄宿手当に限る**）を支給 離職理由による給付制限は解除されない

※離職日に**65歳以上である者**については、離職日に**30歳未満である者**と同様の最高限度額が設けられている（その他は基本手当の場合と同様）

10 日雇労働求職者給付金

CH4 Sec6

1 普通給付

受給要件

失業日の属する月の**前２月間**に**印紙保険料**が**通算26日分以上納付**されていること

受給手続

出頭先 ⇒ **その者の選択する**公共職業安定所（原則）

期　限 ⇒ **所定の時限**まで

失業の認定

■原則■ **日々その日**について認定

■例外■ 失業の認定を受けようとする日が行政機関の休日等であるときは、**その日**（その日が年末年始のように連続しているときには、その最後の日）の後**１箇月以内**にその日に職業に就くことができなかったことを届け出ることにより失業の認定を受けることができる

待　期

各週（**日曜日**から**土曜日**までの７日をいう）につき日雇労働被保険者が職業に就かなかった**最初の日**については支給しない（**各週の最初の不就労日**が待期期間に相当する）

支給日数

前２月間に納付された印紙保険料	支給日数
通算して26日分～31日分	**通算して13日**
通算して32日分～35日分	**通算して14日**
通算して36日分～39日分	**通算して15日**
通算して40日分～43日分	**通算して16日**
通算して44日分以上	**通算して17日**

支給額

前２月間の印紙保険料の納付状況	等級区分	日　額
第１級印紙保険料（176円）が**24日分**以上納付	第１級給付金	**7,500円**
第１級及び第２級印紙保険料（146円）が合計して**24日分**以上納付	第２級給付金	**6,200円**
第１級、第２級、第３級印紙保険料（96円）の順に選んだ**24日分**の印紙保険料の平均額が第２級印紙保険料の日額以上であるとき	第２級給付金	**6,200円**
上記以外のとき	第３級給付金	**4,100円**

2 特例給付

受給要件

❶ 継続する6月間（**基礎期間**）に印紙保険料が**各月11日分以上**、かつ、**通算78日分以上**納付されていること

❷ **基礎期間**のうち、後の**5月間**に普通給付又は特例給付による日雇労働求職者給付金の支給を受けていないこと

❸ **基礎期間**の最後の月の翌月以後**2月間**に普通給付による日雇労働求職者給付金の支給を受けていないこと

受給手続

- 出頭先 → **管轄**公共職業安定所
- 期　限 → 基礎期間の最後の月の翌月以後**4月**の期間内
- 失業の認定 → **4週間に1回**

待　期

各週（日曜日から土曜日までの7日をいう）につき日雇労働被保険者が職業に就かなかった**最初の日**については支給しない（**各週の最初の不就労日**が待期期間に相当する）

支給日数

基礎期間の最後の月の翌月以後**4月**の期間内の失業している日について、**通算して60日分**を限度として支給

支給額

基礎期間の印紙保険料の納付状況	等級区分	日　額
第1級印紙保険料（176円）が**72日分**以上納付	第1級給付金	**7,500円**
第1級及び第2級印紙保険料（146円）が合計して**72日分**以上納付	第2級給付金	**6,200円**
第1級、第2級、第3級印紙保険料（96円）の順に選んだ**72日分**の印紙保険料の平均額が第2級印紙保険料の日額以上であるとき		
上記以外のとき	第3級給付金	**4,100円**

就職促進給付

CH4 Sec7

1 就業促進手当 改正

対象者

再就職手当	常用就職支度手当
受給資格者	**受給資格者等**※であって、**身体障害者**等の就職困難者

※**受給資格者等**とは、**受給資格者・高年齢受給資格者・特例受給資格者・日雇受給資格者**のことである

支給要件

再就職手当	常用就職支度手当
支給残日数が **所定給付日数**の**1/3**以上	支給残日数が**所定給付日数**の**1/3未満** （受給資格者の場合）
安定した職業に就いた者であること	
1年を超えて引き続き雇用されることが確実であると認められる**職業に就き又は事業を開始した**こと	**1年以上**引き続き雇用されることが確実であると認められる**職業に就いた**こと
離職前の事業主に再雇用されたものでないこと	
待期期間経過後に職業に就き、又は事業を開始したこと	待期及び離職理由、就職・受講・指導拒否による給付制限期間が経過した後職業に就いたこと
受給資格に係る離職について**離職理由による給付制限**を受けた場合において、**待期期間の満了後1箇月**の期間内については、**公共職業安定所**又は**職業紹介事業者等の紹介**により職業に就いたこと	**公共職業安定所又は職業紹介事業者等の紹介**により職業に就いたこと
雇入れをすることを**求職の申込み日前**に約した事業主に雇用されたものでないこと	
安定した職業に就いた日前3年以内の就職について**再就職手当又は常用就職支度手当**を受給していないこと	
同一の就職について**高年齢再就職給付金**の支給を受けていないこと	

支給の効果

再就職手当	常用就職支度手当
再就職手当（就業促進定着手当を含む）**の額を基本手当日額で除して得た日数分**の基本手当を支給したものとみなす	

就業促進定着手当

対象者	次の❶～❸すべての要件を満たしている者 ❶ 再就職手当の**支給を受けている**こと ❷ 再就職の日から、**同一の事業主**に6箇月**以上雇用保険の被保険者**として雇用されていること（事業の開始により再就職手当を受給した者は対象外） ❸ **みなし賃金日額**（再就職後の賃金日額）が**算定基礎賃金日額**（離職前の賃金日額）を**下回っている**こと

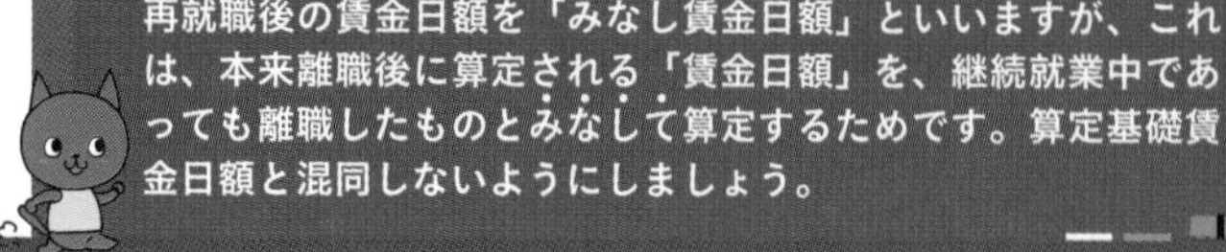

2 移転費

対象者	**受給資格者等** **（受給資格者・高年齢受給資格者・特例受給資格者・日雇受給資格者）**	
種類・支給額	鉄道賃・船賃・航空賃・車賃・移転料	移転費の支給を受けることができる者及びその者の随伴親族について、その旧**居住地**から新**居住地**までの順路によって計算した額
	着後手当	**親族随伴あり** ➡ 76,000円（100km以上：**95,000円**） **親族随伴なし** ➡ 38,000円（100km以上：**47,500円**）
支給要件	公共職業安定所等の紹介した**職業に就く**ため又は公共職業安定所長の指示した**公共職業訓練等を受ける**ため、住所・居所を変更	
	待期及び就職・受講・指導拒否による**給付制限期間経過後**である	
	就職支度費不支給又は支給額が移転費の額未満である	
	その者の雇用期間が**1年未満**でない	
返還	事由	➡ **就職・受講しない**場合
	期限	➡ 事実が確定した日の翌日起算**10日以内**に返還

ワンポイントアドバイス

移転費と広域求職活動費は、広域での求職活動を促進し早期の再就職を実現する観点から、離職理由による給付制限期間中であっても支給することとされています。

3 求職活動支援費

対象者	**受給資格者等** （受給資格者・高年齢受給資格者・特例受給資格者・日雇受給資格者）		
種類	**広域求職活動費**	**短期訓練受講費**	**求職活動関係役務利用費**
対象行為	安定所の紹介による**広域求職活動**	安定所の職業指導に従って行う職業に関する**教育訓練の受講**その他の活動	求職活動を容易にするための**役務の利用**
要件	待期及び就職・受講・指導拒否による給付制限期間経過後に**広域求職活動を開始**したこと 求職活動費不支給又は支給額が広域求職活動費の額未満であること	教育訓練を**修了**した場合（待期期間経過後に訓練を開始した場合に限る）において、教育訓練の受講のために支払った**入学料**及び**受講料**について**教育訓練給付金の支給を受けていない**こと	求人者との**面接等**をし、又は**求職活動関係役務利用費対象訓練を受講する**ため、**保育等サービス**を利用すること（待期期間経過後にサービスを利用する場合に限る）
支給額	**鉄道賃** **船賃** **航空賃** **車賃**：管轄安定所から訪問事業所管轄の安定所を経て管轄安定所に帰着するまでの順路により、移転費に準じて計算した額 **宿泊料**→**8,700円**（一定地域7,800円）／1泊	**入学料**及び**受講料**の額の**20％相当額**（上限**10万円**）	保育等サービスの利用のために負担した費用の額（上限1日8,000円）の**80％相当額**（上限日数：面接等**15日**、訓練受講**60日**）

4 就職促進給付の受給手続

		期　限	申請書の提出先
再就職手当		安定した職業に就いた日の翌日起算1箇月以内	管轄職安長（日雇受給資格者に係る常用就職支度手当は所轄職安長）
就業促進定着手当		同一事業主の適用事業に雇用され、その職業に就いた日から起算して6箇月目に当たる日の翌日起算2箇月以内	
常用就職支度手当		安定した職業に就いた日の翌日起算1箇月以内	
移転費		移転日の翌日起算1箇月以内	
求職活動支援費	広域求職活動費	広域求職活動を終了した日の翌日起算10日以内	
	短期訓練受講費	教育訓練修了日の翌日起算1箇月以内	
	求職活動関係役務利用費	失業の認定日（受給資格者以外：保育等サービス利用日の翌日起算4箇月以内）	

12 教育訓練給付

CH4 Sec8

1 教育訓練給付金

対象者	
	❶ 基準日（教育訓練開始日）に一般被保険者又は高年齢被保険者である者
	❷ ❶以外の者で、一般被保険者又は高年齢被保険者でなくなった日から原則1年（最長20年）以内に教育訓練を開始したもの

	一般教育訓練	特定一般教育訓練	専門実践教育訓練
対象訓練	雇用の安定及び就職の促進を図るために必要な職業に関する教育訓練として厚生労働大臣が指定する教育訓練	雇用の安定及び就職の促進を図るために必要な職業に関する教育訓練のうち速やかな再就職及び早期のキャリア形成に資する教育訓練として厚生労働大臣が指定する教育訓練	雇用の安定及び就職の促進を図るために必要な職業に関する教育訓練のうち中長期的なキャリア形成に資する専門的かつ実践的な教育訓練として厚生労働大臣が指定する教育訓練
支給要件	❶ 一般教育訓練を受け、修了したこと ❷ 支給要件期間が3年（初回1年）以上であること	❶ 特定一般教育訓練を受け、修了したこと ❷ 支給要件期間が3年（初回1年）以上であること	❶ 専門実践教育訓練を受け、修了したこと（専門実践教育訓練を受けている場合であって、受講状況が適切であると認められるときを含む） ❷ 支給要件期間が3年（初回2年）以上であること

支給額 改正

	一般教育訓練	特定一般教育訓練	専門実践教育訓練
本体給付	訓練経費※×20%（上限：10万円）	訓練経費×40%（上限：20万円）	訓練経費×50%（年間上限：40万円）
追加給付①（資格取得＋雇用）	—	訓練経費×10%（上限：5万円）	訓練経費×20%（年間上限：16万円）
追加給付②（賃金上昇）（追加給付①を前提）	—	—	訓練経費×10%（年間上限：8万円）
最大給付率	訓練経費×20%（上限：10万円）	訓練経費×50%（上限：25万円）	訓練経費×80%（年間上限：64万円）
一の支給限度期間の上限	—	—	192万円

不支給

教育訓練給付金の額として算定された額が**4,000円**以下のとき

今回の教育訓練開始日前3**年以内**に教育訓練給付金の支給を受けたことがあるとき

※　一般教育訓練経費には当該訓練受講前1年以内に受けたキャリアコンサルティングの費用（上限：**2万円**）が含まれる

	一般教育訓練	特定一般教育訓練	専門実践教育訓練
受給手続 改正	**訓練開始前**		
	—	訓練開始**14日前**までに	訓練開始**14日前**までに
	—	**「教育訓練給付金及び教育訓練支援給付金受給資格確認票」**を管轄公共職業安定所長に提出	**「教育訓練給付金及び教育訓練支援給付金受給資格確認票」**を管轄公共職業安定所長に提出
	本体給付		
	訓練修了日翌日起算**1箇月**以内に	訓練修了日翌日起算**1箇月**以内に	支給単位期間の末日の翌日起算1**箇月**以内に
	「教育訓練給付金支給申請書」を管轄公共職業安定所長に提出	**「教育訓練給付金支給申請書」**を管轄公共職業安定所長に提出	**「教育訓練給付金支給申請書」**を管轄公共職業安定所長に提出
	追加給付①		
	—	追加給付①の要件該当日の翌日起算1**箇月**以内に	追加給付①の要件該当日の翌日起算1**箇月**以内に
	—	**「教育訓練給付金支給申請書」**を管轄公共職業安定所長に提出	**「教育訓練給付金支給申請書」**を管轄公共職業安定所長に提出
	追加給付②		
	—	—	追加給付①の要件該当日の翌日から6**箇月を経過した日**起算6**箇月**以内に
	—	—	**「教育訓練給付金支給申請書」**を管轄公共職業安定所長に提出

2 教育訓練支援給付金

対象者	一般被保険者でなくなった日から原則**1年**（最長4年）**以内**に**専門実践教育訓練**を開始した者（基準日に一般被保険者である者を**除く**）
支給要件	❶ **令和9年3月31日**以前に訓練を開始したこと ❷ 基準日に**45歳未満**であること ❸ 基準日前に教育訓練給付金及び教育訓練支援給付金の支給を受けたことがないこと ❹ 専門実践教育訓練給付金の支給要件を満たしていること
支給額	専門実践教育訓練受講中の**一支給単位期間**※について **基本手当日額×60％×支給日数** 改正 ※　訓練開始日から起算して2箇月ごとに区切った各期間
受給手続	❶専門実践教育訓練開始日の**14日前**までに管轄公共職業安定所に出頭し、「**教育訓練給付金及び教育訓練支援給付金受給資格確認票**」に「**離職票**」を添付等して提出 ❷管轄公共職業安定所長が**失業の認定日**を定め、「**教育訓練給付金及び教育訓練支援給付金受給資格者証**」等を交付 ❸失業の認定日に管轄公共職業安定所に出頭し、「**教育訓練支援給付金受講証明書**」に「**教育訓練給付金及び教育訓練支援給付金受給資格者証**」を添付等して提出し、**失業の認定**を受ける

13 雇用継続給付及び育児休業等給付

CH4 Sec9

1 高年齢雇用継続給付

対象者

高年齢雇用継続基本給付金	高年齢再就職給付金
(1) 一般被保険者又は**高年齢被保険者**である者	(1) 基本手当**の支給**を受けたことがある受給資格者であって、**60歳**に達した日以後安定した職業に就くことにより一般被保険者又は**高年齢被保険者**となったもの
(2) **算定基礎期間相当期間**が５年以上	(2) 受給資格に係る離職の日において、**算定基礎期間**が５年以上
	(3) 就職日の前日における**支給残日数**が100日以上

支給要件

高年齢雇用継続基本給付金	高年齢再就職給付金
(1) 支給対象月の賃金額 ＜ みなし賃金月額※1 × 75%	(1) 再就職後の支給対象月の賃金額 ＜ 基本手当日額算定時の賃金月額※2 × 75%
(2) 支給対象月の賃金額 ＜ 支給限度額（376,750円）	(2) 再就職後の支給対象月の賃金額 ＜ 支給限度額（376,750円）
(3) 支給対象月の高年齢雇用継続基本給付金の額 ＞ 2,869円×80%（2,295円）	(3) 再就職後の支給対象月の高年齢再就職給付金の額 ＞ 2,869円×80%（2,295円）
(4) 月の**初日から末日まで**引き続いて被保険者である	
(5) 「月の**初日から末日まで**引き続いて介護休業給付金又は育児休業給付金、出生時育児休業給付金若しくは出生後休業支援給付金の支給を受けることができる**休業をした月**」ではない 改正	
(6) 同一の就業につき**育児時短就業給付金**の支給を受けていない 改正	
	(7) 同一の再就職につき**再就職手当**の支給を受けていない

※1　みなし賃金月額＝みなし賃金日額×30
※2　賃金月額＝賃金日額×30

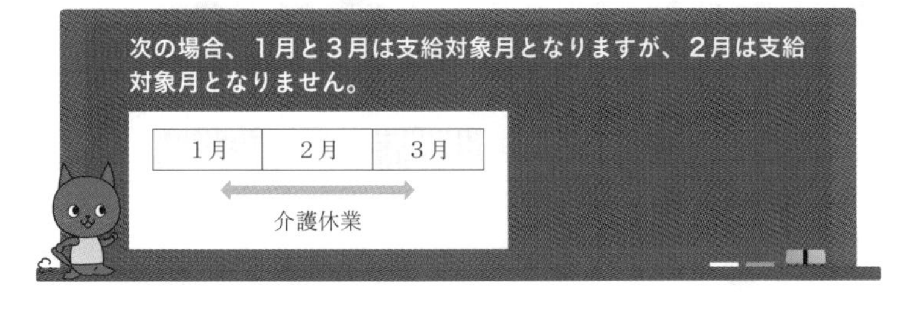

支給期間

高年齢雇用継続基本給付金	高年齢再就職給付金
(1) 60歳到達時に**算定基礎期間相当期間**が**5年以上**である場合…**60歳**に達した日の属する月から**65歳**に達する日の属する月まで (2) 60歳到達時より後に**算定基礎期間相当期間**が**5年以上**となった場合…算定基礎期間相当期間が5年以上となるに至った月から**65歳**に達する日の属する月まで	(1) 就職日の前日における**支給残日数**が**200日以上**の場合…就職日の属する月から当該就職日の翌日から起算して**2年**を経過する日の属する月まで（その月が**65歳**に達する日の属する月後であるときは、**65歳**に達する日の属する月まで。以下(2)において同様） (2) 就職日の前日における**支給残日数**が**100日以上200日未満**の場合…就職日の属する月から当該就職日の翌日から起算して**1年**を経過する日の属する月まで

支給額 改正

高年齢雇用継続基本給付金	高年齢再就職給付金
A※**＜みなし賃金月額×64%** ➡ **A×10%**	**再就職後のA＜賃金月額×64%** ➡ **再就職後のA×10%**
みなし賃金月額×64%≦A＜みなし賃金月額×75% ➡ **A×(10%から一定の割合で逓減する率)**	**賃金月額×64%≦再就職後のA＜賃金月額×75%** ➡ **再就職後のA×(10%から一定の割合で逓減する率)**
算定された給付金額＋A＞支給限度額（376,750円） ➡ **支給限度額－A**	**算定された給付金額＋再就職後のA＞支給限度額**（376,750円） ➡ **支給限度額－再就職後のA**

※A＝支給対象月の賃金額

2 介護休業給付金

対象者

一般被保険者又は高年齢被保険者

支給要件

(1) **対象家族**※1を介護するための休業をした

(2) **支給単位期間**に公共職業安定所長が就業していると認める日数が**10日以下**である

(3) 初回の介護休業開始日前**2年間**（最長**4年間**）にみなし被保険者期間※2が**通算12箇月以上**ある

(4) 次の介護休業でない
- ❶ 同一の対象家族に係る**4回目以後**の介護休業
- ❷ 同一の対象家族に係る合計取得日数が**93日到達日後**の介護休業

(5) 期間雇用者の場合、介護休業開始予定日起算**93日**経過日から**6か月**を経過する日までに、労働契約が満了することが明らかでない

※1 当該被保険者の**配偶者**（事実上婚姻関係と同様の事情にある者を含む）、子、父母、孫、祖父母、兄弟姉妹及び配偶者の父母

※2 「初回の休業を開始した日」を「被保険者でなくなった日」とみなして計算した被保険者期間をいう

支給額

休業開始時賃金日額※×**支給日数**×40％（当分の間、67％）
支給日数＝原則30日・**最後の支給単位期間**についてはその**支給単位期間（＝休業終了日まで）の日数**

※ 被保険者の年齢にかかわらず、45歳**以上**60歳**未満**の者に係る賃金日額の上限額を用いる

賃金との調整

❶賃金額が「休業開始時賃金日額×支給日数」の**40％**（当分の間、13％）以下のとき…**減額なし**

❷賃金額が「休業開始時賃金日額×支給日数」の**40％**（当分の間、13％）**超**80％**未満**のとき…支給額＝(**休業開始時賃金日額×支給日数**)×80％－**賃金額**

❸賃金額が「休業開始時賃金日額×支給日数」の**80％以上**のとき…**不支給**

3 育児休業等給付

(1) 育児休業給付

対象者

出生時育児休業給付金	育児休業給付金
一般被保険者**又は**高年齢被保険者	

支給要件

出生時育児休業給付金	育児休業給付金
(1) 子の**出生日から起算して**8週間**を経過する日の**翌日まで※1の期間内に4**週間以内**の期間を定めて当該子を養育するための休業をした	(1) 1歳（一定の場合は1歳2か月）未満の子を養育するための休業をした (1) **1歳6か月**又は**2歳**未満の子を養育するための休業であって、次のいずれにも該当するもの（雇用の継続のために特に必要と認められる場合に限る）をした ❶ 被保険者又はその配偶者（事実上婚姻関係と同様の事情にある者を含む。以下3において同じ）が当該子の**1歳**（**1歳6か月**）**到達日**において当該子を養育するための休業をしている ❷ 休業をすることとする**一の期間の**初日が当該子の**1歳**（**1歳6か月**）**到達日の翌日**※5である
(2) **出生時育児休業の期間**に公共職業安定所長が就業していると認める日数が10日※2（10日※2**を超える**場合にあっては、公共職業安定所長が就業していると認める時間が**80時間**※3）以下である	(2) **支給単位期間**に公共職業安定所長が就業していると認める日数が10日（10日**を超える**場合にあっては、公共職業安定所長が就業していると認める時間が**80時間**）以下である
(3) 初回の出生時育児休業開始日前**2年間**（最長**4年間**）にみなし被保険者期間※4が**通算12箇月以上**ある	(3) 初回の育児休業開始日前**2年間**（最長**4年間**）にみなし被保険者期間※4が**通算12箇月以上**※6ある

(4) 次の出生時育児休業でない ❶ 同一の子に係る**3回目以後**の出生時育児休業 ❷ 同一の子に係る**合計取得日数**が**28日到達日後**の出生時育児休業	**1歳（一定の場合は1歳2か月）未満** (4) 同一の子について、**3回目以後**の育児休業でない（原則） **1歳6か月又は2歳未満** (4) **1歳**（**1歳6か月**）未満の子について**2回**（原則）の育児休業給付金の支給に係る休業をした場合には、**1歳**（**1歳6か月**）に達する日後に**初めて**休業を開始すること
(5) 期間雇用者の場合、子の出生日（出産予定日前に出生した場合は出産予定日）起算**8週間経過日の翌日**から**6月経過日**までに、労働契約が満了することが明らかでない	(5) 期間雇用者の場合、子が**1歳6か月**（2歳未満の子に係る休業の場合は**2歳**）に達する日までに、労働契約が満了することが明らかでない

※1　出産予定日前に出生した場合は「当該出生日～当該出産予定日から起算して8週間を経過する日の翌日まで」、出産予定日後に出生した場合にあっては「当該出産予定日～当該出生日から起算して8週間を経過する日の翌日まで」

※2　出生時育児休業の合計取得日数が28日に満たない場合は、10日に当該合計取得日数を28日で除して得た率を乗じて得た日数（1日未満の端数は切上げ）

※3　出生時育児休業の合計取得日数が28日に満たない場合は、80時間に当該合計取得日数を28日で除して得た率を乗じて得た時間数

※4　「初回の休業を開始した日」を「被保険者でなくなった日」とみなして計算した被保険者期間をいう

※5　その配偶者が当該子の1歳（1歳6か月）到達日後の期間に当該子を養育するための休業をしている場合には、当該休業をすることとする一の期間の末日の翌日以前の日

※6　産後休業をした被保険者のみなし被保険者期間が12箇月に満たない場合、特例基準日（原則産前休業開始日）前2年間に12箇月以上でも可

支給額

出生時育児休業給付金	育児休業給付金
休業開始時賃金日額※×**支給日数**×67% 支給日数＝上限28日	**休業開始時賃金日額**※×**支給日数**×50%〔休業開始日起算180日（**出生時育児休業給付金の支給に係る休業日数を含む。以下⑴において同じ**）目までは67%〕 支給日数＝原則30日・**最後の支給単位期間**についてはその**支給単位期間（＝休業終了日まで）の日数**

※　2回以上の（出生時）育児休業をする場合は、初回の（出生時）育児休業開始日を基準として計算する。また、被保険者の年齢にかかわらず、30歳**以上**45歳**未満**の者に係る賃金日額の上限額を用いる

賃金との調整

出生時育児休業給付金	育児休業給付金
❶賃金額が「休業開始時賃金日額×支給日数」の**13%以下**のとき…**減額なし** ❷賃金額が「休業開始時賃金日額×支給日数」の**13%超80%未満**のとき…支給額＝**(休業開始時賃金日額×支給日数)×80%－賃金額** ❸賃金額が「休業開始時賃金日額×支給日数」の**80%以上**のとき…**不支給**	❶賃金額が「休業開始時賃金日額×支給日数」の**30%**（休業開始日起算180日目までは13%）**以下**のとき…**減額なし** ❷賃金額が「休業開始時賃金日額×支給日数」の**30%**（休業開始日起算180日目までは13%）**超80%未満**のとき…支給額＝**(休業開始時賃金日額×支給日数)×80%－賃金額** ❸賃金額が「休業開始時賃金日額×支給日数」の**80%以上**のとき…**不支給**

賃金との調整のポイント
簡単にいうと、賃金との合計で休業開始時賃金日額の80%までしか支給しないということです。

(2) 出生後休業支援給付金 改正

対象者

一般被保険者又は高年齢被保険者

支給要件

(1) 対象期間内にその子を養育するための休業であって、**育児休業給付金**又は**出生時育児休業給付金**が支給されるもの（以下「**出生後休業**」という）をした

対象期間
❶ **産後休業をしなかった**とき（父）
出生日から起算して**8週間**を経過する日の翌日までの期間
❷ **産後休業をした**とき（母）
出生日・出産予定日のいずれか早い日～出生日・出産予定日のいずれか遅い日から起算して**16週間**を経過する日の翌日までの期間

(2) 初回の出生後休業開始日前**2年間**（最長**4年間**）に、みなし被保険者期間※1が**通算12箇月以上**※2ある

(3) 対象期間内にした出生後休業の日数が**通算14日以上**である

(4) 当該被保険者の**配偶者**が当該出生後休業に係る子について**出生後休業**をした（当該**配偶者**が当該**子の出生日から起算して8週間を経過する日の翌日**までの期間内にした出生後休業の日数が**通算14日以上**であるときに限る）※3

(5) 次の出生後休業でない

❶ 同一の子について当該被保険者が複数回の出生後休業を取得することが**妥当でない**場合における**2回目以後**の出生後休業

❷ 同一の子について当該被保険者が**5回以上**の出生後休業（当該出生後休業を**5回以上**取得することについて**やむを得ない理由**がある場合を除く）をした場合における**5回目以後**の出生後休業

❸ 同一の子について当該被保険者がした出生後休業ごとに、当該出生後休業を開始した日から当該出生後休業を終了した日までの日数を合算して得た日数が**28日**に達した日**後**の出生後休業

※1　「初回の出生後休業を開始した日」を「被保険者でなくなった日」とみなして計算した被保険者期間をいう

※2　産後休業をした被保険者のみなし被保険者期間が12箇月に満たない場合、特例基準日（原則産前休業開始日）前2年間に12箇月以上でも可

※3　配偶者のない者である場合、配偶者が適用事業に雇用される労働者でない場合等、配偶者が当該休業をすることができない場合はこの要件は問われない

支給額

出生後休業開始時における賃金日額※×出生後休業日数（上限28日）×13%

※　2回以上の出生後休業をする場合は、初回の出生後休業開始日を基準として計算する。また、被保険者の年齢にかかわらず、**30歳以上45歳未満**の者に係る賃金日額の上限額を用いる

出生後休業支援給付金は、子の出生直後の一定期間以内（男性は子の出生後８週間以内、女性は産後休業後８週間以内）に被保険者とその配偶者の両方が14日以上の育児休業を取得する場合に、最大28日間、休業開始前賃金の13%相当額を給付し、育児休業給付とあわせて80%（手取りで10割相当）を給付するものです。

イメージ図（　　部分が出生後休業支援給付金）

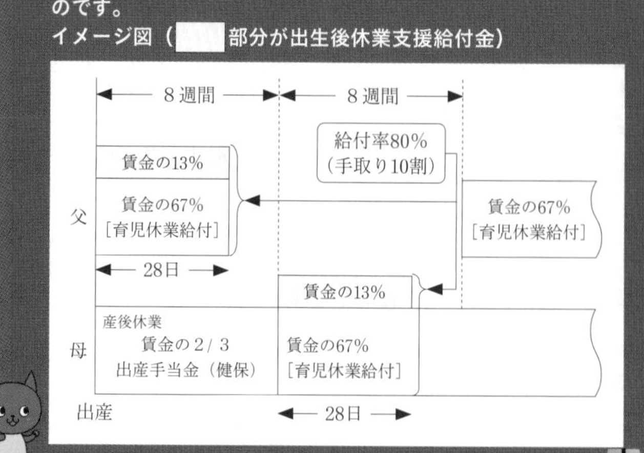

(3) 育児時短就業給付金 改正

対象者

一般被保険者**又は**高年齢被保険者

支給要件

(1)　**2歳**未満の子を養育するための**所定労働時間を短縮**することによる就業（以下「**育児時短就業**」という）をした

(2)　次のいずれかに該当する
❶　初回の育児時短就業開始日前**2年間**（最長**4年間**）に、みなし被保険者期間[※1]が**通算12箇月以上**[※2]ある
❷　被保険者が当該子について**育児休業給付金**の支給を受けていた場合であって、当該育児休業給付金に係る**育児休業終了後引き続き育児時短就業**（当該子について2回以上の育児時短就業をした場合にあっては、初回の育児時短就業とする）をしたとき
❸　被保険者が当該子について**出生時育児休業給付金**の支給を受けていた場合であって、当該出生時育児休業給付金に係る**出生時育児休業終了後引き続き育児時短就業**（当該子について2回以上の育児時短就業をした場合にあっては、初回の育児時短就業とする）をしたとき

(3)　支給対象月に支払われた賃金額が**支給限度額**未満である

(4)　支給対象月における育児時短就業給付金の額として算定された額が賃金日額の最低限度額（2,869円）の**100分の80**に相当する額（2,295円）を超える

(5)　月の**初日から末日まで**引き続いて**被保険者**である

(6)　「月の**初日から末日まで**引き続いて**介護休業給付金**又は**育児休業給付金**、**出生時育児休業給付金**若しくは**出生後休業支援給付金**の支給を受けることができる**休業をした月**」ではない

(7)　当該就業について、**高年齢雇用継続給付**を受けていない

※1　「初回の育児時短就業を開始した日」を「被保険者でなくなった日」とみなして計算した被保険者期間をいう

※2　産後休業をした被保険者のみなし被保険者期間が12箇月に満たない場合、特例基準日（原則産前休業開始日）前2年間に12箇月以上でも可

支給額

支給対象月の賃金等		育児時短就業給付金の額
支給対象月の賃金が	育児時短就業開始時賃金日額※×30の90%未満	支給対象月の賃金×10%
	育児時短就業開始時賃金日額※×30の90%以上100%未満	支給対象月の賃金×（10%から一定割合で逓減する率）
算定された給付金額＋支給対象月の賃金＞支給限度額		支給限度額－支給対象月の賃金

※　2回以上の育児時短就業をする場合は、初回の育児時短就業開始日を基準として計算するものとし、育児休業給付金（出生時育児休業給付金）に係る育児休業（出生時育児休業）終了後引き続き育児時短就業をしたときは、これらの給付金に係る休業開始時賃金日額とする。また、被保険者の年齢にかかわらず、**30歳以上45歳未満**の者に係る賃金日額の上限額を用いる

4 雇用継続給付及び育児休業等給付の受給手続

	期限		書類	提出先
高年齢雇用継続基本給付金	初回支給申請	支給対象月の初日起算4箇月以内	高年齢雇用継続給付受給資格確認票・（初回）高年齢雇用継続給付支給申請書 ＋ 60歳到達時等賃金証明書	事業主を経由して所轄職安長
高年齢再就職給付金	初回支給申請	再就職後の支給対象月の初日起算4箇月以内	高年齢雇用継続給付受給資格確認票・（初回）高年齢雇用継続給付支給申請書	事業主を経由して所轄職安長
介護休業給付金	介護休業終了日の翌日起算2箇月を経過する日の属する月の末日		介護休業給付金支給申請書 ＋ 休業等開始時賃金証明票	事業主を経由して所轄職安長

	期限	書類	提出先
出生時育児休業給付金 改正	次の❶❷❸の日の翌日～当該日から起算して2箇月を経過する日の属する月の末日 ❶子の出生日（出産予定日前に出生した場合は出産予定日）起算8週間を経過する日 ❷同一の子について2回目の出生時育児休業をしたときは当該休業終了日 ❸同一の子について合算して28日以上の出生時育児休業をしたときは当該28日到達日	育児休業給付受給資格確認票・出生時育児休業給付金／出生後休業支援給付金支給申請書 ＋ 休業等開始時賃金証明票	事業主を経由して所轄職安長
育児休業給付金 改正	初回支給申請：支給単位期間の初日起算4箇月を経過する日の属する月の末日	育児休業給付受給資格確認票・（初回）育児休業給付金／出生後休業支援給付金支給申請書 ＋ 休業等開始時賃金証明票	
出生後休業支援給付金 改正	出生時育児休業給付金又は育児休業給付金の支給申請手続※と併せて	上記出生時育児休業給付金又は育児休業給付金に係る支給申請書※	
育児時短就業給付金 改正	初回支給申請：支給対象月の初日起算4箇月以内	育児時短就業給付受給資格確認票・（初回）育児時短就業給付金支給申請書 ＋ 休業等開始時賃金証明票	

※　当該支給申請手続終了後に出生後休業支援給付金の支給を受けることができるに至った場合は、当該受けることができるに至った日の翌日起算10日以内に出生後休業支援給付金支給申請書を提出

14 二事業

CH4 Sec10

目 的

雇用安定事業	能力開発事業
被保険者、被保険者であった者及び被保険者になろうとする者（被保険者等）に関し、**失業の予防**、**雇用状態の是正**、**雇用機会の増大**その他雇用の**安定**を図るための事業	❶被保険者等に関し、**職業生活**の全期間を通じて、これらの者の**能力を開発し、及び向上**させることを促進するための事業 ❷被保険者であった者及び被保険者になろうとする者の就職に必要な能力を開発し、及び向上させるための事業（**就職支援法事業**）

↓

雇用安定事業及び**能力開発事業**は、被保険者等の**職業の安定**を図るため、**労働生産性**の向上に資するものとなるよう留意しつつ、行われるものとする

主な内容

雇用安定事業	能力開発事業
景気の変動、**産業構造の変化**その他の**経済上の理由**により**事業活動の縮小**を余儀なくされた場合において、労働者を休業させる事業主その他労働者の雇用の安定を図るために必要な措置を講ずる事業主に対する助成・援助	◆**公共職業能力開発施設**等の設置運営等 ◆**有給教育訓練休暇**を与える事業主に対する助成・援助 ◆**技能検定**の実施に対する助成 ◆求職者支援法に規定する**認定職業訓練**を行う者に対する助成 ◆求職者支援法に規定する**特定求職者**に対する**職業訓練受講給付金**の支給

一部代行

雇用安定事業	能力開発事業※
独立行政法人高齢・障害・求職者雇用支援機構	

※就職支援法事業を除く

費用負担

雇用安定事業	能力開発事業
全額事業主負担 （**国庫負担なし**）	❶の事業…**全額事業主負担** （**国庫負担なし**） ❷の事業 ⓐ　**職業訓練受講給付金の支給** ２分の１※を国庫が負担、残りを保険料で賄う ⓑ　**上記以外の就職支援法事業** 予算の範囲内で国庫が負担、それ以外の部分は保険料で賄う

※国庫負担については、当分の間の暫定措置として、当該本来の負担額の100分の55に相当する額を負担することとされている

15 失業等給付等の支給額一覧表

CH4 Sec3~9

給付の種類		支給額
基本手当（日額）		賃金日額×給付率※ ※60歳未満…80/100 ～ 50/100 ※60歳以上65歳未満…80/100 ～ 45/100
技能習得手当	受講手当	日額 500円（40日分限度）
	通所手当	月額 42,500円限度
寄宿手当		月額 10,700円
傷病手当		基本手当日額相当額
高年齢求職者給付金		算定基礎期間１年以上 ➡ 基本手当日額 × 50日 算定基礎期間１年未満 ➡ 基本手当日額 × 30日
特例一時金		基本手当日額 × 30日（当分の間40日）
日雇労働求職者給付金		第１級給付金…7,500円 第２級給付金…6,200円 第３級給付金…4,100円
就業促進手当	再就職手当	基本手当日額 ×（支給残日数 × 60%） 支給残日数が所定給付日数の３分の２以上である者 ➡ 基本手当日額 ×（支給残日数 × 70%）
	就業促進定着手当	（算定基礎賃金日額－みなし賃金日額）× 同一事業主の適用事業にその職業に就いた日から引き続いて雇用された６箇月間のうち賃金の支払の基礎となった日数 上限：基本手当日額 ×（支給残日数 × 20%） 改正

給付の種類		支給額	
就業促進手当	常用就職支度手当	◆支給残日数90日以上の受給資格者 ◆高年齢受給資格者 ◆特例受給資格者 ◆日雇受給資格者	基本手当日額等×（90×40%）
		支給残日数45日以上90日未満の受給資格者	基本手当日額×（支給残日数×40%）
		支給残日数45日未満の受給資格者	基本手当日額×（45×40%）
		所定給付日数が270日以上の受給資格者	支給残日数にかかわらず、基本手当日額×（90×40%）
移転費	鉄道賃・船賃・航空賃・車賃・移転料	移転費の支給を受けることができる者及びその者の随伴親族について、その旧居住地から新居住地までの順路によって計算した額	
	着後手当	親族随伴あり → 76,000円（100km以上：95,000円） 親族随伴なし → 38,000円（100km以上：47,500円）	
求職活動支援費	広域求職活動費 鉄道賃 船賃 航空賃 車賃	管轄公共職業安定所から訪問事業所管轄の公共職業安定所を経て管轄公共職業安定所に帰着するまでの順路により、移転費に準じて計算した額	
	広域求職活動費 宿泊料	8,700円（一定地域7,800円）／1泊	
	短期訓練受講費	入学料及び受講料の額の20%相当額（上限10万円）	
	求職活動関係役務利用費	保育等サービスの利用のために負担した費用の額（上限1日8,000円）の80%相当額（上限日数：面接等15日、訓練受講60日）	

給付の種類等（教育訓練給付 改正）	支給額：一般教育訓練	支給額：特定一般教育訓練	支給額：専門実践教育訓練※
本体給付	訓練経費×20% 上限10万円	訓練経費×40% 上限20万円	訓練経費×50% 上限120万円（連続した２支給単位期間：40万円）
本体給付＋追加給付①（資格取得＋雇用）	−	訓練経費×50% 上限25万円	訓練経費×70% 上限168万円（連続した２支給単位期間：56万円）
本体給付＋追加給付①＋追加給付②（賃金上昇）	−	−	訓練経費×80% 上限192万円（連続した２支給単位期間：64万円）
一支給限度期間の上限	−	−	192万円
教育訓練支援給付金	−	−	一支給単位期間につき基本手当日額×60%×支給日数

※　長期専門実践教育訓練を受ける場合は４年目経費まで給付対象になるため、例えば本体給付であれば、その上限は160万円となる

ワンポイントアドバイス

専門実践教育訓練給付金に係る支給単位期間とは、専門実践教育訓練開始日から６箇月ごとに区分した各期間をいうので、連続した２支給単位期間における上限額とは、１年間の上限額ということになります。

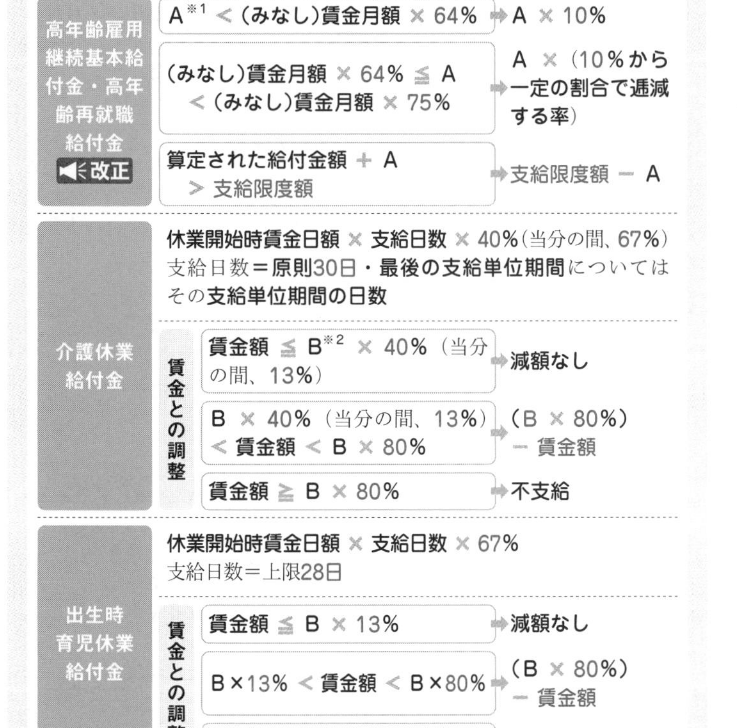

給付の種類	支給額		
高年齢雇用継続基本給付金・高年齢再就職給付金 改正		A※1 ＜（みなし）賃金月額 × 64%	A × 10%
		（みなし）賃金月額 × 64% ≦ A ＜（みなし）賃金月額 × 75%	A ×（10%から一定の割合で逓減する率）
		算定された給付金額 ＋ A ＞ 支給限度額	支給限度額 － A
介護休業給付金	休業開始時賃金日額 × 支給日数 × 40%（当分の間、67%） 支給日数＝原則30日・最後の支給単位期間についてはその支給単位期間の日数		
	賃金との調整	賃金額 ≦ B※2 × 40%（当分の間、13%）	減額なし
		B × 40%（当分の間、13%）＜ 賃金額 ＜ B × 80%	（B × 80%）－ 賃金額
		賃金額 ≧ B × 80%	不支給
出生時育児休業給付金	休業開始時賃金日額 × 支給日数 × 67% 支給日数＝上限28日		
	賃金との調整	賃金額 ≦ B × 13%	減額なし
		B×13% ＜ 賃金額 ＜ B×80%	（B × 80%）－ 賃金額
		賃金額 ≧ B × 80%	不支給

給付の種類	支給額		
育児休業給付金	休業開始時賃金日額 × 支給日数 × 50%（休業開始日起算180日[※3]目までは67%） 支給日数＝原則30日・最後の支給単位期間についてはその支給単位期間の日数		
	賃金との調整	賃金額 ≦ B × 30%（休業開始日起算180日目までは13%）	➡減額なし
		B × 30%（休業開始日起算180日目までは13%）＜ 賃金額 ＜ B × 80%	➡（B × 80%）－ 賃金額
		賃金額 ≧ B × 80%	➡不支給
出生後休業支援給付金 改正	出生後休業開始時における賃金日額×出生後休業日数（上限28日）×13%		
育児時短就業給付金 改正	A[※1] ＜ 育児時短就業開始時賃金月額[※4] × 90%		➡A × 10%
	育児時短就業開始時賃金月額 × 90% ≦ A ＜ 育児時短就業開始時賃金月額 × 100%		➡A ×（10%から一定の割合で逓減する率）
	算定された給付金額 ＋ A ＞ 支給限度額		➡支給限度額 － A

※1　A＝（再就職後の）支給対象月の賃金額
※2　B＝休業開始時賃金日額 × 支給日数
※3　出生時育児休業給付金の支給に係る休業日数を含む
※4　育児時短就業開始時賃金月額＝育児時短就業開始時賃金日額 × 30

総まとめ編

5 労働保険の保険料の徴収等に関する法律

1 保険関係の成立と消滅

CH5 Sec1

1 保険関係の成立

保険関係成立届の提出先

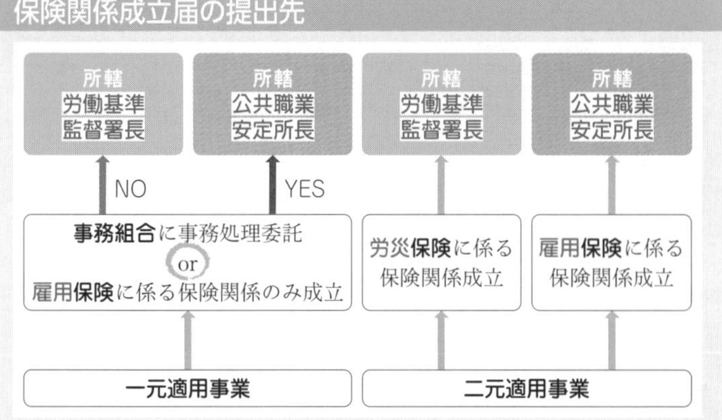

保険関係成立日

強制適用事業	暫定任意適用事業
◆**事業が開始**された日 ◆暫定任意適用事業が強制適用事業に該当するに至った日	◆**厚生労働大臣の認可**があった日 ◆強制適用事業が暫定任意適用事業に該当するに至った日の翌日

2 保険関係の消滅

保険関係消滅日

強制適用事業	暫定任意適用事業
◆事業が**廃止**され又は**終了**した日の翌日	◆事業が**廃止**され又は**終了**した日の翌日 ◆**厚生労働大臣の認可**があった日の翌日

3 暫定任意適用事業の加入及び脱退についての労働者の同意等

		希望	同意
労災保険	加入	過半数	―
	脱退	―	過半数
雇用保険	加入	1/2以上	1/2以上
	脱退	―	3/4以上

2 事業の一括

CH5 Sec2

1 有期事業の一括の要件

❶ それぞれの事業の**事業主が**同一人であること

❷ それぞれの事業が**有期事業**であること

❸ それぞれの事業が、労災保険に係る保険関係が成立している事業のうち、**建設の事業**であり、又は**立木の伐採の事業**であること

❹ それぞれの事業の規模が、**概算保険料**を算定することとした場合における**概算保険料の額**に相当する額が**160万円未満**であり、**かつ**、建設の事業にあっては、**請負金額**（消費税等相当額を除く。以下同じ）が１億8,000万**円未満**、立木の伐採の事業にあっては、**素材の見込生産量**が1,000㎥**未満**であること

❺ それぞれの事業が、他のいずれかの事業の**全部又は一部と同時**に行われること

❻ それぞれの事業が、**労災保険率表**に掲げる事業の**種類を同じく**すること

❼ それぞれの事業に係る**労働保険料の納付の事務**が**一の事務所**で取り扱われること

2 請負事業の一括の要件

❶ 労災**保険に係る保険関係**が成立している事業のうち**建設の事業**であること

❷ **数次の請負**によって行われること

3 下請負事業の分離の要件

❶ **下請負人の請負に係る事業**の規模が、概算**保険料**を算定することとした場合における概算**保険料の額**に相当する額が**160万円以上、又は、請負金額**が１億**8,000万円以上**であること

❷ **元請負人及び下請負人**が共同で申請し、**厚生労働大臣の**認可を受けること

4 継続事業の一括の要件

❶ それぞれの事業の**事業主が**同一人であること

❷ それぞれの事業が**継続事業**であること

❸ それぞれの事業が、次のいずれか**一のみ**に該当するものであること
ⓐ**労災保険**に係る保険関係が成立している事業のうち**二元適用事業**
ⓑ**雇用保険**に係る保険関係が成立している事業のうち**二元適用事業**
ⓒ**一元適用事業**であって**労災保険及び雇用保険**に係る保険関係が成立しているもの

❹ それぞれの事業が**労災保険率表**に掲げる**事業の種類を同じくする**こと

❺ **厚生労働大臣の**認可を受けること

5 一括のまとめ

	有期事業の一括	請負事業の一括	下請負事業の分離	継続事業の一括
業　種	建設 立木の伐採	建設		問わない
一括扱い	法律上当然に		厚生労働大臣の認可	
事業規模	概算保険料相当額 160万円未満 and 建設業 請負金額 1億8,000万円未満 立木伐採業 素材見込生産量 1,000㎥未満	問わない	概算保険料相当額 160万円以上 or 請負金額 1億8,000万円以上	問わない
一括（分離）される保険関係	労災保険			労災保険 雇用保険
手　続	「一括有期事業報告書」 期限 次の保険年度の6月1日から起算して40日以内 又は 保険関係が消滅した日から起算して50日以内 提出先 所轄都道府県労働局歳入徴収官		「認可申請書」 期限 保険関係が成立した日の翌日から起算して10日以内 提出先 所轄都道府県労働局長 注意点 元請負人及び下請負人が共同で申請する	「継続事業一括申請書」 期限 一括の認可を受ける際 提出先 指定事業に係る所轄都道府県労働局長 「継続被一括事業名称・所在地変更届」 期限 変更後遅滞なく 提出先 指定事業に係る所轄都道府県労働局長

3 概算保険料

CH5 Sec4

1 申告納付先

労災関係申告・納付手続

概算保険料申告書 → （日本銀行 / **年金事務所** / 所轄労働基準監督署長 / **所轄公共職業安定所長** 経由可） → 所轄都道府県労働局歳入徴収官

概算保険料 →（納付書）→ 都道府県労働局収入官吏 / 日本銀行 / **労働基準監督署収入官吏**

一般保険料	**一元適用事業**であって労働保険事務組合に事務処理を**委託しない**もの（雇用保険に係る保険関係のみが成立している事業を除く）についての一般保険料
	労災**保険**に係る保険関係が成立している事業のうち、**二元適用事業**についての一般保険料
特別加入保険料	労災**保険**に係る保険関係が成立している事業のうち、**二元適用事業**についての第１種**特別加入保険料**
	第２種**特別加入保険料**
	第３種**特別加入保険料**

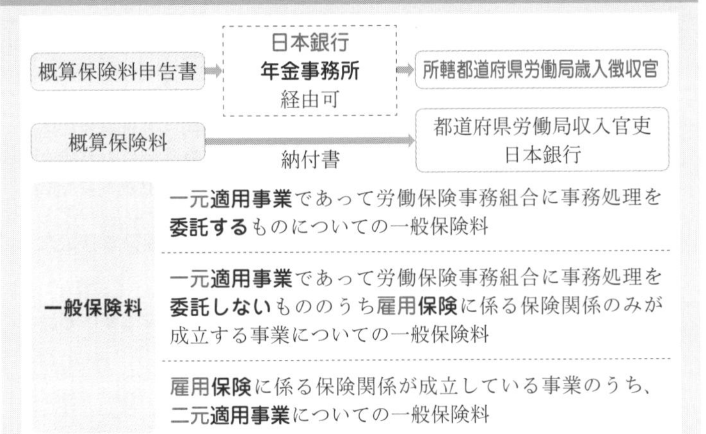

雇用関係申告・納付手続

一般保険料	一元**適用事業**であって労働保険事務組合に事務処理を**委託する**ものについての一般保険料
	一元**適用事業**であって労働保険事務組合に事務処理を**委託しない**もののうち**雇用保険**に係る保険関係のみが成立する事業についての一般保険料
	雇用**保険**に係る保険関係が成立している事業のうち、二元**適用事業**についての一般保険料
特別加入保険料	一元**適用事業**についての第１種**特別加入保険料**

一元適用事業についての第１種特別加入保険料が雇用関係申告・納付手続とされているのは、当該事業に係る労働保険事務の処理が労働保険事務組合に委託されているからです（第１種特別加入者の要件参照）。

2 申告納付期限

継続事業

- ◆**保険年度の６月１日から起算して40日以内**（７月10日まで）
- ◆保険年度の中途に保険関係が成立したものについては、**保険関係成立日の翌日**から起算して**50日以内**

有期事業

- ◆**保険関係が成立した日の翌日**から起算して**20日以内**

3 延　納

継続事業

要　件

(1)　次のいずれかに該当していること

❶納付すべき概算保険料の額が**40万円**（労災保険に係る保険関係又は雇用保険に係る保険関係のみが成立している事業については、**20万円**）**以上**の事業であること

❷事業に係る労働保険事務の処理が労働保険事務組合に**委託されている**事業であること

(2)　当該保険年度において**10月1日以降に保険関係が成立した**事業ではないこと

納期限等

納期限

区　分	第1期	第2期	第3期
期　間	4/1～7/31	8/1～11/30	12/1～3/31
納期限（委託に係るもの）	7月10日	10月31日（11月14日）	1月31日（2月14日）

中途成立の場合の納付回数

区　分	第1期				第2期				第3期			
月	4	5	6	7	8	9	10	11	12	1	2	3

成立日	4/1～5/31	6/1～9/30	10/1～3/31
納付回数	3回	2回	1回（延納できない）

※最初の期分の納期限は保険関係成立日の翌日から起算して**50日以内**

有期事業

要件

(1) 次のいずれかに該当していること

❶納付すべき概算保険料の額が**75万円以上**の事業であること

❷事業に係る労働保険事務の処理が労働保険事務組合に**委託されている**事業であること

(2) 事業の全期間が**6月以内の事業ではない**こと

納期限

区　分	各期	各期	各期
期　間	4/1～7/31	8/1～11/30	12/1～3/31
納期限	3月31日	10月31日	1月31日

※最初の期については、保険関係成立日からその日の属する期の末日までの期間が**2月を超える**場合はその期を1期として成立させ、**2月以内**である場合は次の期に含めて1期とする

➡ 納期限：保険関係成立日の翌日から起算して**20日以内**

4 増加概算保険料

保険料算定基礎額の見込額が増加した場合

要件

❶増加後の保険料算定基礎額の見込額が増加前の保険料算定基礎額の見込額の**100分の200を超える**こと

❷増加後の保険料算定基礎額の見込額に基づき算定した概算保険料の額と既に納付した概算保険料の額との差額が**13万円以上**であること

納期限

保険料算定基礎額の**増加が見込まれた日の翌日**から起算して**30日以内**

両保険とも成立するに至った場合

要　件	❶労災保険又は雇用保険に係る保険関係のみが成立している事業が**両保険**に係る保険関係が成立する事業に該当するに至ったため一般保険料率が変更したこと ❷変更後の一般保険料率に基づき算定した概算保険料の額が既に納付した概算保険料の額の**100分の200を超える**こと ❸変更後の一般保険料率に基づき算定した概算保険料の額と既に納付した概算保険料の額との差額が**13万円以上**であること
納期限	**一般保険料率が変更した日の翌日**から起算して**30日以内**

5 追加徴収

要　件	一般保険料率、第１種特別加入保険料率、第２種特別加入保険料率又は第３種特別加入保険料率の**引上げ**を行ったこと
納期限	**通知を発する日**から起算して**30日を経過した日**
通　知	納付書

6 認定決定

要　件	❶概算保険料申告書を**提出しない**とき ❷概算保険料申告書の**記載に誤り**があると認めるとき
納期限	**通知を受けた日の翌日**から起算して**15日以内**
通　知	納付書

4 確定保険料

CH5 Sec5

1 申告納付期限

継続事業

- ◆**次の保険年度の６月１日から起算して40日以内（７月10日まで）**
- ◆保険年度の中途に保険関係が消滅したものについては、**保険関係消滅日**から起算して**50日以内**

有期事業

- ◆**保険関係が消滅した日**から起算して**50日以内**

2 認定決定

要　件	❶確定保険料申告書を**提出しない**とき ❷確定保険料申告書の**記載に誤り**があると認めるとき
納期限	**通知を受けた日の翌日**から起算して**15日以内**
通　知	納入告知書

3 追徴金

要　件	確定保険料の認定決定がなされたとき
納期限	**通知を発する日**から起算して**30日を経過した日**
通　知	**納入告知書**
徴収額	認定決定された額の不足額（1,000円未満切捨て）の**10%**

5 口座振替による納付

CH5 Sec5

対象	**納付書**によって行われる次の労働保険料の納付 ❶**概算保険料**（**延納**する場合を含む） ❷確定**保険料**

6 メリット制

CH5 Sec6

	継続事業のメリット制	有期事業のメリット制
適用規模	❶**連続する３保険年度中**の各保険年度において ⓐ**100人以上**の労働者を使用 ⓑ**20人以上100人未満**の労働者を使用する事業であって**災害度係数が0.4以上** ⓒ一括有期事業（建設、立木伐採業）で、確定**保険料額**が40**万円以上** かつ ❷連続する３保険年度中の**最後の保険年度の３月31日（基準日）**において労災保険関係成立後３**年以上**経過	労災保険に係る保険関係が成立している建設業又は立木の伐採業であって次のいずれかに該当 ❶**請負金額**が１億**1,000万円以上の建設業** ❷**素材の生産量**が**1,000㎥以上**の立木の伐採業 ❸確定**保険料額**が**40万円以上**
収支率	収支率＝**業務災害**に係る（保険給付額＋特別支給金額）／**業務災害**に係る（労災保険料額＋第１種特別加入保険料額）×調整率 ⇩除外 ❶遺族補償年金の受給権者が全員失権した場合に支給される**遺族補償一時金（遺族特別一時金）** ❷**障害補償年金差額一時金（障害特別年金差額一時金）** ❸**特定疾病者**に係る保険給付（特別支給金） ❹第３種**特別加入者**の特別加入に係る保険給付（特別支給金）	
調整率	第１種**調整率**	事業終了日から３**箇月経過日前** ➡ 第１種**調整率** 事業終了日から９**箇月経過日前** ➡ 第２種**調整率**
要件	収支率が**85％を超え**、又は**75％以下**	

	継続事業のメリット制		有期事業のメリット制	
	立木の伐採業以外の事業	立木の伐採業	建設業	立木の伐採業
改定	労災保険率から非業務災害率（0.6/1000）を減じた率を		労災確定保険料額から非業務災害率に応ずる部分の額を減じた額を	
	±40％	±35％	±40％	±35％
	確定保険料額40万円以上100万円未満の一括有期事業（建設業・立木の伐採業）±30％			
適用時期	基準日の属する保険年度の次の次の年度から			

7 印紙保険料

CH5 Sec7

1 納　付

期　限	日雇労働被保険者に賃金を支払う都度
方　法	日雇労働被保険者手帳に雇用保険印紙を貼付・消印
	印紙保険料納付計器により日雇労働被保険者手帳に金額表示・納付印押捺

2 認定決定

要　件	印紙保険料の納付を怠った場合
納期限	調査決定をした日の翌日から起算して20日以内の休日でない日
通　知	納入告知書

3 追徴金

要　件	**正当な理由がなく**印紙保険料の納付を怠ったとき
納期限	通知を発する日から起算して**30日を経過した日**
通　知	納入告知書
徴収額	認定決定された額（1,000円未満切捨て）の**25%**

4 雇用保険印紙の買戻し

	事　由	要　件
❶	**雇用保険に係る保険関係が消滅**したとき	あらかじめ**所轄公共職業安定所長の確認**
❷	日雇労働被保険者を**使用しなくなった**とき（保有する雇用保険印紙の等級に相当する賃金日額の日雇労働被保険者を使用しなくなったときを含む）	
❸	**雇用保険印紙が変更**されたとき	雇用保険印紙が変更された日から**6月以内**に申出

8 特例納付保険料

CH5 Sec8

要　件	雇用保険の遡及適用の対象事業主が申し出たこと
納期限	**通知を発する日**から起算して**30日を経過した日**
通　知	**納入告知書**
額	基本額 ＋ 加算額 ❶特例納付保険料の対象期間に賃金額が明らかでない月があるとき （対象期間のうち**最も古い１月の賃金** ＋ 対象期間のうち**直近の１月の賃金**）÷2 × 対象期間の直近の**雇用保険率** × 対象期間の月数 ❷特例納付保険料の対象期間のすべての賃金額が明らかであるとき 対象期間の**すべての月の賃金額**の合計額を当該月数で除した額 × 対象期間の直近の**雇用保険率** × 対象期間の月数 加算額：基本額 × 10/100

9 増加概算保険料等のまとめ

CH5 Sec4・5・7・8

		要件	通知	期限
増加概算保険料		保険料算定基礎額見込額又は変更後概算保険料額が2倍を超え（かつ）その差額が13万円以上	―	増加見込（変更）日の翌日起算30日以内
追加徴収		保険料率の**引上げ**	納付書	通知を発する日起算30日経過日
特例納付保険料		雇用保険遡及適用の対象事業主の申出	納入告知書	通知を発する日起算30日経過日
認定決定	概算	申告書を提出**せず**（又は）申告書に**誤りの記載**	納付書	通知を受けた日の翌日起算15日以内
	確定		納入告知書	通知を受けた日の翌日起算15日以内
	印紙	印紙保険料を納付せず	納入告知書	調査決定日の翌日起算20日以内の休日でない日

		徴収割合	通知	期限
追徴金	概算	―		
	確定	10%	納入告知書	通知を発する日起算30日経過日
	印紙	25%	納入告知書	通知を発する日起算30日経過日

10 労働保険事務組合

CH5 Sec10

1 事務委託できる事業規模

	業種	使用労働者数
❶	金融業、保険業、不動産業、小売業	常時50人以下
❷	卸売業、サービス業	常時100人以下
❸	上記以外	常時300人以下

2 委託できない事務

❶ 印紙保険料に関する事項

❷ その性質上委託して処理させることになじまないもの
①労災保険の**保険給付**及び社会復帰促進等事業として行う**特別支給金**に関する請求書等に係る事務手続及びその代行
②雇用保険の**失業等給付等**に関する請求書等に係る事務手続及びその代行
③雇用保険の**二事業**に係る事務手続及びその代行

3 認可基準

❶ 法人でない団体等にあっては、**代表者の定め**があることのほか、団体等の組織、運営方法等が定款等に明確に定められ、**団体性が明確**であること
❷ 労働保険事務の**委託を予定している事業主**が**30以上**あること
❸ 定款等において、団体等の構成員等である事業主の委託を受けて労働保険事務の処理を行うことができる旨定めていること
❹ **団体等として**本来の事業目的をもって活動し、その**運営実績**が**2年以上**あること
❺ **相当の財産**を有し、労働保険料の納付等の責任を負うことができるものであること
❻ 労働保険事務を確実に行う能力を有する者を配置し、労働保険事務を適切に処理できるような事務処理体制が確立されていること
❼ 団体等の役員及び事務総括者は、**社会的信用**がある等それに相応しい者であること
❽ 所定の事項を労働保険事務処理規約に定め、総会等の議決機関の承認を経ること

4 届　出

届　出	事　由	期　限
労働保険事務等処理委託（委託解除）届	事業主から労働保険事務の処理の委託又は委託の解除があったとき	**遅滞なく**
労働保険事務組合認可申請書記載事項等変更届	認可申請書、定款、規約等の記載事項に変更が生じたとき	変更日の翌日から起算して**14日以内**
労働保険事務組合業務廃止届	労働保険事務の処理の業務を廃止しようとするとき	**60日前まで**

5 報奨金

交付要件	労働保険事務組合が事業主の委託を受けてする労働保険料の納付の状況が、次の❶～❸のすべてに該当するときは、政府から当該労働保険事務組合に**報奨金**が交付される ❶7月10日において、**常時15人以下**の労働者を使用する事業の事業主の委託に係る前年度の確定保険料の額（**追徴金及び延滞金の額を含む**）の合計額の**100分の95以上**の額が納付されていること ❷**前年度の労働保険料**（追徴金及び延滞金を含む）について、**国税滞納処分の例による処分**を受けたことがないこと ❸偽りその他不正の行為により、前年度の労働保険料（追徴金及び延滞金を含む）の徴収を免れ、又はその還付を受けたことがないこと
額	前年度の労働保険料額（**督促を受けて納付したものを除く**）× $\frac{2}{100}$ ＋ 厚生労働省令で定める額 **上限額** 1,000万円
交付申請	10月15日までに**所轄都道府県労働局長**に申請

総まとめ編

6 労務管理その他の労働に関する一般常識

1 労働組合法

CH6 Sec1

1 労働組合等

<table>
<tr><td rowspan="6">労働組合とは</td><td colspan="2">「労働組合」とは、労働者が主体となって自主的に労働条件の維持改善その他経済的地位の向上を図ることを主たる目的として組織する団体又はその連合団体であって、以下の(1)～(4)に該当しないものをいう</td></tr>
<tr><td colspan="2">労働組合に該当しないもの</td></tr>
<tr><td>(1)</td><td>次の者の参加を許すもの
❶役員、雇入解雇昇進又は異動に関して直接の権限を持つ監督的地位にある労働者
❷使用者の労働関係についての計画と方針とに関する機密の事項に接し、そのためにその職務上の義務と責任とが当該労働組合の組合員としての誠意と責任とに直接にてい触する監督的地位にある労働者
❸その他使用者の利益を代表する者</td></tr>
<tr><td>(2)</td><td>団体の運営のための経費の支出につき使用者の経理上の援助を受けるもの
※1　労働者が労働時間中に時間又は賃金を失うことなく使用者と協議し、又は交渉することを使用者が許すことを妨げるものではない
※2　厚生資金又は経済上の不幸若しくは災厄を防止し、若しくは救済するための支出に実際に用いられる福利その他の基金に対する使用者の寄附及び最小限の広さの事務所の供与は含まれない</td></tr>
<tr><td>(3)</td><td>共済事業その他福利事業のみを目的とするもの</td></tr>
<tr><td>(4)</td><td>主として政治運動又は社会運動を目的とするもの</td></tr>
<tr><td rowspan="2">免　責</td><td>刑事</td><td>刑法第35条の規定は、労働組合の団体交渉その他の行為であって労働組合法の目的を達成するためにした正当なものについて適用があるものとする。ただし、いかなる場合においても、暴力の行使は、労働組合の正当な行為と解釈されてはならない
刑法第35条［正当行為］
法令又は正当な業務による行為は、罰しない</td></tr>
<tr><td>民事</td><td>使用者は、同盟罷業その他の争議行為であって正当なものによって損害を受けたことの故をもって、労働組合又はその組合員に対し賠償を請求することができない</td></tr>
</table>

交渉権限	**労働組合の代表者**又は**労働組合の委任を受けた者**は、労働組合又は組合員のために使用者又はその団体と**労働協約の締結**その他の事項に関して**交渉**する**権限**を有する

2 労働協約

効力

効力の発生		
労働組合と**使用者又はその団体**との間の**労働条件**その他に関する**労働協約**は、**書面に作成**し、**両当事者**が署名し、又は**記名押印**することによってその**効力**を生ずる		
規範的効力		
労働協約に定める労働条件その他の**労働者の待遇に関する基準**に**違反**する**労働契約の部分**は、無効とする（**強行的効力**）。この場合において無効となった部分は、**基準**の定めるところによる（**直律的効力**）。**労働契約に定がない**部分についても、同様とする		
規範的効力 ― 強行的効力／直律的効力		
一般的拘束力		
	一般的拘束力	**地域的一般的拘束力**
適用場面	**1の工場事業場**に**常時使用**される**同種の労働者**の**4分の3以上**の数の労働者が1の労働協約の適用を受けるに至ったとき	**1の地域**において従業する**同種の労働者**の**大部分**が1の労働協約の適用を受けるに至ったとき
手続	―	**労働協約の当事者**の**双方又は一方**が申立てをする
効果	その工場事業場に使用される**他の同種の労働者**に関しても、当該労働協約が**適用**される	**厚生労働大臣又は都道府県知事**は、**労働委員会の決議**により、**当該地域**において従業する**他の同種の労働者及びその使用者**も当該労働協約の**適用**を受けるべきことの**決定**をすることができる

有効期間	**期間**	**3年**以内
	みなし	**3年をこえる**有効期間の定をした労働協約は、**3年**の有効期間の定をした労働協約とみなす
解　約	**手続**	**有効期間の定がない**労働協約は、当事者の**一方**が、**署名し、又は記名押印**した**文書**によって相手方に**予告**して、**解約**することができる
	予告	解約しようとする日の**少くとも90日前**にしなければならない

3 不当労働行為

禁　止		使用者は、次に掲げる行為（**不当労働行為**）をしてはならない
種類	(1)不利益取扱い	以下のことを理由として、その労働者を**解雇**し、その他これに対して**不利益な取扱い**をすること ❶労働者が**労働組合の組合員**であること ❷労働者が**労働組合に加入**し、又はこれを**結成**しようとしたこと ❸労働者が**労働組合の正当な行為**をしたこと ❹労働者が**労働委員会**に対し**不当労働行為救済の申立て**をしたこと ❺労働者が**中央労働委員会**に対し**都道府県労働委員会の救済命令等に対する再審査の申立て**をしたこと ❻**労働委員会**が労働者の申立てに係る**調査**若しくは**審問**をし、若しくは当事者に**和解を勧め**、若しくは労働関係調整法による**労働争議の調整**をする場合に労働者が**証拠を提示**し、又は**発言**をしたこと

種類	⑵**黄犬契約の締結**	労働者が**労働組合に加入せず**、又は**労働組合から脱退**することを**雇用条件**とすること ※　労働組合が特定の工場事業場に雇用される労働者の過半数を代表する場合において、その労働者がその労働組合の組合員であることを雇用条件とする労働協約を締結することを妨げるものではない
	⑶**団体交渉の拒否**	使用者が雇用する**労働者の代表者**と**団体交渉**をすることを**正当な理由がなくて拒む**こと
	⑷**支配介入**	労働者が**労働組合**を**結成**し、若しくは**運営**することを**支配**し、又はこれに**介入**すること
	⑸**経費援助**	**労働組合の運営**のための**経費の支払**につき**経理上の援助**を与えること ※　労働者が労働時間中に時間又は賃金を失うことなく使用者と協議し、又は交渉することを使用者が許すことを妨げるものではない ※　厚生資金又は経済上の不幸若しくは災厄を防止し、若しくは救済するための支出に実際に用いられる福利その他の基金に対する使用者の寄附及び最小限の広さの事務所の供与は含まれない

2 労働関係調整法

CH6 Sec1

1 争議

労働争議（定義）		労働関係の当事者間において、労働関係に関する主張が一致しないで、そのために争議行為が発生している状態又は発生する虞がある状態をいう
争議行為	定義	同盟罷業、怠業、作業所閉鎖その他労働関係の当事者が、その主張を貫徹することを目的として行う行為及びこれに対抗する行為であって、業務の正常な運営を阻害するものをいう
争議行為	届出・通知	（下表）
争議行為	制限	工場事業場における安全保持の施設の正常な維持又は運行を停廃し、又はこれを妨げる行為は、争議行為としてでもこれをなすことはできない

届出・通知

	右記以外の争議行為	公益事業の争議行為
期限	（発生後）直ちに	争議行為をしようとする日の少なくとも10日前まで
届出・通知先	労働委員会又は都道府県知事に届出	労働委員会及び厚生労働大臣又は都道府県知事に通知

2 労働争議の解決

労働委員会による解決

	斡旋	調停	仲裁
開始事由	◆関係当事者の**双方又は一方**の申請 ◆労働委員会の職権	◆関係当事者の**双方**からの申請 ◆**労働協約**の定めに基づく関係当事者の**双方又は一方**からの申請 **公益事業に関する事件** ・関係当事者の**一方**の申請 ・労働委員会の職権に基づく決議等	◆関係当事者の**双方**からの申請 ◆**労働協約**の定めに基づく関係当事者の**双方又は一方**からの申請
機　関	斡旋員	調停委員会	仲裁委員会
解決案の提示	提示することあり	原則提示	原則提示
解決案の受諾	受諾するか否かは任意	受諾するか否かは任意	労働協約**と同一の効力**をもって当事者を拘束

緊急調整の決定

内容	**対象となる事件**	下記の理由により、争議行為により**業務が停止**されるときは国民経済**の運行**を**著しく**阻害し、又は国民の日常生活を**著しく危くする虞**があると認める事件 ❶公益**事業**に関するものである ❷**規模が大きい** ❸**特別の性質**の事業に関するものである
	決定の条件	上記の虞が現実**に**存すること
	決定者	内閣総理大臣が緊急調整の決定をすることができる
効　果		緊急調整の決定をなした旨の公表があったときは、関係当事者は、公表の日から50**日間**は、**争議行為をなすことができない**

3 労働契約法

CH6 Sec2

1 労働者・使用者の定義

労働者

労働契約法	使用者に**使用されて**労働し、**賃金を支払われる**者 ※労働者に該当するか否かの判断については、労働基準法の労働者の判断と同様の考え方である
労働基準法	職業の種類を問わず、事業に**使用**される者で、**賃金を支払われる**者
労働組合法	職業の種類を問わず、**賃金**、**給料**その他これに準ずる**収入**によって**生活する**者 ※現に就業していると否とを問わず、失業者も含まれる

使用者

労働契約法	その**使用する労働者**に対して**賃金を支払う**者 ※個人企業の場合はその企業主個人を、会社その他の法人組織の場合はその法人そのものをいう ※労働契約法の使用者は、労働基準法第10条（下記）の「事業主」に相当するものであり、同条の「使用者」より狭い概念である
労働基準法	**事業主**又は**事業の経営担当者**その他その事業の**労働者**に関する事項について、**事業主のために**行為をするすべての者

2 労働契約の原則等

労働契約の原則	❶	労使対等の原則	労働契約は、労働者及び使用者が**対等の立場**における**合意**に基づいて**締結**し、又は**変更**すべきものとする
	❷	均衡考慮の原則	労働契約は、労働者及び使用者が、**就業の実態**に応じて、**均衡を考慮**しつつ締結し、又は変更すべきものとする
	❸	仕事と生活の調和への配慮の原則	労働契約は、労働者及び使用者が**仕事と生活の調和**にも**配慮**しつつ締結し、又は変更すべきものとする
	❹	信義誠実の原則	労働者及び使用者は、**労働契約を遵守**するとともに、**信義に従い誠実に**、**権利を行使**し、及び**義務を履行**しなければならない
	❺	権利濫用の禁止の原則	労働者及び使用者は、**労働契約に基づく権利の行使**に当たっては、それを**濫用**することがあってはならない
労働契約の内容の理解の促進			使用者は、労働者に提示する**労働条件**及び**労働契約の内容**について、**労働者の理解を深める**ようにするものとする。労働者及び使用者は、**労働契約の内容**（期間の定めのある労働契約に関する事項を含む）について、**できる限り書面**により**確認**するものとする
労働者の安全への配慮			使用者は、**労働契約**に伴い、労働者がその**生命**、**身体等の安全を確保**しつつ労働することができるよう、必要な**配慮**をするものとする

3 労働契約の成立及び変更

(1) 労働契約の成立等

労働契約の成立	労働契約は、労働者が使用者に使用されて労働し、使用者がこれに対して賃金を支払うことについて、労働者及び使用者が**合意**することによって**成立**する
就業規則による労働契約の内容の補充	労働者及び使用者が労働契約を締結する場合において、使用者が**合理的な労働条件**が定められている**就業規則を労働者に周知**させていた場合には、**労働契約の内容**は、その**就業規則で定める労働条件による**ものとする ※労働契約において、労働者及び使用者が就業規則の内容と異なる労働条件を合意していた部分については、第12条［就業規則違反の労働契約］に該当する場合を除き、当該合意が優先する ※就業規則が法令又は労働協約に反する場合、当該反する部分については、上記の規定を適用しない（その就業規則で定める労働条件は、労働契約の内容とならない）

(2) 労働契約の内容の変更

合意による労働契約の変更	労働者及び使用者は、その合意により、**労働契約の内容**である**労働条件を変更**することができる	
合意なしに就業規則の変更により労働契約の内容を変更する場合	**原則**	使用者は、労働者と**合意することなく、就業規則を変更**することにより、労働者の不利益に労働契約の内容である**労働条件を変更**することはできない
	例外	使用者が就業規則の変更により労働条件を変更する場合において、変更後の就業規則を**労働者に周知**させ、かつ、就業規則の変更が、**労働者の受ける不利益の程度**、**労働条件の変更の必要性**、**変更後の就業規則の内容の相当性**、**労働組合等との交渉の状況**その他の就業規則の変更に係る事情に照らして**合理的**なものであるときは、労働契約の内容である労働条件は、当該**変更後の就業規則に定める**ところによるものとする ※労働契約において、労働者及び使用者が就業規則の変更によっては変更されない労働条件として合意していた部分については、第12条［就業規則違反の労働契約］に該当する場合を除き、当該合意が優先する ※就業規則が法令又は労働協約に反する場合、当該反する部分については、上記の規定を適用しない（その就業規則で定める労働条件は、労働契約の内容とならない）

(3) 違　反

就業規則違反の労働契約	**就業規則で定める基準に達しない**労働条件を定める労働契約は、その部分については、**無効**とする。この場合において、無効となった部分は、**就業規則で定める基準**による ※就業規則が法令又は労働協約に反する場合、当該反する部分については、上記の規定を適用しない（その就業規則で定める労働条件は、労働契約の内容とならない）

4 労働契約の継続及び終了

出向命令の無効

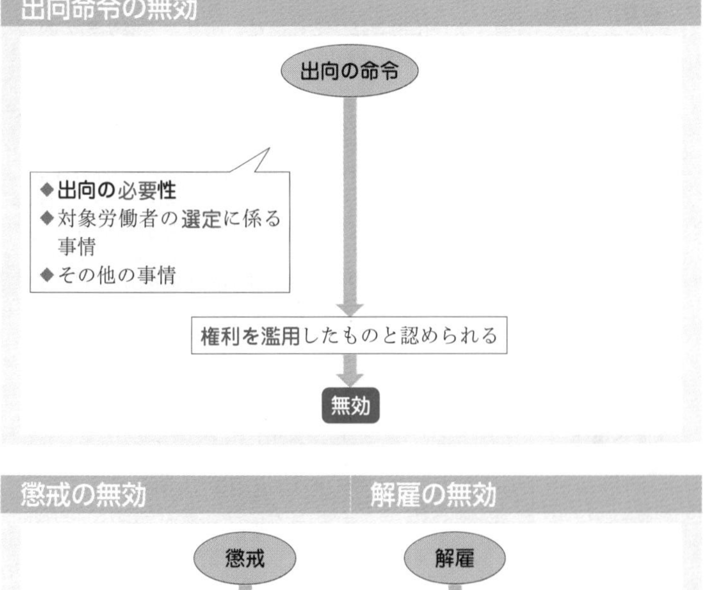

懲戒の無効　解雇の無効

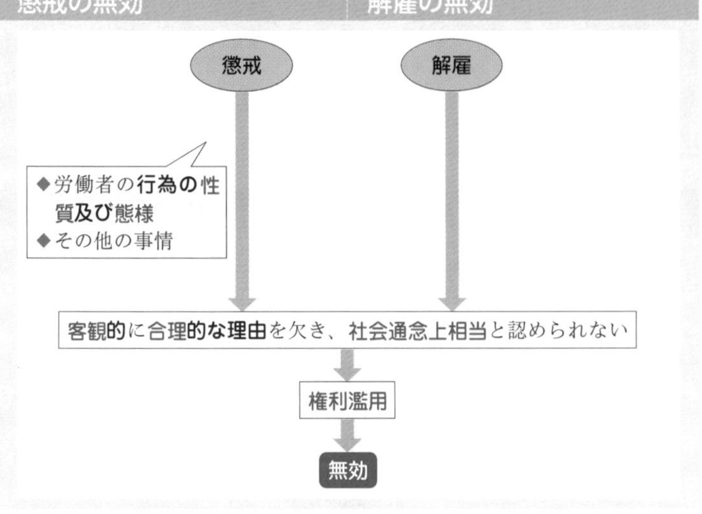

5 期間の定めのある労働契約

(1) 解雇の禁止及び契約期間についての配慮

契約期間中の解雇の禁止	使用者は、**期間の定めのある労働契約**（以下「**有期労働契約**」という）について、**やむを得ない事由**がある場合でなければ、その**契約期間が満了するまでの間**において、労働者を**解雇**することができない
契約期間についての配慮	使用者は、有期労働契約について、その有期労働契約により**労働者を使用する目的**に照らして、**必要以上に短い期間**を定めることにより、その有期労働契約を**反復して更新**することのないよう**配慮**しなければならない

(2) 有期労働契約の無期労働契約への転換

概　要	有期労働契約が５年を超えて反復更新された労働者は、使用者に対して申込みをすることにより、現に締結している有期労働契約と同一の労働条件の無期労働契約に転換することができる
対象となる労働者	**同一の使用者**との間で締結された**２以上の有期労働契約**（契約期間の始期の到来前のものを除く。以下同じ）の契約期間を**通算**した期間（以下「**通算契約期間**」という）が**５年を超える**労働者
手　続	労働者が、使用者に対して、**現に締結**している有期労働契約の契約期間が**満了する日**までの間に、当該**満了する日の翌日**から**労務が提供**される**期間の定めのない労働契約**の**締結**の**申込み**をする ※有期契約労働者が無期労働契約への転換を申し込むことができる権利（以下「無期転換申込権」という）は、当該契約期間中に通算契約期間が**５年を超えることとなる有期労働契約**の契約期間の**初日**から当該有期労働契約の契約期間が**満了する日**までの間に行使することができる ※無期転換申込権が発生した有期契約労働者が、当該有期労働契約の契約期間が満了する日までの間に無期転換申込権を行使しなかった場合であっても、再度有期労働契約が更新された場合には、新たに無期転換申込権が発生し、**更新後**の有期労働契約の契約期間が**満了する日**までの間に、無期転換申込権を行使することができる

効　果	使用者は、その**申込みを承諾**したものと**みなされる** （現に締結している有期労働契約の契約期間が満了する日の翌日から労務が提供される無期労働契約が成立することとなる）
転換後の無期労働契約の内容	**契約期間**を除き、現に締結している有期労働契約の内容である労働条件と**同一の労働条件**とされる（労働条件は、期間の定めのみが変更される） ※別段の定め（労働協約、就業規則及び個々の労働契約）をすることにより、期間の定め以外の労働条件を変更することは可能である
通算契約期間への不算入	空白期間が**6月**（注）**以上**であるときは、当該空白期間前に満了した有期労働契約の契約期間は、**通算契約期間に算入しない** （注）空白期間の直前に満了した1の有期労働契約の契約期間（当該1の有期労働契約を含む2以上の有期労働契約の契約期間の間に空白期間がないときは、当該2以上の有期労働契約の契約期間を通算した期間）が**1年に満たない**場合にあっては、「当該1の有期労働契約の契約期間に**2分の1**を乗じて得た期間を基礎として厚生労働省令で定める期間」とする **空白期間とは**：使用者との間で締結された1の有期労働契約の契約期間が満了した日と当該使用者との間で締結されたその次の有期労働契約の契約期間の初日との間にある、これらの契約期間のいずれにも含まれない期間（これらの契約期間が連続すると認められるものとして厚生労働省令で定める基準に該当する場合の当該いずれにも含まれない期間を除く）をいう

(3) 有期労働契約の更新等

概　要	有期労働契約が反復して更新されたことにより雇止めをすることが解雇と同視できる場合、又は契約期間の満了時に労働者が有期労働契約が更新されるものと期待することにつき合理的な理由がある場合において、労働者が使用者に対し、一定の期間内に更新等の申込みをしたときは、従前の有期労働契約と同一の労働条件の有期労働契約が成立する
対象となる場合	次の❶又は❷のいずれかの場合 ❶ 当該有期労働契約が過去に**反復して更新**されたことがあり、その契約期間の**満了時に更新しないことにより契約を終了**させることが、**無期契約労働者**に**解雇の意思表示**をすることにより**無期労働契約を終了**させることと**社会通念上同視できる**と認められること ❷ 有期契約労働者が、当該有期労働契約の契約期間の**満了時**に、**契約が更新されるものと期待**することについて、**合理的な理由**があるものであると認められること
手　続	上記❶又は❷に該当する有期契約労働者が、使用者に対して次のⓐ又はⓑの申込みをする ⓐ 有期契約労働者が、有期労働契約の**契約期間が満了する日までの間**に当該有期労働契約の**更新の申込み**をする ⓑ 有期契約労働者が、有期労働契約の契約期間の**満了後遅滞なく**有期労働契約の**締結の申込み**をする
効　果	使用者が上記の**申込みを拒絶**することが、**客観的に合理的な理由を欠き**、**社会通念上相当**であると認められないときは、使用者は、当該申込みを**承諾**したものと**みなす**（雇止めは認められず、有期労働契約が締結又は更新されたものとみなされる）
承諾後の有期労働契約の内容	契約期間を含め、従前の有期労働契約の内容である労働条件と**同一の労働条件**とされる

4 個別労働関係紛争解決促進法

CH6 Sec2

1 個別労働関係紛争解決促進法の対象となる紛争

個別労働関係紛争

労働条件その他**労働関係**に関する事項についての**個々の労働者**と**事業主**との間の**紛争**（労働者の**募集及び**採用に関する事項についての個々の求職者と事業主との間の紛争を**含む**）

2 紛争の解決の方法

	自主的解決	助言及び指導	あっせん
対象となる紛争	個別労働関係紛争の**すべて**が対象	下記以外の個別労働関係紛争が対象 （対象外） ◆労働関係調整法第6条に規定する労働争議に当たる紛争 ◆行政執行法人の労働関係に関する法律第26条第1項に規定する紛争	下記以外の個別労働関係紛争が対象 （対象外） ◆労働関係調整法第6条に規定する労働争議に当たる紛争 ◆行政執行法人の労働関係に関する法律第26条第1項に規定する紛争 ◆労働者の**募集及び採用**に関する事項についての紛争
手　続	―	紛争当事者の**双方又は一方**からの解決援助の求め	紛争当事者の**双方又は一方**からの申請
機　関	―	都道府県労働局長	**紛争調整委員会** （都道府県労働局長が紛争調整委員会にあっせんを行わせる）

5 パートタイム・有期雇用労働法

CH6 Sec2

1 短時間・有期雇用労働者

	用語	定義
❶	**短時間・有期雇用労働者**	**短時間労働者**及び**有期雇用労働者**をいう
❷	**短時間労働者**	1週間の**所定労働時間**が**同一の事業主**に雇用される**通常の労働者**※の1週間の所定労働時間に比し**短い**労働者をいう ※当該事業主に雇用される通常の労働者と同種の業務に従事する当該事業主に雇用される労働者にあっては、一定の場合を除き、当該労働者と同種の業務に従事する当該通常の労働者とする
❸	**有期雇用労働者**	事業主と**期間の定め**のある労働契約を締結している労働者をいう
❹	**職務内容同一短時間・有期雇用労働者**	**業務の内容**及び当該業務に伴う**責任の程度**（以下「**職務の内容**」という）が**通常の労働者と同一**の短時間・有期雇用労働者をいう
❺	**通常の労働者と同視すべき短時間・有期雇用労働者**	**職務内容同一短時間・有期雇用労働者**であって、事業所における**慣行**その他の事情からみて、当該事業主との**雇用関係が終了するまでの全期間**において、その**職務の内容及び配置**が当該**通常の労働者**の職務の内容及び配置の**変更の範囲と同一の範囲**で**変更**されることが見込まれるものをいう

短時間・有期雇用労働者
職務内容同一
短時間・有期雇用労働者
通常の労働者と同視すべき
短時間・有期雇用労働者

2 短時間・有期雇用労働者（すべて）に対する措置

(1) 労働条件に関する文書の交付等

明示	特定事項	事業主は、**短時間・有期雇用労働者を雇い入れたとき**は、**速やかに**、当該短時間・有期雇用労働者に対して、**特定事項**を**文書の交付等**により**明示しなければならない**
	特定事項以外	事業主は、**特定事項を明示**するときは、労働条件に関する事項のうち特定事項及び労働基準法の規定により労働契約締結時に書面の交付が義務づけられている事項**以外**のものについても、**文書の交付等**により**明示するように努める**ものとする

特定事項とは

以下の事項をいう
❶昇給の有無
❷退職手当の有無
❸賞与の有無
❹**短時間・有期雇用労働者の雇用管理の改善等に関する事項**に係る相談窓口

労働条件の明示のまとめ（労基法との関係）

(1)	労働基準法で書面の交付が義務づけられている事項	書面の交付（労働基準法）	義務
(2)	特定事項	文書の交付等（パートタイム・有期雇用労働法）	義務
(3)	上記(1)(2)以外の事項	文書の交付等（パートタイム・有期雇用労働法）	努力義務

(2) 短時間・有期雇用労働者の待遇

不合理な待遇の禁止

事業主は、その雇用する**短時間・有期雇用労働者**の基本給、賞与**その他の待遇**のそれぞれについて、当該待遇に対応する**通常の労働者の待遇**との間において、当該短時間・有期雇用労働者及び通常の労働者の**職務の内容**、当該**職務の内容及び配置の変更の範囲**その他の事情のうち、当該**待遇の**性質及び当該**待遇を行う**目的に照らして適切と認められるものを考慮して、不合理と認められる**相違**を設けてはならない

(3) その他の措置等

就業規則の作成の手続	事業主は、**短時間労働者（有期雇用労働者）に係る事項**について**就業規則**を**作成**し、又は**変更**しようとするときは、当該事業所において雇用する**短時間労働者の過半数を代表する**と認められるもの（有期雇用労働者の就業規則については、**有期雇用労働者**の**過半数**を代表すると認められるもの）の**意見を聴く**ように**努める**ものとする
短時間・有期雇用管理者の選任	事業主は、**常時10人以上**の短時間・有期雇用労働者を雇用する事業所ごとに、短時間・有期雇用労働者の雇用管理の改善等に関する事項を管理させるため、**短時間・有期雇用管理者**を**選任**するように**努める**ものとする
通常の労働者への転換の推進	事業主は、**通常の労働者への転換**を**推進**するため、その雇用する**短時間・有期雇用労働者**について、次の❶～❸のいずれかの措置を**講じなければならない** ❶ **通常の労働者の募集**を行う場合に、**事業所に掲示すること等**により、従事すべき**業務の内容、賃金、労働時間**その他の当該**募集に係る事項**を**短時間・有期雇用労働者に周知**すること ❷ **通常の労働者の配置**を新たに行う場合に、当該配置の**希望を申し出る機会**を短時間・有期雇用労働者に対して与えること ❸ **一定の資格を有する短時間・有期雇用労働者**を対象とした**通常の労働者への転換のための試験制度**を設けることその他の**通常の労働者への転換を推進するための措置**を講ずること

3 通常の労働者と同視すべき短時間・有期雇用労働者に対する措置

差別的取扱いの禁止

事業主は、**通常の労働者と同視すべき短時間・有期雇用労働者**については、**短時間・有期雇用労働者であることを理由**として、**基本給、賞与その他の待遇**のそれぞれについて、**差別的取扱いをしてはならない**

4 通常の労働者と同視すべき短時間・有期雇用労働者以外の「短時間・有期雇用労働者」に対する措置

賃金	事業主は、**通常の労働者との均衡**を考慮しつつ、その雇用する**短時間・有期雇用労働者（通常の労働者と同視すべき短時間・有期雇用労働者を除く）**の**職務の**内容、**職務の**成果、意欲、能力又は経験その他の**就業の実態**に関する事項を勘案し、その**賃金（通勤手当等を除く）**を**決定**するように**努める**ものとする
教育訓練	事業主は、**通常の労働者との均衡を考慮**しつつ、その雇用する**短時間・有期雇用労働者（通常の労働者と同視すべき短時間・有期雇用労働者を除く）**の職務の内容、職務の成果、意欲、能力及び経験その他の就業の実態に関する事項に応じ、当該短時間・有期雇用労働者に対して**教育訓練を実施**するように**努める**ものとする
福利厚生	事業主は、**給食施設、休憩室**及び**更衣室**については、その雇用する**短時間・有期雇用労働者（通常の労働者と同視すべき短時間・有期雇用労働者を除く）**に対しても、**利用の機会**を与えなければならない

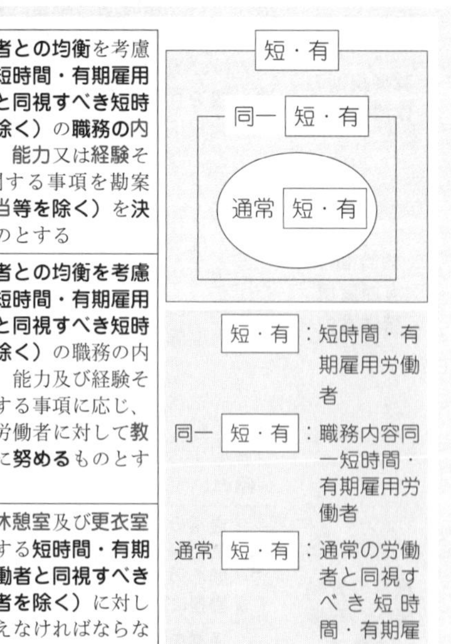

5 通常の労働者と同視すべき短時間・有期雇用労働者以外の「職務内容同一短時間・有期雇用労働者」に対する措置

教育訓練	事業主は、**通常の労働者**に対して実施する**教育訓練**であって、当該**通常の労働者が従事する**職務の**遂行**に**必要な能力を付与**するためのものについては、**職務内容同一短時間・有期雇用労働者（通常の労働者と同視すべき短時間・有期雇用労働者を除く）**に対しても、これを実施しなければならない ※その者が既に当該職務に必要な能力を有している場合には、実施する必要はない

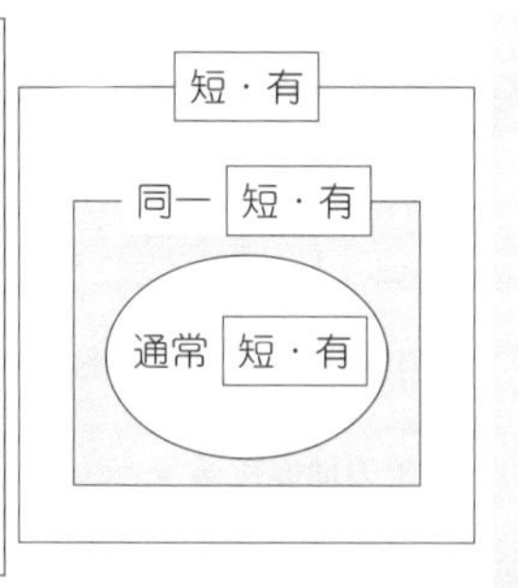

6 男女雇用機会均等法

CH6 Sec2

1 性別を理由とする差別の禁止等（直接差別の禁止）

禁止等	対象となる措置	
性別にかかわりのない均等な機会の確保	労働者の**募集及び採用**について、その**性別にかかわりなく均等な機会**を**与えなければならない**	
性別を理由とした差別的取扱いの禁止	以下の事項について、労働者の**性別を理由**として、**差別的取扱いをしてはならない**	
	❶	労働者の**配置**（**業務の配分**及び**権限の付与**を含む）、**昇進**、**降格**及び**教育訓練**
	❷	**住宅資金の貸付け**その他これに準ずる**福利厚生の措置**であって厚生労働省令で定めるもの（注） （注）厚生労働省令で定める福利厚生の措置 ◆生活資金、教育資金その他労働者の福祉の増進のために行われる資金の貸付け ◆労働者の福祉の増進のために定期的に行われる金銭の給付 ◆労働者の資産形成のために行われる金銭の給付 ◆住宅の貸与
	❸	労働者の**職種及び雇用形態の変更**
	❹	**退職の勧奨**、**定年**及び**解雇**並びに**労働契約の更新**

2 間接差別の禁止

間接差別の禁止

事業主は、以下の❶〜❸については、**合理的な理由**がある場合でなければ、これを講じてはならない

対象となる措置	❶労働者の**募集又は採用**に関する措置であって、労働者の**身長、体重又は体力**に関する事由を**要件**とするもの ❷労働者の**募集若しくは採用、昇進又は職種の変更**に関する措置であって、労働者の**住居の移転を伴う配置転換に応じる**ことができることを要件とするもの ❸労働者の**昇進**に関する措置であって、労働者が勤務する事業場と**異なる事業場に配置転換された経験**があることを要件とするもの ※上記❶〜❸は、前記1に関する措置であって労働者の性別以外の事由を要件とするもののうち、措置の要件を満たす男性及び女性の比率その他の事情を勘案して**実質的に性別を理由とする差別となるおそれ**がある措置として禁止される
合理的な理由がある場合	◆措置の対象となる業務の性質に照らして当該措置の実施が当該業務の遂行上特に必要である場合 ◆事業の運営の状況に照らして当該措置の実施が雇用管理上特に必要である場合 等

3 婚姻、妊娠、出産等を理由とする不利益取扱いの禁止

	対象労働者	措置
❶ 退職理由とする定めの禁止	女性労働者	婚姻し、妊娠し、又は出産したことを退職理由として予定する定めをしてはならない
❷ 婚姻による解雇の禁止	女性労働者	婚姻したことを理由として、解雇してはならない
❸ 妊娠・出産等による不利益取扱いの禁止	女性労働者	妊娠したこと、出産したこと、労働基準法の規定による産前休業を請求し、又は産前産後休業をしたことその他の妊娠又は出産に関する事由であって厚生労働省令で定めるものを理由として、当該女性労働者に対して解雇その他不利益な取扱いをしてはならない
❹ 解雇の無効	妊娠中の女性労働者及び出産後1年を経過しない女性労働者	妊娠中の女性労働者及び出産後1年を経過しない女性労働者に対してなされた解雇は、無効とする ※事業主が当該解雇が上記❸の事由を理由とする解雇でないことを証明したときは、この限りでない

4 事業主の講ずべき雇用管理上の措置

職場におけるセクシュアルハラスメント（セクハラ）防止措置

事業主は、**職場**において行われる**性的な言動**に対するその雇用する**労働者の対応**により当該労働者がその**労働条件につき不利益を受け**、又は当該性的な言動により当該労働者の**就業環境が害される**ことのないよう、当該労働者からの**相談に応じ**、**適切に対応**するために**必要な体制の整備**その他の**雇用管理上必要な措置を講じなければならない**

セクハラの種類		
	対価型セクシュアルハラスメント	職場において行われる**労働者の意に反する性的な言動**に対する**労働者の対応**により、当該労働者が**解雇、降格、減給**等の**不利益**を受けるもの
	環境型セクシュアルハラスメント	職場において行われる労働者の意に反する性的な言動により労働者の**就業環境が不快なものとなった**ため、**能力の発揮に重大な悪影響**が生じる等当該**労働者が就業する上で看過できない程度の支障**が生じるもの
	※同性に対するものも含まれる	

事業主が雇用管理上講ずべき措置	❶事業主の方針等の明確化及びその周知・啓発 ❷相談（苦情を含む）に応じ、適切に対応するために必要な体制の整備 ❸職場におけるセクシュアルハラスメントに係る事後の迅速かつ適切な対応　等

職場における妊娠、出産等に関するハラスメント（マタハラ）防止措置

事業主は、**職場**において行われるその雇用する**女性労働者**に対する当該女性労働者が**妊娠**したこと、**出産**したこと、労働基準法の規定による**産前休業を請求**し、又は**産前産後休業**をしたことその他の**妊娠又は出産に関する事由**であって厚生労働省令で定めるものに関する**言動**により当該女性労働者の**就業環境が害される**ことのないよう、当該女性労働者からの**相談に応じ、適切に対応**するために**必要な体制の整備**その他の**雇用管理上必要な措置を講じなければならない**

マタハラの種類	制度等の利用への嫌がらせ型	その雇用する女性労働者の労働基準法の規定による**産前休業**その他の**妊娠又は出産に関する制度又は措置の利用**に関する**上司又は同僚からの言動**により**就業環境が害される**もの
	状態への嫌がらせ型	その雇用する女性労働者が**妊娠**したこと、**出産**したことその他の**妊娠又は出産**に関する**上司又は同僚からの言動**により**就業環境が害される**もの
	※業務分担や安全配慮等の観点から、客観的にみて、業務上の必要性に基づく言動によるものについては、当該ハラスメントに該当しない	
事業主が雇用管理上講ずべき措置	❶事業主の方針等の明確化及びその周知・啓発 ❷相談（苦情を含む）に応じ、適切に対応するために必要な体制の整備 ❸職場における妊娠、出産等に関するハラスメントに係る事後の迅速かつ適切な対応 ❹職場における妊娠、出産等に関するハラスメントの原因や背景となる要因を解消するための措置　等	

妊娠中及び出産後の健康管理に関する措置

❶ 事業主は、その雇用する**女性労働者**が**母子保健法**の規定による**保健指導又は健康診査**を受けるために**必要な時間を確保**することができるようにしなければならない

❷ 事業主は、その雇用する女性労働者が上記の**保健指導又は健康診査に基づく指導事項を守る**ことができるようにするため、**勤務時間の変更、勤務の軽減**等**必要な措置**を講じなければならない

男女雇用機会均等推進者

事業主は、以下の①～⑦の措置の適切かつ有効な実施を図るための**業務を担当**する者を、必要な知識及び経験を有していると認められる者のうちから、**男女雇用機会均等推進者**として選任するように**努めなければならない**

① ポジティブアクション
② 職場におけるセクシュアルハラスメント防止措置
③ **性的言動問題**に関する研修の実施等の事業主の責務（努力義務）
④ 職場における妊娠、出産等に関するハラスメント防止措置
⑤ **妊娠・出産等関係言動問題**に関する研修の実施等の事業主の責務（努力義務）
⑥ 妊娠中及び出産後の健康管理に関する措置
⑦ 職場における男女の均等な機会及び待遇の確保が図られるようにするために講ずべきその他の措置

7 育児介護休業法

CH6 Sec2

1 育児休業

育児休業とは	**育児休業**とは、労働者（**日々雇用される者**を除く）がその子を**養育**するためにする休業をいう ※子には以下の者を含む ・**特別養子縁組**のための試験的な養育期間にある子 ・**養子縁組里親**に委託されている子　等
出生時育児休業（産後パパ育休）とは	**出生時育児休業**（産後パパ育休）とは、育児休業のうち、「子の**出生日**から起算して**8週間を経過する日の翌**日まで」※の期間内に、**4週間以内の期間**を定めてする休業をいう ※出産予定日**前**に子が出生した場合は、「**出生日**〜出産予定日から起算して8週間を経過する日の翌日まで」 ※出産予定日**後**に子が出生した場合は、「**出産予定日**〜**出生日**から起算して8週間を経過する日の翌日まで」

2 1歳未満の子の育児休業（出生時育児休業を除く）及び同一の子について配偶者が育児休業をする場合の特例（パパ・ママ育休プラス）

1歳未満の子の育児休業の申出

労働者（日々雇用される者を除く）は、その養育する**1歳に満たない子**について、その事業主に申し出ることにより、**分割**して**2回の育児休業**（後述**5**の**出生時育児休業を除く**）を取得することができる（出生時育児休業をした場合も、このほかに、分割2回の育児休業を取得することができる）

有期雇用労働者の育児休業取得の要件		
	期間を定めて雇用される者にあっては、以下の要件に該当する場合に限り、育児休業申出をすることができる	
	要件	子が**1歳6か月に達する日**までに、その労働契約（労働契約が更新される場合にあっては、更新後のもの）が**満了**することが**明らかでない**こと

申出期限	■原則■育児休業開始予定日の**1箇月前の日**まで（**取得の際**に**それぞれ**申出をする）
育児休業の再取得	子が1歳に達する日（**1歳到達日**）までの期間内に2回の育児休業をした場合であっても、厚生労働省令で定める**特別の事情**がある場合には、育児休業を再取得することができる
育児休業申出があった場合の事業主の義務	事業主は、労働者からの育児休業申出があったときは、当該育児休業申出を拒むことができない ただし、**労使協定**で、以下の❶～❸の労働者のうち、育児休業をすることができないものとして定められた労働者に該当する労働者から育児休業申出があった場合には、拒むことができる

労使協定により育児休業申出を拒むことができる者	
❶	当該事業主に**引き続き雇用された期間**が**1年に満たない**労働者
❷	育児休業申出があった日から起算して**1年以内に雇用関係が終了**することが明らかな労働者
❸	**1週間の所定労働日数**が**2日以下**の労働者

パパ・ママ育休プラス	**育児休業の申出**	労働者（日々雇用される者を除く）の養育する子について、当該労働者の**配偶者**が当該子の**1歳到達日以前**のいずれかの日において当該子を養育するために**育児休業をしている**場合には、当該**労働者**は、その養育する**1歳2か月に満たない子**について、その事業主に申し出ることにより、**育児休業**をすることができる ただし、次の❶、❷のいずれかに該当する場合には、当該育児休業の申出をすることができない

❶	**育児休業開始予定日**とされた日が、子の**1歳到達日の翌日後**である場合
❷	**育児休業開始予定日**とされた日が、当該労働者の**配偶者がしている育児休業**に係る**育児休業期間の初日前**である場合

パパ・ママ育休プラス	休業期間	当該特例が適用され、1歳2か月に満たない子を養育する場合であっても、育児休業を取得することができる期間は、**1年間**が限度となる

3 1歳から1歳6か月に達するまでの子の育児休業

育児休業の申出

労働者（日々雇用される者を除く）は、その養育する**1歳から1歳6か月に達するまでの子**について、次の(1)〜(3)のいずれにも該当する場合に限り、その事業主に申し出ることにより、育児休業をすることができる

(1) **労働者又はその配偶者**が、子の**1歳到達日**において**育児休業をしている**場合

(2) 子の**1歳到達日後**の期間について休業することが雇用の継続のために特に必要と認められる場合として厚生労働省令で定める場合（**保育所を利用することができない**場合など）に該当する場合

(3) 子の**1歳到達日後**の期間において**育児休業をしたことがない**こと

有期雇用労働者の育児休業取得の要件	**期間を定めて雇用される者**にあっては、以下の要件に該当する場合に限り、育児休業申出をすることができる	
	要件	子が**1歳6か月に達する日**までに、その労働契約（労働契約が更新される場合にあっては、更新後のもの）が**満了**することが**明らかでない**こと

申出期限

■原則■育児休業開始予定日（子の1歳到達日の翌日、パパ・ママ育休プラスの場合は育児休業終了予定日の翌日）の**2週間前の日**まで

配偶者が育児休業をしている場合の育児休業申出

1歳から1歳6か月に達するまでの子の育児休業申出をした労働者は、その**配偶者**が当該1歳から1歳6か月に達するまでの子の育児休業をしている場合には、当該**配偶者の育児休業に係る育児休業**終了**予定日の**翌**日以前の日**を**育児休業開始**予定**日**としなければならない

育児休業の再取得	厚生労働省令で定める**特別の事情**がある場合には、当該子について、育児休業を再取得することができる（前記(2)に該当していればよい）
育児休業申出があった場合の事業主の義務	事業主は、労働者からの育児休業申出があったときは、当該育児休業申出を拒むことができない ただし、**労使協定**で、以下の❶～❸の労働者のうち、育児休業をすることができないものとして定められた労働者に該当する労働者から育児休業申出があった場合には、拒むことができる

労使協定により育児休業申出を拒むことができる者	
❶	当該事業主に**引き続き雇用された期間**が1年**に満たない**労働者
❷	育児休業申出があった日から起算して**6月以内に雇用関係が終了**することが明らかな労働者
❸	**1週間の所定労働日数**が2日**以下**の労働者

4 1歳6か月から2歳に達するまでの子の育児休業

育児休業の申出	労働者（日々雇用される者を除く）は、その養育する**1歳6か月から2歳に達するまでの子**について、次の(1)〜(3)のいずれにも該当する場合に限り、その事業主に申し出ることにより、育児休業をすることができる (1) 労働者又はその配偶者が、当該子の**1歳6か月到達日**において育児休業をしている場合 (2) 子の**1歳6か月到達日後**の期間について休業することが雇用の継続のために特に必要と認められる場合として厚生労働省令で定める場合（保育所を利用することができない場合など）に該当する場合 (3) 子の**1歳6か月到達日後**の期間において育児休業をしたことがないこと
有期雇用労働者の育児休業取得の要件	期間を定めて雇用される者にあっては、以下の要件に該当する場合に限り、育児休業申出をすることができる **要件**：子が**2歳に達する日**までに、その労働契約（労働契約が更新される場合にあっては、更新後のもの）が満了することが明らかでないこと
申出期限	■**原則**■育児休業開始予定日（子の1歳6か月到達日の翌日）の**2週間前の日**まで
配偶者が育児休業をしている場合の育児休業申出	**1歳6か月から2歳に達するまでの子**の育児休業申出をした労働者は、その**配偶者**が当該1歳6か月から2歳に達するまでの子の育児休業をしている場合には、当該**配偶者の育児休業に係る育児休業終了予定日の翌日以前の日**を**育児休業開始予定日**としなければならない
育児休業の再取得	**1歳から1歳6か月に達するまでの子**の育児休業の場合と同様
育児休業申出があった場合の事業主の義務	**1歳から1歳6か月に達するまでの子**の育児休業の場合と同様

5 出生時育児休業（産後パパ育休）

出生時育児休業の申出	労働者（日々雇用される者を除く）は、その**事業主に申し出る**ことにより、**合計28日を限度**として、2回まで、出生時育児休業をすることができる **有期雇用労働者の出生時育児休業取得の要件**：**期間を定めて雇用される者**にあっては、以下の要件に該当する場合に限り、出生時育児休業申出をすることができる **要件**：**出生日**※から起算して8**週間を経過する日の翌日**から6**月を経過する日**までに、その労働契約（労働契約が更新される場合にあっては、更新後のもの）が**満了**することが**明らかでない**こと ※出産予定日**前**に子が出生した場合は、「**出産予定日**」
申出期限	■**原則**■出生時育児休業開始予定日の2**週間前**の日まで（分割して取得する場合は、**初めにまとめて申出**をする必要あり）
取得回数・日数の制限	以下の❶、❷のいずれかに該当する場合には、その子について出生時育児休業申出をすることができない ❶出生日から起算して8**週間を経過する日の翌日**までの期間内に2**回の出生時育児休業をした**場合 ❷出生時育児休業をする日数が**28日に達している**場合
出生時育児休業申出があった場合の事業主の義務	事業主は、労働者からの出生時育児休業申出があったときは、当該出生時育児休業申出を拒むことができない。ただし、次の場合は、当該申出を拒むことができる (1) 出生時育児休業申出がなされた後に、当該申出をした日に養育していた子について、**新たに出生時育児休業申出がなされた**場合

出生時育児休業申出があった場合の事業主の義務	⑵ **労使協定**で以下の❶～❸の労働者のうち、出生時育児休業をすることができないものとして定められた労働者に該当する労働者から出生時育児休業申出があった場合 **労使協定により出生時育児休業申出を拒むことができる者** ❶ 当該事業主に**引き続き雇用された期間**が**1年に満たない**労働者 ❷ 出生時育児休業申出があった日から起算して**8週間以内**に**雇用関係が終了**することが明らかな労働者 ❸ **1週間の所定労働日数**が**2日以下**の労働者
就業可能日	⑴ 出生時育児休業申出をした労働者（**労使協定**で出生時育児休業期間中に就業させることができるものとして定められた労働者に該当するものに限る）は、**出生時育児休業開始予定日の前日までの間**、事業主に対し、当該出生時育児休業期間において**就業することができる日**等（就業可能日等）を**申し出る**ことができる ⑵ ⑴の申出があった場合、事業主は、その範囲内で**日時を提示**し、**出生時育児休業開始予定日の前日まで**に当該**労働者の同意**を得た場合に限り、一定の範囲内で、**その日時**に当該労働者を**就業させることができる**

6 育児休業の取得状況の公表

事業主による育児休業の取得状況の公表義務　改正

常時雇用する労働者の数が**300人を超える**事業主は、**毎年少なくとも1回**、その雇用する**労働者の育児休業の取得の状況**として厚生労働省令で定めるものを、**インターネットの利用その他の適切な方法**により**公表**しなければならない

7 介護休業

介護休業とは

介護休業とは、労働者（日々雇用される者を除く）が要介護状態**にある対象家族**を**介護**するためにする休業をいう

要介護状態	負傷、疾病又は身体上若しくは精神上の障害により、**2週間以上**の期間にわたり**常時介護**を必要とする状態
対象家族	❶**配偶者**（事実上婚姻関係と同様の事情にある者を含む） ❷父母　❸子　❹祖父母　❺兄弟姉妹 ❻孫　❼配偶者の父母

介護休業の申出

労働者（日々雇用される者を除く）は、その**事業主に申し出る**ことにより、介護休業をすることができる

有期雇用労働者の介護休業取得の要件	**期間を定めて雇用される者**にあっては、以下の要件に該当する場合に限り、介護休業申出をすることができる	
	要件	労働契約（労働契約が更新される場合にあっては、更新後のもの）が、**介護休業開始予定日から起算して93日を経過する日**から**6月を経過する日までに満了することが明らかでない**こと

申出期限

■**原則**■介護休業開始予定日の**2週間前**の日まで

取得回数・日数の制限

介護休業をしたことがある労働者は、当該介護休業に係る**対象家族**が次の❶❷のいずれかに該当する場合には、**当該対象家族について**は、**介護休業の申出をすることができない**

❶	当該対象家族について3回の介護休業をした場合
❷	当該対象家族について**介護休業日数**（注）が**93日に達している**場合 （注）2回以上の介護休業をした場合にあっては、介護休業ごとに、当該介護休業を開始した日から当該介護休業を終了した日までの日数を合算して得た日数とする

申出に係る事業主の義務	事業主は、労働者からの介護休業申出があったときは、当該介護休業申出を拒むことができない ただし、**労使協定**で、以下の❶～❸の労働者のうち、介護休業をすることができないものとして定められた労働者に該当する労働者からの介護休業申出があった場合には、拒むことができる

労使協定により介護休業申出を拒むことができる者	
❶	当該事業主に**引き続き雇用された期間**が**1年に満たない**労働者
❷	介護休業申出があった日から起算して**93日以内**に**雇用関係が終了**することが明らかな労働者
❸	**1週間の所定労働日数**が**2日以下**の労働者

8 子の看護等休暇及び介護休暇 改正

	子の看護等休暇	介護休暇
休暇の内容	以下のいずれかの休暇 ❶負傷し又は疾病にかかった**小学校第3学年修了前の子**（9**歳**に達する日以後の最初の3月31日までの間にある子をいう）の**世話**を行うための休暇 ❷小学校第3学年修了前の子に、**疾病の予防**を図るために必要な**予防接種**又は**健康診断**を受けさせるための休暇 ❸**感染症の予防**上必要な学校・保育所等の**臨時休業**又は**感染症**にかかったこと等による**出席停止**に伴う小学校第3学年修了前の子の**世話**を行うための休暇 ❹小学校第3学年修了前の子の**入園、卒園又は入学の式典**その他これに準ずる**式典**への**参加**をするための休暇	以下のいずれかの休暇 ❶**要介護状態にある対象家族の介護**を行うための休暇 ❷当該対象家族の**通院等の付添い**、当該対象家族が**介護サービスの提供を受けるために必要な手続きの代行**その他の対象家族の必要な**世話**を行うための休暇
対象労働者	小学校第3学年修了前の子を**養育**する労働者（日々雇用される者を除く）	上記の世話を行う労働者（日々雇用される者を除く）

	子の看護等休暇	介護休暇
手　続	事業主への申出	
限　度	**1年度に5労働日** 「小学校第3学年修了前の子」又は「要介護状態にある対象家族」が**2人以上**の場合は、**10労働日**	
取　得	◆日単位の取得 ◆「厚生労働省令で定める1日未満の単位」での取得も可 **厚生労働省令で定める1日未満の単位**：**時間**（1日の所定労働時間数に満たないものとする）であって、**始業の時刻から連続**し、又は**終業の時刻まで連続**するもの ※1日未満の単位で取得する場合、子の看護等休暇又は介護休暇1日分の時間数は、**1日の所定労働時間数**とする	
申出に係る事業主の義務	事業主は、労働者からの子の看護等休暇又は介護休暇の申出があったときは、当該申出を拒むことができない ただし、**労使協定**で、以下の❶又は❷の労働者のうち、子の看護等休暇又は介護休暇をすることができないものとして定められた労働者に該当する労働者からこれらの申出があった場合には、拒むことができる **労使協定で定めることにより申出を拒むことができる者** ❶ **1週間の所定労働日数**が2日以下の労働者 ❷ 厚生労働省令で定める1日未満の単位で子の看護等休暇又は介護休暇を取得することが困難と認められる業務に従事する労働者（厚生労働省令で定める1日未満の単位で取得しようとする者に限る）	

8 次世代育成支援対策推進法

CH6 Sec2

1 一般事業主行動計画

一般事業主行動計画

<table>
<tr><td>対象事業主</td><td colspan="2">一般事業主（国及び地方公共団体以外の事業主）</td></tr>
<tr><td>常時雇用労働者数</td><td>100人超</td><td>100人以下</td></tr>
<tr><td>策定&厚生労働大臣への届出</td><td rowspan="3">義務</td><td>努力義務</td></tr>
<tr><td>公表</td><td rowspan="2">策定した場合は
努力義務</td></tr>
<tr><td>労働者への周知</td></tr>
</table>

9 女性活躍推進法

CH6 Sec2

1 一般事業主行動計画

一般事業主行動計画

<table>
<tr><td>対象事業主</td><td colspan="2">一般事業主（国及び地方公共団体以外の事業主）</td></tr>
<tr><td>常時雇用労働者数</td><td>100人超</td><td>100人以下</td></tr>
<tr><td>策定&厚生労働大臣への届出</td><td rowspan="3">義務</td><td>努力義務</td></tr>
<tr><td>公表</td><td rowspan="2">策定した場合は
義務</td></tr>
<tr><td>労働者への周知</td></tr>
</table>

10 最低賃金法

CH6 Sec2

1 最低賃金の効力等

支　払	使用者は、最低賃金の適用を受ける労働者に対し、その**最低賃金額**以上の賃金を支払わなければならない
効　力	最低賃金の適用を受ける労働者と使用者との間の**労働契約**で**最低賃金額に達しない**賃金を定めるものは、**その部分については無効**とする。この場合において、無効となった部分は、**最低賃金と同様の定**をしたものとみなす
不算入の賃金	❶**臨時**に支払われる賃金 ❷**1月**をこえる期間ごとに支払われる賃金 ❸**所定労働時間をこえる時間**の労働に対して支払われる賃金 ❹**所定労働日以外の日**の労働に対して支払われる賃金 ❺**深夜の労働**に対して支払われる賃金のうち通常の労働時間の賃金の計算額をこえる部分 ❻当該最低賃金において算入しないことを定める賃金
決定（単位）	**時間**により定める
減額の特例	以下の者については、一定の減額率を乗じて得た額だけ減額した額の最低賃金を適用する 最低賃金額 －（最低賃金額 × 減額率） ❶**精神又は身体の障害**により**著しく労働能力の低い**者 ❷**試の使用期間中**の者 ❸職業能力開発促進法の規定による**認定職業訓練**のうち職業に必要な基礎的な技能及びこれに関する知識を習得させることを内容とするものを受ける者であって厚生労働省令で定めるもの ❹**軽易な業務**に従事する者 ❺**断続的労働**に従事する者 （❶〜❺）→ **都道府県労働局長の許可**

2 最低賃金の種類

	地域別最低賃金	特定最低賃金
内　容	**一定の地域**ごとの最低賃金	**一定の事業又は職業**に係る最低賃金
決定等	あまねく全国各地域について決定されなければならない **厚生労働大臣又は**都道府県労働局長 ↓ **最低賃金審議会**の調査審議・意見 ※必ず 地域別最低賃金の決定	労働者又は使用者の全部又は一部を代表する者 ↓ 特定最低賃金の決定・改正・廃止の決定の申出 **厚生労働大臣又は**都道府県労働局長 ↓ **最低賃金審議会**の調査審議・意見 ※必要な場合のみ 特定最低賃金の決定・改正・廃止の決定
決定に当たり考慮すべき事項	以下の❶❷を考慮して定めなければならない ❶地域における労働者の**生計費及び賃金** ❷**通常の事業の賃金支払能力** 「労働者の生計費」を考慮するに当たっては、労働者が**健康で文化的な最低限度の生活**を営むことができるよう、生活保護に係る**施策**との**整合性に配慮**するものとする	特定最低賃金において定める最低賃金額は、当該特定最低賃金の適用を受ける使用者の**事業場の所在地**を含む地域について決定された**地域別最低賃金**において定める最低賃金額を**上回る**ものでなければならない
競　合	**2以上の最低賃金**の適用を受ける場合は、**最高**のものによる	
派遣労働者に対する適用	その**派遣先の事業の事業場**の所在地を含む地域について決定された地域別最低賃金において定める最低賃金額を適用	**派遣先の事業と同種の事業**又はその**派遣先の事業の事業場**で使用される**同種の労働者**の職業について特定最低賃金が適用されている場合には、当該特定最低賃金において定める最低賃金額を適用

11 労働施策総合推進法

CH6 Sec3

1 募集・採用における年齢制限の禁止

原則

事業主は、労働者がその有する能力を有効に発揮するために必要であると認められるときは、労働者の**募集及び採用**について、その**年齢にかかわりなく均等な機会**を与えなければならない

例外

事業主は、以下の場合には、労働者の募集及び採用について、**年齢制限を設けることができる**

	内容	期間の定めのない労働契約であることの要否
(1)	**定年の定め**をしている場合に、**当該定年の年齢を下回ることを条件**として労働者の募集及び採用を行うとき	必要
(2)	**法令の規定**により**特定の年齢の範囲に属する労働者の就業等が禁止又は制限**されている業務について、**その範囲に属しない労働者**の募集及び採用を行うとき	不要
(3)	**長期間の**継続勤務**による職務に必要な能力の開発及び向上**を図ることを目的として、**青少年その他特定の年齢を下回る労働者**の募集及び採用を行うとき（**職業に従事した**経験があることを**求人の条件としない**場合であって、**学校等を新たに卒業**しようとする者として又は当該者と同等の処遇で募集及び採用を行うときに限る）	必要
(4)	**技能、ノウハウ等の継承**を図ることを目的として、**特定の職種において労働者数が相当程度少ない特定の年齢の範囲**に属する労働者の募集及び採用を行うとき	必要
(5)	**芸術又は芸能の分野**における**表現の真実性等を確保**するために特定の年齢の範囲に属する労働者の募集及び採用を行うとき	不要
(6)	❶**高年齢者の雇用の促進**を目的として、**60歳以上**の高年齢者である労働者の募集及び採用を行うとき	不要

例外	(6)	❷昭和43年4月2日から昭和63年4月1日までの間に生まれた労働者の安定した雇用を促進するため、当該労働者の募集及び採用を行うとき（公共職業安定所に求人を申し込み、かつ、職業に従事した経験があることを求人の条件としない場合に限る） （令和7年3月31日までの暫定措置）	必要
		❸特定の年齢の範囲に属する労働者の雇用の促進に係る国の施策を活用して、当該特定の年齢の範囲に属する労働者の募集及び採用を行うとき	不要

2 再就職援助計画・大量離職届

	再就職援助計画	大量の雇用変動の届出
作成・届出の事由	経済的事情による事業規模の縮小等により、1の事業所において、常時雇用する労働者が、1箇月の期間内に30人以上離職するとき	事業規模の縮小等により、1の事業所において、1月以内の期間に、常用労働者が、30人以上離職(注)するとき (注) 以下の離職を除く ◆自己の都合又は自己の責めに帰すべき理由による離職 ◆天災事変その他やむを得ない事由のために事業の継続が不可能となったことによる離職
期　限	最初の離職者の生ずる日の1月前までに作成	最後の離職が生じる日の少なくとも1月前に届出
手　続	意見聴取：作成又は変更に当たり、過半数組織労働組合等の意見を聴かなければならない 提出・認定：作成又は変更したときは、遅滞なく、所轄公共職業安定所長に提出し、その認定を受けなければならない	大量離職届を所轄公共職業安定所長に提出することにより厚生労働大臣に届出

◆再就職援助計画の認定の申請をした事業主は、当該申請をした日に、大量の雇用変動の届出をしたものとみなす

3 外国人雇用

外国人雇用状況の届出

		雇入れ		離職
雇用保険の被保険者である場合	届出	雇用保険被保険者資格取得届と併せて届出	届出	雇用保険被保険者資格喪失届と併せて届出
	期限	雇入れ日の属する月の**翌月10日まで**	期限	離職日の翌日から起算して**10日以内**
雇用保険の被保険者でない場合	届出	外国人雇用状況届出書を提出	届出	外国人雇用状況届出書を提出
	期限	雇入れ日の属する月の**翌月の末日**まで	期限	離職日の属する月の**翌月の末日**まで
届出先	届書を**所轄公共職業安定所長**に提出することにより厚生労働大臣に届出			

雇用労務責任者の選任

選任対象事業主	外国人労働者を**常時10人以上**雇用する事業主
選　任	人事課長等を**雇用労務責任者**（外国人労働者の雇用管理に関する責任者）として選任
雇用労務責任者の管理事項	外国人労働者の雇用管理の改善等に関して事業主が講ずべき必要な措置に関する事項等を管理する

4 事業主の講ずべき雇用管理上の措置

職場におけるパワーハラスメント（パワハラ）防止措置

事業主は、**職場**において行われる**優越的な関係を背景とした言動**であって、**業務上必要かつ相当な範囲を超えた**ものによりその雇用する**労働者の就業環境が害される**ことのないよう、当該労働者からの**相談に応じ**、適切に対応するために**必要な体制の整備**その他の**雇用管理上必要な措置**を**講じなければならない**

パワハラとは	**職場におけるパワーハラスメント**とは、職場において行われる ❶**優越的な関係を背景とした言動**であって、 ❷**業務上必要かつ相当な範囲を超えた**ものにより ❸労働者の**就業環境が害される**もの であり、❶～❸の全てを満たすものをいう ※客観的にみて、業務上必要かつ相当な範囲で行われる適正な業務指示や指導は、パワハラに該当しない
優越的な関係を背景とした言動	事業主の業務を遂行するに当たり、言動の行為者に対して**抵抗又は拒絶することができない蓋然性が高い**関係を背景として行われるものをいう 例）・職務上の地位が上位の者による言動 ・業務上必要な知識や豊富な経験を有し、その協力を得なければ業務の円滑な遂行が困難となる同僚、部下による言動 ・同僚、部下からの集団による行為で抵抗、拒絶が困難なもの
業務上必要かつ相当な範囲を超えた言動	社会通念に照らし、明らかに**業務上必要性がない**、又はその**態様が相当でない**言動をいう 例）・業務上明らかに必要性がない、業務の目的を大きく逸脱した、又は業務を遂行するための手段として不適当である言動 ・行為の回数、行為者の数等その態様や手段が社会通念に照らして許容される範囲を超える言動

事業主が雇用管理上講ずべき措置	❶事業主の方針等の明確化及びその周知・啓発 ❷相談（苦情を含む）に応じ、適切に対応するために必要な体制の整備 ❸職場におけるパワーハラスメントに係る事後の迅速かつ適切な対応　等

12 職業安定法

CH6 Sec3

1 求人・求職の申込み

	求人の申込み	求職の申込み
原　則	公共職業安定所、特定地方公共団体（注）及び**職業紹介事業者**は、**求人の申込み**は全て受理しなければならない	**公共職業安定所、特定地方公共団体**（注）及び**職業紹介事業者**は、**求職の申込み**は全て受理しなければならない
例　外	以下の求人の申込みは、受理しないことができる ❶その内容が**法令に違反**する求人の申込み ❷その内容である労働条件が通常の**労働条件と比べて著しく不適当**と認められる求人の申込み ❸**労働**に関する法律の規定の**違反**に関し、法律に基づく**処分、公表等**の措置が講じられた者からの求人の申込み ❹求人者による**労働条件の明示**が行われない求人の申込み ❺**暴力団員等**からの求人の申込み ❻公共職業安定所等が❶～❺に該当するかどうかを**確認**するため**報告**を求めたにもかかわらず、これに応じない者からの求人の申込み	求職の申込みの内容が**法令に違反**するときは、これを受理しないことができる

（注）特定地方公共団体…**無料**の職業紹介事業を行う地方公共団体

2 職業紹介事業

職業紹介事業者		許可・届出等（厚労大臣）	許可の有効期間		職業紹介責任者の選任義務
			新規	更新	
有料職業紹介事業		許可	3年	5年	あり
無料職業紹介事業	一般	許可	5年	5年	あり
	学校等	届出			なし
	特別の法人	届出			あり
	特定地方公共団体	通知			なし

3 労働者の募集（委託募集）

	報酬を与えて行う委託募集	報酬を与えることなく行う委託募集
形　態	**報酬を与えて**、**被用者以外の者**を、労働者の募集に従事させる	**報酬を与えることなく**、**被用者以外の者**を、労働者の募集に従事させる
手　続	厚生労働大臣の**許可**	厚生労働大臣へ**届出**
報酬の額	あらかじめ、厚生労働大臣の**認可**を受ける	
労働者からの報酬受領の禁止	**労働者の募集を行う者**、及び**被用者以外の者**で労働者の募集に従事する者（以下「**募集受託者**」という）は、**募集に応じた**労働者から、その募集に関し、いかなる名義でも、**報酬を受けてはならない**	
労働者の募集に従事する者に対する報酬の供与	**労働者の募集を行う者**は、**募集受託者**に対し、以下の場合を除き、**報酬を与えてはならない** ❶賃金、給料その他これらに準ずるものを支払う場合 ❷上記の厚生労働大臣の認可に係る報酬を与える場合 ※**労働者の募集を行う者は**、その**被用者**で労働者の募集に従事するものに対しても、上記❶の場合を除き、**報酬を与えてはならない**	

4 労働者供給事業

労働者供給事業の禁止

労働者供給とは	供給契約に基づいて労働者を**他人の指揮命令**を受けて労働に従事させることをいい、労働者派遣法に規定する**労働者派遣**に該当するものを**含まない**ものとする
原　則	**何人も**、下記の場合を除くほか、**労働者供給事業**を行い、又はその**労働者供給事業を行う者から供給される労働者**を自らの**指揮命令の下に労働**させてはならない
例　外	労働組合**等**が、**厚生労働大臣の**許可を受けた場合は、無料**の労働者供給事業**を行うことができる

13 労働者派遣法

CH6 Sec3

1 労働者派遣等の定義

労働者派遣	自己の**雇用する労働者**を、当該**雇用関係の下**に、かつ、**他人の指揮命令**を受けて、当該**他人のため**に労働に従事させることをいい、当該他人に対し当該労働者を当該**他人に雇用させることを約して**するものを**含まない**ものとする
紹介予定派遣	**労働者派遣**のうち、労働者派遣事業の許可を受けた者（以下「派遣元事業主」という）が労働者派遣の役務の提供の開始前又は開始後に、当該労働者派遣に係る派遣労働者及び当該派遣労働者に係る労働者派遣の役務の提供を受ける者（以下「**派遣先**」という）について、職業安定法その他の法律の規定による**許可を受けて**、又は**届出をして**、**職業紹介を行い、又は行うことを予定してする**ものをいい、当該職業紹介により、当該派遣労働者が当該**派遣先に雇用される旨**が、当該労働者派遣の**役務の提供の終了前**に当該派遣労働者と当該派遣先との間で**約される**ものを**含む**ものとする

◆労働者派遣

労働者派遣契約

派遣元事業主 ⟷ 派　遣　先

雇用関係

指揮命令関係

派遣労働者

2 労働者派遣事業の許可

労働者派遣事業の許可

手　続	労働者派遣事業を行おうとする者は、**厚生労働大臣の許可を受けなければならない**	
許可の有効期間	**新規**	3年
	更新	5年

3 派遣禁止業務

派遣禁止業務

何人も、次の(1)～(4)のいずれかに該当する業務について、**労働者派遣事業を行ってはならない。**また、労働者派遣事業を行う事業主から労働者派遣の役務の提供を受ける者は、その指揮命令の下に**派遣労働者**をこれらの業務に**従事させてはならない**

(1)	**港湾運送業務**
(2)	**建設業務**
(3)	**警備業務**
(4)	医師、歯科医師、薬剤師、保健師、助産師、看護師、准看護師、栄養士等の**医療関連業務**（病院等、助産所、介護老人保健施設、介護医療院又は医療を受ける者の居宅において行われるものに限る） **労働者派遣を行うことができる場合** ❶**紹介予定派遣**をする場合 ❷産前産後休業、育児休業、介護休業等をする派遣先の労働者の代替要員として派遣する場合 ❸医師、薬剤師、看護師、准看護師等の業務について、派遣就業の場所がへき地にある場合　等

4 労働者派遣契約

労働者派遣契約の締結の制限

派遣先は、**労働者派遣契約を締結**するに当たっては、**あらかじめ**、派遣元事業主に対し、派遣労働者が従事する**業務ごと**に**比較対象労働者**※**の賃金その他の**待遇**に関する情報**その他の厚生労働省令で定める情報を**提供しなければならない**。派遣元事業主は、派遣先から当該情報の**提供がない**ときは、当該派遣先との間で、派遣労働者が従事する業務に係る労働者派遣契約を**締結してはならない**

※比較対象労働者…派遣先に雇用される通常の労働者であって、**職務の内容**並びに当該**職務の内容及び配置の変更の範囲**が、**派遣労働者と同一**であると見込まれるものその他の当該**派遣労働者と待遇を比較**すべき労働者として厚生労働省令で定めるもの

5 派遣労働者の待遇に関する取扱い

(1) 不合理な待遇の禁止

派遣元事業主は、その雇用する派遣労働者の基本給、賞与**その他の待遇**のそれぞれについて、当該待遇に対応する**派遣先に雇用される通常の労働者の待遇**との間において、当該派遣労働者及び通常の労働者の職務の内容、当該**職務の内容及び配置の変更の範囲**その他の事情のうち、当該**待遇の**性質及び当該**待遇を行う**目的に照らして適切と認められるものを考慮して、不合理と認められる**相違**を設けてはならない

※労使協定によりその待遇が当該協定で定めるところによることとされている派遣労働者の待遇（教育訓練、福利厚生施設等一定のものを除く）については、この規定は適用されない

(2) 職務の内容が通常の労働者と同一である派遣労働者に対する不利な待遇の禁止

派遣元事業主は、**職務の内容**が**派遣先に雇用される通常の労働者と同一**の派遣労働者であって、当該**労働者派遣契約**及び当該派遣先における**慣行**その他の事情からみて、当該派遣先における派遣就業が終了するまでの**全期間**において、その**職務の内容及び配置**が当該派遣先との雇用関係が終了するまでの**全期間**における当該通常の労働者の職務の内容及び配置の変更の範囲と**同一の範囲で変更**されることが見込まれるものについては、正当な理由がなく、**基本給**、**賞与**その他の待遇のそれぞれについて、当該待遇に対応する当該**通常の労働者の待遇**に比して**不利**なものとしてはならない

※労使協定によりその待遇が当該協定で定めるところによることとされている派遣労働者の待遇（教育訓練、福利厚生施設等一定のものを除く）については、この規定は適用されない

(3) 通常の労働者との均衡を考慮した賃金の決定

派遣元事業主は、派遣先に雇用される**通常の労働者との均衡**を考慮しつつ、その雇用する派遣労働者（上記(2)の派遣労働者及び労使協定で定めるところによる待遇とされる派遣労働者を除く）の**職務の内容**、**職務の成果**、**意欲**、**能力**又は**経験**その他の**就業の実態**に関する事項を勘案し、その**賃金**（通勤手当等を除く）を**決定**するように努めなければならない

6 労働者派遣の制限等

関係派遣先に対する労働者派遣の制限

派遣元事業主は、**関係派遣先**に労働者派遣をするときは、関係派遣先への**派遣割合**（注）が**100分の80以下**となるようにしなければならない

（注）派遣割合を算定する際は、**60歳以上の定年退職者**であって**派遣元事業主に雇用されている**ものに係る**総労働時間数**を除いて算定する

離職した労働者についての労働者派遣の禁止

派遣先は、労働者派遣の役務の提供を受けようとする場合において、**派遣労働者**が当該**派遣先を離職した者**（注）であるときは、当該**離職の日から起算して1年を経過する日までの間**は、当該派遣労働者に係る労働者派遣の役務の提供を受けてはならない（⟺派遣元事業主は、これに抵触する労働者派遣を行ってはならない）

（注）**60歳以上の定年退職者**は除かれており、派遣先は、60歳以上の定年により当該派遣先を退職した者を、派遣労働者として受け入れて差し支えない

日雇派遣の禁止

派遣元事業主は、下記の(1)又は(2)の場合を除き、その雇用する**日雇労働者**について**労働者派遣を行ってはならない**

日雇労働者…**日々又は30日以内**の期間を定めて雇用する労働者

(1)	**政令で定める業務**に派遣する場合 政令で定める業務…ソフトウェアの開発、機械等の設計等、事務用機器操作、通訳・翻訳、速記、秘書、ファイリング等の業務、看護師の業務（病院、診療所、居宅等一定の場所で行われるものを除く）
(2)	派遣元事業主が労働者派遣に係る日雇労働者の**安全又は衛生を確保**するため必要な措置その他の雇用管理上必要な措置を講じている場合であって、次の❶～❸のいずれかに該当する場合 ❶**60歳以上**の者である場合 ❷**学校の学生・生徒**である場合 ❸当該**日雇労働者**及びその世帯の**他の世帯員**について厚生労働省令で定めるところにより算定した**収入の額**が**500万円以上**である場合

7 派遣期間の制限

(1) 事業所単位の期間制限

派遣受入期間の制限

派遣可能期間（原則）	**派遣先**は、当該**派遣先の事業所**その他**派遣就業の場所ごとの業務**について、派遣元事業主から**派遣可能期間（3年）**を超える期間継続して労働者派遣の役務の提供を受けてはならない
派遣受入期間の制限が適用されない場合	次の❶～❺の場合には、派遣受入期間の制限はない ❶ 無期雇用**派遣労働者**に係る労働者派遣 ❷ **60歳以上**の者に係る労働者派遣 ❸ 次のⓐ又はⓑに該当する業務に係る労働者派遣 ⓐ事業の開始、転換、拡大、縮小又は廃止のための業務であって一定の期間内に完了することが予定されているもの ⓑその業務が**1箇月間に行われる日数**が、**派遣先に雇用**される**通常の労働者**の1箇月間の所定労働日数に比し**相当程度少なく**、かつ、**10日以下**である業務 ❹ 派遣先に雇用される労働者が労働基準法の規定により**産前産後休業**をし、及び育児介護休業法に規定する**育児休業等**をする場合における、当該労働者の代替要員としての労働者派遣 ❺ 派遣先に雇用される労働者が育児介護休業法に規定する**介護休業等**をする場合における、当該労働者の代替要員としての労働者派遣
派遣可能期間の延長	**派遣先**は、当該派遣先の事業所その他派遣就業の場所ごとの業務について、派遣元事業主から**3年を超える期間**継続して労働者派遣（派遣受入期間の制限が適用されないものを除く）の役務の提供を受けようとするときは、当該役務の提供が開始された日以後派遣受入期間の制限に抵触することとなる**最初の日の1月前の日までの間**（以下「**意見聴取期間**」という）に手続を行うことにより、**3年**を限り、**派遣可能期間を延長**することができる **手続** 派遣先は、派遣可能期間を延長しようとするときは、**意見聴取期間**に、**過半数労働組合等**の意見を聴かなければならない

ワンポイントアドバイス

延長した派遣可能期間を更に延長することも可能です。

⑵ 個人単位の期間制限

派遣元事業主の制限	**派遣元事業主**は、派遣先の事業所その他派遣就業の場所における**組織単位ごとの業務**について、**3年を超える期間**継続して**同一の派遣労働者**に係る労働者派遣（派遣受入期間の制限が適用されないものを除く）を行ってはならない
派遣先の制限	**派遣先**は、派遣可能期間が延長された場合において、当該派遣先の事業所その他派遣就業の場所における**組織単位ごとの業務**について、派遣元事業主から**3年を超える期間**継続して**同一の派遣労働者**に係る労働者派遣（派遣受入期間の制限が適用されないものを除く）の役務の提供を受けてはならない

8 労働契約申込みみなし制度

労働契約申込みみなし制度

みなし制度の内容	**派遣先**（**国及び地方公共団体の機関**を除く）が次の❶～❺のいずれかに該当する行為を行った場合には、その時点において、当該派遣先から派遣労働者に対し、その時点における**当該派遣労働者に係る労働条件と同一の労働条件を内容**とする**労働契約の申込みをした**ものと**みなす** ❶ 派遣労働者を**派遣禁止業務**に従事させること ❷ **無許可**事業主から労働者派遣の役務の提供を受けること ❸ 派遣先の事業所その他派遣就業の場所ごとの業務について、派遣元事業主から**派遣可能期間を超える期間**継続して労働者派遣の役務の提供を受けること（派遣可能期間の延長に係る一定の手続が行われなかったことによるものを除く） ❹ 派遣可能期間が延長された場合に、派遣先の事業所その他派遣就業の場所における組織単位ごとの業務について、派遣元事業主から**3年を超える期間**継続して同一の派遣労働者に係る労働者派遣の役務の提供を受けること ❺ 労働者派遣法又は労働基準法等の規定の適用を**免れる目的**で、**請負その他労働者派遣以外の名目で契約を締結**し、**労働者派遣契約**に関する所定の事項を定めずに労働者派遣の役務の提供を受けること（いわゆる偽装請負等）
みなし制度の対象とならない場合	派遣先が、その行った行為が上記❶～❺のいずれかの行為に該当することを**知らず**、**かつ**、**知らなかったことにつき過失がなかった**ときは、上記の労働契約の申込みをしたものとみなす取扱いは行わない
申込みの撤回	上記の労働契約の申込みをしたものとみなされた派遣先は、当該労働契約の申込みに係る**行為が終了した日から1年を経過する日までの間**は、当該申込みを**撤回することができない**
申込みの失効	上記の労働契約の申込みをしたものとみなされた**派遣先**が、当該申込みに対して、当該労働契約の**申込みに係る行為が終了した日から1年を経過する日までの期間内**に、**承諾する旨又は承諾しない旨の意思表示を受けなかった**ときは、当該**申込み**は、その**効力を失う**

9 派遣元・派遣先責任者及び派遣元・派遣先管理台帳

派遣元・派遣先責任者

	派遣元責任者	派遣先責任者
選任	派遣元事業主は、派遣就業に関し所定の事項を行わせるため、必ず**派遣元責任者**を選任しなければならない	派遣先は、派遣就業に関し所定の事項を行わせるため、下記の場合を除き、**派遣先責任者**を選任しなければならない **選任不要の場合**：派遣労働者数と派遣先の事業所等において雇用する労働者の数の合計が**5人を超えない**とき

派遣元・派遣先管理台帳

	派遣元管理台帳	派遣先管理台帳
作成	派遣元事業主は、派遣就業に関し、必ず**派遣元管理台帳**を作成し、これを保存しなければならない	派遣先は、派遣就業に関し、下記の場合を除き、**派遣先管理台帳**を作成し、これを保存しなければならない **作成不要の場合**：派遣労働者数と派遣先の事業所等において雇用する労働者の数の合計が**5人を超えない**とき
保存期間	3年間	

10 派遣労働者に係る労働基準法の適用区分（派遣元・派遣先の責任分担）

内　容	派遣元	派遣先
均等待遇	○	○
男女同一賃金の原則	○	
強制労働の禁止	○	○
公民権行使の保障		○
労働契約	○	
賃　金	○	
労働時間、休憩、休日		○
変形労働時間制・時間外休日労働・みなし労働時間制に係る労使協定の締結・届出	○	
割増賃金	○	
年次有給休暇	○	
最低年齢	○	
年少者の証明書	○	
年少者の帰郷旅費	○	
年少者の労働時間等		○
年少者の就業制限、坑内労働の禁止		○
徒弟の弊害排除	○	○
職業訓練に関する特例	○	
妊産婦の労働時間等		○
妊産婦等の就業制限、坑内業務の就業制限		○
産前産後の休業、他の軽易な業務への転換	○	
育児時間、生理休暇		○
就業規則	○	
就業規則・労使協定・労使委員会の決議の周知義務	○	
法令の要旨の周知義務	○	○
寄宿舎	○	
災害補償	○	
申告を理由とする不利益取扱禁止	○	○
労働者名簿、賃金台帳	○	
記録の保存	○	○
報告の義務	○	○

11 派遣労働者に係る労働安全衛生法の適用区分（派遣元・派遣先の責任分担）

内　容	派遣元	派遣先
危険・健康障害の防止措置		○
総括安全衛生管理者の選任等	○	○
安全管理者の選任等		○
衛生管理者の選任等	○	○
産業医の選任等	○	○
作業主任者の選任等		○
安全衛生推進者の選任等	○	○
安全委員会		○
衛生委員会	○	○
定期自主検査		○
化学物質の有害性の調査		○
雇入れ時の安全衛生教育	○	
作業内容変更時の安全衛生教育	○	○
特別教育		○
職長教育		○
就業制限		○
作業環境測定		○
一般健康診断・保健指導	○	
特殊健康診断		○
危険性又は有害性等の調査等		○
製造業等の元方事業者の講ずべき措置		○
長時間労働者等への面接指導	○	
面接指導実施のための労働時間の状況の把握		○
心理的な負担の程度を把握するための検査等	○	
受動喫煙の防止		○
労働者死傷病報告	○	○

14 高年齢者雇用安定法

CH6 Sec3

1 高年齢者の安定した雇用の確保の促進等

定年年齢	**原則**：**60歳を下回る**ことができない ※定年の定めをしなければならないわけではない **例外**：**鉱業**における**坑内作業の業務**については、60歳を下回る定年の定めをすることができる
高年齢者雇用確保措置	定年（**65歳未満**のものに限る）の定めをしている事業主は、その雇用する高年齢者（**55歳以上**の者をいう）の**65歳まで**の安定した雇用を確保するため、次の**高年齢者雇用確保措置**のいずれかを講じなければならない ❶ **定年の引上げ** ❷ **継続雇用制度**の導入 ❸ **定年の定めの**廃止
高年齢者就業確保措置	**定年**（**65歳以上70歳未満**のものに限る）の定めをしている事業主又は**継続雇用制度**（高年齢者を**70歳以上**まで引き続いて雇用する制度を除く）を導入している事業主は、その雇用する**高年齢者**（厚生労働省令で定める者を除く）について、次の**高年齢者就業確保措置**を講ずることにより、**65歳から70歳までの安定した雇用を確保**するよう**努めなければならない** ❶ **定年**（**65歳以上70歳未満**）の引上げ ❷ **65歳以上継続雇用制度**（注）**の導入** （注）65歳以上継続雇用制度 …雇用する高年齢者が希望するときは、当該高年齢者をその**定年後**又は**継続雇用制度の対象となる年齢の上限に達した後**も引き続いて雇用する制度 ❸ **定年**（**65歳以上70歳未満**）の定めの廃止 〈高年齢者就業確保措置が必要でない場合〉 労働者の過半数で組織する労働組合（これがない場合は労働者の過半数を代表する者）の同意を得た創業支援**等措置**を講ずることにより、**定年後**、**継続雇用制度**の対象となる年齢の**上限に達した後**又は**65歳以上継続雇用制度**の対象となる年齢の**上限に達した後70歳まで**の間の**就業を確保**する場合には、高年齢者就業確保措置を講ずる必要はない

高年齢者雇用等推進者の選任(努力義務)

事業主は、**高年齢者雇用確保措置**及び**高年齢者就業確保措置**を推進するため、作業施設の改善その他の諸条件の整備を図るための業務を担当する**高年齢者雇用等推進者**を、当該業務を遂行するために必要な知識及び経験を有していると認められる者のうちから**選任するように努めなければならない**

高年齢者の雇用状況等の報告

報告すべき内容	毎年、**6月1日**現在における**定年**、**継続雇用制度**、**65歳以上継続雇用制度**及び**創業支援等措置の状況**その他**高年齢者の就業の機会の確保**に関する状況
期　限	その年の**7月15日**まで
報告先・経由	主たる事務所の所在地を管轄する公共職業安定所の長を経由して厚生労働大臣に報告

2 高年齢者等の再就職の援助等

募集・採用についての理由の提示

事業主は、労働者の**募集及び採用**をする場合において、**やむを得ない理由**により**一定の年齢**（**65歳以下**のものに限る）を**下回る**ことを条件とするときは、求職者に対し、**書面に記載する等の方法**により、当該**理由を示さなければならない**

再就職援助措置

事業主は、その雇用する**再就職援助対象高年齢者等**※が**解雇**（**自己の責め**に帰すべき理由によるものを除く）その他の厚生労働省令で定める理由により**離職**する場合において、**再就職を希望**するときは、**求人の開拓**その他の**再就職援助措置**を講ずるように**努めなければならない**

※再就職援助対象高年齢者等…高年齢者等（**45歳以上70歳未満**で常時雇用される者に限る）その他厚生労働省令で定める者

多数離職の届出	届出事由	**再就職援助対象高年齢者等**のうち**5人以上**の者が前記「再就職援助措置」欄の「**解雇**（自己の責めに帰すべき理由によるものを除く）その他の厚生労働省令で定める理由」により**離職**するとき
	期限	**最後の離職**が生じる日の**1月前**まで
	届出先	所轄公共職業安定所長
求職活動支援書	作成・交付	事業主は、**解雇等**※により離職することとなっている高年齢者等（**45歳以上70歳未満**で常時雇用される者に限る）が**希望**するときは、その円滑な再就職を促進するため、**求職活動支援書**を**作成**し、当該高年齢者等に**交付**しなければならない ※解雇等…解雇（自己の責めに帰すべき理由によるものを除く）その他これに類するものとして厚生労働省令で定める理由
	担当者の選任	求職活動支援書を作成した事業主は、その雇用する者のうちから**再就職援助担当者**を選任し、その者に、当該求職活動支援書に基づいて、**公共職業安定所と協力**して、当該求職活動支援書に係る高年齢者等の**再就職の援助**に関する業務を行わせるものとする

15 障害者雇用促進法

CH6 Sec3

1 障害者に対する差別の禁止等

障害者に対する差別の禁止

	対象となる措置	取扱い
均等な機会の確保	募集・採用	障害者に対して、**障害者でない者**と**均等な機会**を**与えなければならない**（義務）
不当な差別的取扱いの禁止	**賃金の決定、教育訓練の実施、福利厚生施設の利用**その他の待遇	障害者であることを理由として、**障害者でない者**と**不当な差別的取扱いをしてはならない**

障害者でない者との均等な機会の確保等を図るための措置

	事業主が講ずべき措置	講じなくてもよい場合
募集・採用について均等な機会を確保するための措置	**募集及び採用**について、**障害者**と**障害者でない者**との**均等な機会の確保の支障**となっている事情を**改善**するため ↓ 障害者からの申出 ↓ 当該障害者の**障害の特性に配慮**した**必要な措置** ↓ 講じなければならない（**義務**）	事業主に対して**過重な負担**を及ぼすこととなるとき
必要な施設の整備等の措置	◆障害者でない労働者との**均等な待遇の確保のため** ◆障害者である労働者の有する**能力の有効な発揮の支障**となっている事情を**改善**するため ↓ 雇用する障害者である労働者の**障害の特性に配慮**した**職務の円滑な遂行に必要な施設の整備、援助を行う者の配置**その他の必要な措置 ↓ 講じなければならない（**義務**）	

2 対象障害者の雇用義務

対象障害者の雇用に関する事業主の責務

全て事業主は、対象障害者の雇用に関し、社会連帯**の理念**に基づき、**適当な雇用の場**を与える共同**の責務**を有するものであって、進んで対象障害者の雇入れに**努めなければならない**

対象障害者とは	**身体障害者**、**知的障害者**又は**精神障害者**（精神障害者保健福祉手帳の交付を受けているものに限る。以下同じ）をいう

事業主、国及び地方公共団体の雇用義務等

<table>
<tr><th></th><th>一般事業主</th><th>国・地方公共団体</th></tr>
<tr><td>雇用義務等</td><td>雇用する対象障害者である労働者の数が、その雇用する労働者の数に障害者雇用率を乗じて得た数（1人未満の端数は切捨て）以上であるようにしなければならない</td><td>勤務する対象障害者である職員の数が、当該機関の職員の総数に、障害者雇用率を乗じて得た数（1人未満の端数は切捨て）未満である場合には、その数以上となるようにするため、対象障害者の採用に関する計画を作成しなければならない</td></tr>
<tr><td rowspan="2">障害者雇用率</td><td><table><tr><th>雇用義務者</th><th>障害者雇用率</th></tr><tr><td>一般の民間事業主</td><td>100分の2.5</td></tr><tr><td>特殊法人</td><td>100分の2.8</td></tr></table></td><td><table><tr><th>採用義務者</th><th>障害者雇用率</th></tr><tr><td>国・地方公共団体</td><td>100分の2.8</td></tr><tr><td>都道府県に置かれる教育委員会等</td><td>100分の2.7</td></tr></table></td></tr>
<tr><td colspan="2">※障害者雇用率は、一般の民間事業主100分の2.7、特殊法人100分の3、国・地方公共団体100分の3、都道府県に置かれる教育委員会等100分の2.9であるが、令和8年6月30日までの間は、上記の率とすることとされている</td></tr>
<tr><td>対象障害者である労働者数の算定方法</td><td colspan="2">対象障害者である労働者の数の算定に当たっては、次のようにみなす
❶重度身体障害者又は重度知的障害者である労働者1人 ➡2人の対象障害者
❷重度身体障害者又は重度知的障害者である1週間の所定労働時間20時間以上30時間未満の短時間労働者1人 ➡1人の対象障害者
❸身体障害者又は知的障害者である1週間の所定労働時間20時間以上30時間未満の短時間労働者1人 ➡0.5人の対象障害者
❹精神障害者である1週間の所定労働時間20時間以上30時間未満の短時間労働者1人 ➡1人の対象障害者
❺重度身体障害者、重度知的障害者又は精神障害者である特定短時間労働者1人 ➡0.5人の対象障害者</td></tr>
</table>

対象障害者である労働者数の算定方法		
	短時間労働者	1週間の所定労働時間がその事業主の事業所に雇用する通常の労働者の1週間の所定労働時間に比し短く、かつ、**30時間未満**である常時雇用する労働者をいう
	特定短時間労働者	短時間労働者のうち、1週間の所定労働時間が**10時間以上20時間未満**の労働者をいう

週所定労働時間	30時間以上	20時間以上30時間未満	10時間以上20時間未満
身体障害者	1人	0.5人	−
重度	2人	1人	0.5人
知的障害者	1人	0.5人	−
重度	2人	1人	0.5人
精神障害者	1人	1人	0.5人

※国及び地方公共団体に勤務する短時間勤務職員（特定短時間勤務職員）についても同様である

障害者雇用推進者の選任		
	その雇用する労働者の数が以下に該当する事業主は、障害者雇用推進者を選任するように**努めなければならない** **一般の民間事業主**：常時40人以上 **特殊法人の事業主**：常時36人以上	国及び地方公共団体の任命権者は、障害者雇用推進者を**選任しなければならない**

報告等

(1) 障害者雇用状況の報告

一般事業主		国・地方公共団体	
雇用する労働者の数が下記に該当する事業主は、毎年、障害者の雇用状況を**報告**しなければならない		国及び地方公共団体の任命権者は、毎年1回、対象障害者である職員の任免に関する状況を**通報**しなければならない	
報告義務者	**一般の民間事業主**：常時40人以上 **特殊法人の事業主**：常時36人以上	**通報義務者**	**国及び地方公共団体の任命権者**
報告内容	**毎年、6月1日**現在における対象障害者である労働者の**雇用に関する状況**	**通報内容**	**毎年、6月1日**現在における当該機関の**対象障害者である職員の任免**に関する状況
期　限	その年の**7月15日**まで	**期　限**	—
報告先	**厚生労働大臣**（主たる事業所の所在地を管轄する**公共職業安定所の長**）	**通報先**	**厚生労働大臣**
		公　表	国及び地方公共団体の任命権者は、通報した内容を**公表**しなければならない
		厚生労働大臣又は公共職業安定所長は、障害者雇用促進法を施行するため**必要な限度**において、文書により、**国又は地方公共団体の任命権者**に対し、**障害者の雇用の状況**その他の事項について報告**を求める**ことができる	

(2) 障害者の解雇（免職）の届出

	一般事業主	国・地方公共団体
届出の義務	障害者である労働者を**解雇**する場合は、その旨を**届け出**なければならない	障害者である職員を**免職**する場合は、その旨を**届け出**なければならない
届出義務者	一般の民間事業主 又は特殊法人の事業主	国又は地方公共団体の任命権者
期限	速やかに	速やかに
届出先	その労働者の雇用に係る事業所の所在地を管轄する**公共職業安定所の長**	その職員の勤務に係る事業所の所在地を管轄する**公共職業安定所の長**
届出不要の場合	◆**労働者の責め**に帰すべき理由により解雇する場合 ◆**天災事変**その他やむを得ない理由のために**事業の継続が不可能**となったことにより解雇する場合	◆**職員の責め**に帰すべき理由により免職する場合 ◆厚生労働省令で定める場合（現在定めなし）

3 障害者雇用調整金・障害者雇用納付金

	障害者雇用調整金	障害者雇用納付金
内容	法定雇用率を**達成している**事業主であって、**常時101人以上**の労働者を雇用するものに支給	法定雇用率を**達成していない**事業主であって、**常時101人以上**の労働者を雇用するものから徴収
	※**常時100人以下**の労働者を雇用する事業主については、当分の間、障害者雇用調整金及び障害者雇用納付金に関する規定は適用しないこととされている	
支給・徴収する者	厚生労働大臣 （独立行政法人高齢・障害・求職者雇用支援機構）	
金額	法定雇用障害者数を超える数 1人につき **月額29,000円**（支給対象人数が**月平均10人を超える**ときは、その超える1人については**月額23,000円**）	法定雇用障害者数に不足する数 1人につき **月額50,000円**

総まとめ編

7 健康保険法

1 保険者

CH7 Sec1

		全国健康保険協会	健康保険組合
管掌		健康保険組合の**組合員でない**被保険者の保険（**日雇特例被保険者**の保険を含む）を管掌	**組合員である**被保険者の保険を管掌
組織等		**主たる事務所**：東京都に設置 **従たる事務所（支部）**：**各都道府県**に設置	**組織（組合員）**：以下の者をもって組織される（組合員となる） ◆適用事業所の**事業主** ◆適用事業所に使用される**被保険者** ◆**任意継続被保険者**（特定健保組合の場合は、さらに特例退職被保険者）
役員	理事長	◆**厚生労働大臣**が**1人**を任命 ◆協会を代表し、その業務を執行する	◆設立事業所の**事業主の選定**した**組合会議員**である**理事**のうちから、**理事**が**1人**を選挙 ◆組合を代表し、その業務を執行する
	理事	◆**6人以内**、**理事長**が任命 ◆理事長の定めるところにより、理事長を補佐して、協会の業務を執行できる	◆理事の定数（偶数）の**半数**は、設立事業所の**事業主の選定**した**組合会議員**において、**他の半数**は、**被保険者である組合員の互選**した**組合会議員**において、それぞれ互選 ◆理事長の定めるところにより、理事長を補佐して、組合の業務を執行できる
	監事	◆**厚生労働大臣**が**2人**を任命 ◆協会の業務の執行・財務状況を**監査**する	◆組合会において、設立事業所の**事業主の選定**した**組合会議員**及び**被保険者である組合員の互選**した**組合会議員**のうちから、**それぞれ1人**を選挙 ◆組合の業務の執行・財務状況を**監査**する
予算		協会は、**毎事業年度**、**事業計画及び予算**を作成し、当該**事業年度開始前**に、**厚生労働大臣の認可**を受けなければならない	組合は、**毎年度**、**収入支出の予算**を作成し、当該**年度の開始前**に、**厚生労働大臣に届け出**なければならない

	全国健康保険協会	健康保険組合
報告	協会は、**毎事業年度**、**財務諸表**を作成し、これに当該事業年度の事業報告書及び決算報告書を添え、監事及び会計監査人の意見を付けて、**決算完結後2月以内**に**厚生労働大臣に提出**し、その**承認**を受けなければならない	組合は、**毎年度終了後6月以内**に、**事業及び決算に関する報告書**を作成し、**厚生労働大臣に提出**しなければならない
	協会は、別に厚生労働大臣が定めるところにより、**毎月の事業状況**を**翌月末日**までに**厚生労働大臣に報告**しなければならない	組合は、別に厚生労働大臣が定めるところにより、**毎月の事業状況**を**翌月20日**までに**管轄地方厚生局長等**に**報告**しなければならない
準備金	協会は、**毎事業年度末**に、下記の額に達するまでは、当該事業年度の**剰余金**の額を**準備金として積み立て**なければならない **積立** **当該事業年度**及び**その直前の2事業年度内**において行った**保険給付に要した費用の額等**の**1事業年度当たりの平均額** × 1/12 ※「保険給付に要した費用の額等」には、前期高齢者納付金等、後期高齢者支援金等、日雇拠出金、介護納付金及び流行初期医療確保拠出金等の納付に要した費用の額を含み、出産育児交付金の額を除く	組合は、**毎事業年度末**に、下記の合算額に達するまでは、当該事業年度の**剰余金**の額を**準備金として積み立て**なければならない **積立** **当該事業年度**及び**その直前の2事業年度内**において行った**保険給付に要した費用の額**（出産育児交付金の額を除く）の**1事業年度当たりの平均額** × **3/12（当分の間　2/12）** ＋ これらの年度内に行った**前期高齢者納付金等**、**後期高齢者支援金等**、**日雇拠出金**、**介護納付金**及び**流行初期医療確保拠出金等**の納付に要した費用の額の**1事業年度当たりの平均額** × 1/12
重要な財産の処分	協会は、**重要な財産**を譲渡し、又は担保に供しようとするときは、**厚生労働大臣の認可**を受けなければならない	組合は、**重要な財産**を処分しようとするときは、**厚生労働大臣の認可**を受けなければならない

2 保険給付の種類

CH7 Sec5

保険事故	支給形態	被保険者の事故	被扶養者の事故
疾病又は負傷	現物給付又は償還払	療養の給付 入院時食事療養費 入院時生活療養費 保険外併用療養費 療養費	家族療養費
		訪問看護療養費	家族訪問看護療養費
		高額療養費・高額介護合算療養費	
	現金給付	移送費	家族移送費
		傷病手当金	
死亡		埋葬料（埋葬費）	家族埋葬料
出産		出産育児一時金	家族出産育児一時金
		出産手当金	

ワンポイントアドバイス

被扶養者の事故に関する保険給付のうちの「家族療養費」は、被保険者の事故に関する「療養の給付、入院時食事療養費、入院時生活療養費、保険外併用療養費及び療養費」に相当するものです。訪問看護療養費に相当する保険給付が家族療養費に含まれないことに注意しましょう。訪問看護療養費に相当する家族給付として、別途「家族訪問看護療養費」が設けられています。

3　疾病又は負傷に関する保険給付

CH7 Sec5･6

1 療養の給付

対象者
被保険者

支給要件
労災保険法に規定する**業務災害以外の疾病又は負傷**

給付内容
❶**診察**
❷**薬剤又は治療材料**の支給
❸**処置**、**手術**その他の治療
❹**居宅**における**療養上の管理**及びその療養に伴う**世話**その他の**看護**
❺**病院又は診療所**への**入院**及びその療養に伴う世話その他の看護

受給方法
保険医療機関等のうち自己の選定するものから、**電子資格確認等**により**被保険者であることの確認**を受け、療養の給付を受ける

一部負担金

	被保険者の区分	負担割合
❶	70歳未満	100分の30
❷	70歳以上（下記❸を除く）	100分の20
❸	70歳以上の一定以上所得者(注)	100分の30

（注）70歳以上の一定以上所得者とは

ⓐ 70歳以上の被保険者のうち、標準報酬月額が**28万円**以上の者
ⓑ ⓐの被保険者の70歳以上の被扶養者（家族療養費）

ただし、上記ⓐⓑに該当する場合であっても、当該被保険者及びその被扶養者等（70歳以上の者に限る）の年収の額が**520万円**（被扶養者等がいない者にあっては**383万円**）に満たない場合であって、その旨を申請した場合は上記❸には該当しない

2 入院時食事療養費

対象者	被保険者〔**特定長期入院被保険者**（療養病床に入院する65歳以上の被保険者）を除く〕
支給要件	保険医療機関等のうち自己の選定するものから、電子資格確認等により被保険者であることの確認を受け、**入院等たる療養の給付**と併せて受けた**食事療養**に要した費用について支給される
支給額	食事療養に要する平均的な費用の額を勘案して厚生労働大臣が定める基準により算定した費用の額から、次の**食事療養標準負担額**を控除した額
食事療養標準負担額（1食） 改正	下表参照

対象者		❶右記❷以外の者	❷小児慢性特定疾病児童等・指定難病の患者
低所得者以外		490円	280円
低所得者	市町村民税非課税者	230円 （180円）	230円 （180円）
	70歳以上で判定基準所得のない者	110円	110円

（　）内は、入院日数が**90日**を超える者

（注）1日についての食事療養標準負担額は、「**3食**に相当する額」が限度とされる（生活療養標準負担額の食費分についても同じ）

3 入院時生活療養費

対象者	**特定長期入院被保険者**
支給要件	保険医療機関等のうち自己の選定するものから、電子資格確認等により被保険者であることの確認を受け、入院等たる療養の給付と併せて受けた次の❶❷の療養（**生活療養**）に要した費用について支給される ❶**食事の提供**である療養 ❷**温度、照明及び給水**に関する適切な**療養環境の形成**である療養

支給額

生活療養に要する平均的な費用の額を勘案して厚生労働大臣が定める基準により算定した費用の額から、次の**生活療養標準負担額**を控除した額

生活療養標準負担額 改正

対象者			❶右記❷・❸以外の者	❷入院医療の必要性の高い者	❸指定難病の患者
居住費（1日）	一律		370円	370円	0円
食費（1食）	低所得者以外	保険医療機関（Ⅰ）	490円	490円	280円
		保険医療機関（Ⅱ）	450円	450円	
	低所得者	ⓐ市町村民税非課税者	230円	230円（180円）	230円（180円）
		ⓑ70歳以上で判定基準所得のない者	140円	110円	110円(*)

（　）内は、入院日数が**90日**を超える者

生活保護法の要保護者である者のうち、生活療養標準負担額が、仮に上表（＊）に該当するものとして減額されるならば〔つまり居住費０円（１日）＋食費110円（１食）とされるならば〕生活保護法の保護を要しなくなる者については、上表にかかわらず、生活療養標準負担額は「居住費**0円**（１日）＋食費**110円**（１食）」となる

◆保険医療機関（Ⅰ）…管理栄養士又は栄養士による管理が行われているなど生活療養について一定の基準に適合しているものとして地方厚生局長等に届け出ている保険医療機関

◆保険医療機関（Ⅱ）…上記（Ⅰ）に該当しないもの

◆入院医療の必要性の高い者…人工呼吸器等を必要とする患者など

4 保険外併用療養費

支給要件	被保険者が保険医療機関等のうち自己の選定するものから、電子資格確認等により被保険者であることの確認を受け、**評価療養**、**患者申出療養**又は**選定療養**を受けたときに、その療養に要した費用について支給される **評価療養**　厚生労働大臣が定める**高度の医療技術**を用いた療養等であって、療養の給付の対象とすべきものであるか否かについて、適正な医療の効率的な提供を図る観点から**評価**を行うことが必要な療養（患者申出療養を除く）として厚生労働大臣が定めるもの **患者申出療養**　**高度の医療技術**を用いた療養であって、当該療養を受けようとする者の**申出に基づき**、療養の給付の対象とすべきものであるか否かについて、適正な医療の効率的な提供を図る観点から**評価**を行うことが必要な療養として厚生労働大臣が定めるもの **選定療養**　**被保険者の選定**に係る特別の病室の提供その他の厚生労働大臣が定める療養 ※評価療養の例 ❶厚生労働大臣が定める**先進医療** ❷**医薬品の治験**に係る診療 ❸**医療機器の治験**に係る診療 ※選定療養の例 ❶特別の病室に入院した場合 ❷時間外**の診察**を希望した場合 ❸予約診察制をとっている病院で**予約診察**を受けた場合 ❹**病床数**200**以上**の病院で紹介なしに初診（緊急その他やむを得ない事情がある場合に受けたものを除く）を受けた場合 ❺前歯部の治療で金合金等の特別の材料を使用した場合 ❻180日を超えて入院し、その療養に伴う世話その他の看護を受けている場合（入院医療の必要性が高い場合を除く）
給付対象	評価療養部分、患者申出療養部分又は選定療養部分については、特別料金として被保険者が全額負担しなければならないが、診察・検査・投薬などの基礎部分については保険外併用療養費として保険給付の対象となる

5 療養費

支給要件	次のいずれかの場合に、**療養の給付**、**入院時食事療養費**、**入院時生活療養費**又は**保険外併用療養費**の支給（以下「療養の給付等」という）に代えて**療養費**を支給 ❶保険者が**療養の給付**等を行うことが**困難**であると認めるとき ❷被保険者が保険医療機関等以外の病院、診療所、薬局その他の者から診療、薬剤の支給又は手当を受けた場合において、保険者が**やむを得ない**ものと認めるとき
支給額	療養について算定した費用の額から、一部負担金相当額及び食事療養標準負担額又は生活療養標準負担額を控除した額を基準として、保険者が定めた額

ワンポイントアドバイス

療養費は、「やむを得ない場合」に、「療養の給付、入院時食事療養費、入院時生活療養費又は保険外併用療養費」の支給に代えて支給するものであり、ここには「訪問看護療養費」が含まれません。これは、訪問看護療養費が、居宅において受けた指定訪問看護に対して支払われるものであることから、やむを得ない場合が想定されないためです。

6 家族療養費

支給要件

被保険者の**被扶養者**が保険医療機関等のうち、自己の選定するものから療養を受けたときは、**被保険者**に対し、その療養に要した費用について、家族療養費が支給される

支給額

(1) **通院**の場合

通院（療養に食事療養又は生活療養は含まれない）の場合の家族療養費の額は、次の❶～❹の区分に応じ、療養に要した費用の額に❶～❹に掲げる割合を乗じて得た額

	被扶養者の区分	給付割合
❶	6歳の年度末まで	100分の80
❷	6歳の年度末過ぎ70歳未満	100分の70
❸	70歳以上（❹を除く）	100分の80
❹	70歳以上の一定以上所得者(注)	100分の70

支給額	（注）一定以上所得者とは…**1** 療養の給付の一部負担金参照 ⑵ **入院**の場合 入院（療養に食事療養又は生活療養が含まれる）の場合の家族療養費の額は、次の通りとなる ❶**食事療養**を受けた場合 「⑴の額」と「食事療養につき算定した費用の額から食事療養標準負担額を控除した額」を合算した額 ❷**生活療養**を受けた場合 「⑴の額」と「生活療養につき算定した費用の額から生活療養標準負担額を控除した額」を合算した額

7 訪問看護療養費及び家族訪問看護療養費

⑴ 訪問看護療養費

支給要件	◆被保険者が、**指定訪問看護事業者**から ◆**指定訪問看護**（注1）（注2）を受けたときに ◆保険者が必要と認める場合に限り、その指定訪問看護に要した費用について支給される （注1）疾病又は負傷により、居宅において**継続して療養**を受ける状態にある者（**主治の医師**がその治療の必要の程度につき所定の基準に適合していると認めたものに限る）に対し、その者の居宅において**看護師等**が行う**療養上の世話**又は必要な**診療の補助**（**保険医療機関等又は介護老人保健施設若しくは介護医療院**によるものを**除く**）を訪問看護といい、指定訪問看護事業者から受ける**訪問看護**を指定訪問看護という （注2）自己の選定する**指定訪問看護事業者**から、電子資格確認等により被保険者であることの確認を受け、**指定訪問看護**を受ける

支給額	指定訪問看護に要する平均的な費用の額を勘案して厚生労働大臣が定めるところにより算定した費用の額から、一部負担金に相当する額を控除した額
費用の支払	一部負担金に相当する額を**基本利用料**として、交通費、おむつ代等の実費及び営業時間外の時間における指定訪問看護の提供に関しての割増料金等を**その他の利用料**として指定訪問看護事業者に支払う

(2) 家族訪問看護療養費

支給要件	◆被保険者の**被扶養者**が、**指定訪問看護事業者**から ◆**指定訪問看護**を受けたときに ◆保険者が必要と認める場合に限り、その指定訪問看護に要した費用について ◆**被保険者**に支給される
支給額	指定訪問看護につき訪問看護療養費の厚生労働大臣の定めの例により算定した費用の額に、前記 6 家族療養費の給付割合を乗じて得た額
費用の支払	訪問看護療養費の場合と同様である

8 高額療養費

(1) 共通の支給要件

支給要件	以下の保険給付を受けた際に支払った自己負担額(注)が著しく**高額**であるときに支給 ❶療養の給付 ❷保険外併用療養費 ❸療養費 ❹訪問看護療養費 ❺家族療養費 ❻家族訪問看護療養費 （注）自己負担額には特別料金、**標準負担額**、その他の利用料等の保険外負担部分を含めない

⑵ 70歳以上の者に係る高額療養費（一定以上所得者）

支給要件	◆**一定以上所得者**である**70歳以上**の被保険者又はその**70歳以上**の被扶養者が療養（外来・入院）を受ける **同一の月**にそれぞれ**同一の医療機関**に支払った一部負担金等（外来分・入院分）の額を世帯合算した額が以下の**高額療養費算定基準額**を超えるときに、その超える額が支給される

高額療養費算定基準額（自己負担限度額）

	標準報酬月額	高額療養費算定基準額（自己負担限度額）
一定以上所得者	83万円以上	252,600円＋（医療費－842,000円）×1％ ◆多数回該当の場合…**140,100円**
	53万円以上 83万円未満	167,400円＋（医療費－558,000円）×1％ ◆多数回該当の場合…**93,000円**
	28万円以上 53万円未満	80,100円＋（医療費－267,000円）×1％ ◆多数回該当の場合…**44,400円**

ワンポイントアドバイス

70歳以上の一定以上所得者に係る高額療養費算定基準額は、70歳未満の者に係る高額療養費算定基準額（「⑷世帯全体合算に係る高額療養費」の高額療養費算定基準額❶～❸）と同じです。なお、世帯合算する一部負担金等は、21,000円以上のものに限りません。

(3) 70歳以上の者に係る高額療養費（一定以上所得者以外）

①外来療養

支給要件

◆**70歳以上**の被保険者又は**70歳以上**の被扶養者
◆**外来**の療養を受ける

同一の月に支払った一部負担金等の額を個人単位で合算した額が以下の**高額療養費算定基準額**を超えるときに、その超える額が支給される

高額療養費算定基準額（自己負担限度額）

区分	高額療養費算定基準額（自己負担限度額）
❶一般所得者（❷以外）	**18,000円**（年間上限**144,000円**）
❷市町村民税非課税者等	8,000円

②70歳以上世帯合算

支給要件

◆70歳以上の被保険者又は70歳以上の被扶養者が療養を受ける

同一の月に支払った下記ⓐⓑの合算額が次の**高額療養費算定基準額**を超えるときは、その超える額が支給される

ⓐ**外来分**…前記「①外来療養」を適用した後に、なお残る一部負担金等の額を世帯合算した額
ⓑ**入院分**…それぞれ**同一の医療機関**で支払った一部負担金等の額を世帯合算した額

高額療養費算定基準額（自己負担限度額）

区分	高額療養費算定基準額（自己負担限度額）
❶一般所得者（❷❸以外）	**57,600円** ◆多数回該当の場合…44,400円
❷市町村民税非課税者	24,600円
❸判定基準所得がない者	15,000円

(4) 世帯全体合算に係る高額療養費

支給要件

◆被保険者又は被扶養者が療養を受ける

同一の月に支払った下記❶❷の合算額が次の**高額療養費算定基準額**を超えるときは、その超える額が支給される

❶70歳以上の者…前記(2)、(3)を適用した後に、なお残る一部負担金等の額を世帯合算した額

❷70歳未満の者…それぞれ**同一の医療機関**で支払った一部負担金等の額（**21,000円以上**のものに限る）を世帯合算した額

高額療養費算定基準額（自己負担限度額）

区分	高額療養費算定基準額（自己負担限度額）
❶標準報酬月額 83万円以上	252,600円＋(医療費−842,000円)×1％ ◆多数回該当の場合…**140,100円**
❷標準報酬月額 53万円以上83万円未満	167,400円＋(医療費−558,000円)×1％ ◆多数回該当の場合…**93,000円**
❸標準報酬月額 28万円以上53万円未満	80,100円＋(医療費−267,000円)×1％ ◆多数回該当の場合…**44,400円**
❹標準報酬月額 28万円未満	57,600円 ◆多数回該当の場合…**44,400円**
❺市町村民税非課税者	35,400円 ◆多数回該当の場合…**24,600円**

(5) 長期高額疾病（特定疾病）患者に係る高額療養費

支給要件

◆**人工透析患者、血友病患者、HIV感染者**である被保険者又は被扶養者が療養を受ける

療養を受けた被保険者又はその被扶養者が同一の月にそれぞれ**一の医療機関**に支払った一部負担金等の額が1万円〔**70歳**未満の**人工透析患者**であって(4)**世帯全体合算に係る高額療養費－高額療養費算定基準額（自己負担限度額）**の表❶❷該当者の場合は**2万円**。以下同じ〕を超える場合は、一部負担金等の額から1万円を控除した額が支給される

9 高額介護合算療養費

支給要件

高額介護合算療養費は、前年の８月からその年の７月までの**１年間**（計算期間）における**健康保険**の自己負担額（高額療養費が支給される場合にあっては、その支給額を控除した額）と**介護保険**の自己負担額（高額介護サービス費、高額介護予防サービス費が支給される場合にあっては、その支給額を控除した額）とを合算した額[注1]が、次の**介護合算算定基準額**を超えたときに支給される

ただし、当該超えた額が**支給基準額**[注2]（**500円**）**以下**である場合には支給されない

◆70歳未満の場合

所得区分	介護合算算定基準額（年額）
❶標準報酬月額83万円以上	**2,120,000円**
❷標準報酬月額53万円以上83万円未満	**1,410,000円**
❸標準報酬月額28万円以上53万円未満	**670,000円**
❹標準報酬月額28万円未満	600,000円
❺低所得者（市町村民税非課税者）	340,000円

◆70歳以上の場合

所得区分		介護合算算定基準額（年額）
❶一定以上所得者	標準報酬月額83万円以上	**2,120,000円**
	標準報酬月額53万円以上83万円未満	**1,410,000円**
	標準報酬月額28万円以上53万円未満	**670,000円**
❷一般所得者（❶❸❹以外）		**560,000円**
❸市町村民税非課税者		**310,000円**
❹判定基準所得がない者		**190,000円**

（注１）合算した額…計算期間の途中で医療保険や介護保険の保険者が変更になった場合も合算される

（注２）高額介護合算療養費の支給の事務の執行に要する費用を勘案して厚生労働大臣が定める額

支給額	高額介護合算療養費の額は、上記額の**超過額（年額）**を健康保険と介護保険の自己負担額の比率で按分した額 高額介護合算療養費の額 ＝ 超過額（年額） × 健康保険の自己負担額 ／（健康保険の自己負担額 ＋ 介護保険の自己負担額）

ワンポイントアドバイス

70歳以上の一定以上所得者に係る介護合算算定基準額は、70歳未満の者に係る介護合算算定基準額❶～❸と同じです。

10 移送費

	移送費	家族移送費
支給要件	被保険者が**療養の給付（保険外併用療養費**に係る療養を含む）を受けるため、**病院又は診療所に移送**されたときであって、**保険者が必要**であると認める場合	被保険者の被扶養者が家族療養費に係る療養を受けるため、病院又は診療所に移送されたときであって、保険者が必要であると認める場合
支給額	**最も経済的な通常の経路及び方法**により移送された場合の費用により算定した金額 ※現に移送に要した費用の金額を超えることはできない	

11 傷病手当金

対象者	被保険者（**任意継続被保険者を除く**）
支給要件	◆**療養中**であること ◆**労務に服することができない**こと ◆**継続した3日間**の待期を満たしたこと
支給額	(1) **1日**につき、**支給開始日の属する月以前**の直近の**継続した12月間**の**各月の標準報酬月額**（被保険者が現に属する保険者等により定められたものに限る）**を平均した額の30分の1**に相当する額（10円未満四捨五入）の**3分の2**に相当する金額（1円未満四捨五入）

<table>
<tr><td>支給額</td><td>(2)支給開始日の属する月以前の直近の継続した期間において標準報酬月額が定められている月が12月未満の場合は、次の❶❷に掲げる額のうちいずれか少ない額の3分の2に相当する金額（1円未満四捨五入）
❶支給開始日の属する月以前の直近の継続した各月の標準報酬月額を平均した額の30分の1に相当する額（10円未満四捨五入）
❷支給開始日の属する年度の前年度の9月30日における全被保険者の同月の標準報酬月額を平均した額を標準報酬月額の基礎となる報酬月額とみなしたときの標準報酬月額の30分の1に相当する額（10円未満四捨五入）</td></tr>
<tr><td>調　整</td><td>❶報酬との調整
報酬の全部又は一部を受けることができる者に対しては、これを受けることができる期間、傷病手当金は支給しない
※受けることができる報酬の額が、傷病手当金の額より少ないとき（❷❸又は❹に該当するときを除く）は、その差額を支給する

❷出産手当金との調整
出産手当金を支給する場合（❸又は❹に該当するときを除く）においては、その期間、傷病手当金は、支給しない
ただし、その受けることができる出産手当金の額（報酬との差額が出産手当金として支給される場合には、報酬の額と当該出産手当金の額との合算額）が、傷病手当金の額より少ないときは、その差額を支給する

❸障害厚生年金等との調整
同一の疾病又は負傷及びこれにより発した疾病につき障害厚生年金の支給を受けることができるときは、傷病手当金は、支給しない
※その受けることができる障害厚生年金の額（当該障害厚生年金と同一の支給事由に基づき障害基礎年金の支給を受けることができるときは、当該障害厚生年金の額と当該障害基礎年金の額との合算額）を360で除して得た額が、傷病手当金の額より少ないときは、次表に定める額を支給する</td></tr>
</table>

調整の対象	調整後の傷病手当金の額
ⓐ障害年金のみ	障害年金の額と傷病手当金の差額
ⓑ出産手当金及び障害年金	「出産手当金の額(注)と障害年金の額のいずれか多い額」と傷病手当金の差額 （注）当該額が傷病手当金の額を超える場合にあっては、当該額
ⓒ報酬及び障害年金	「報酬の額(注)と障害年金の額のいずれか多い額」と傷病手当金の差額 （注）当該額が傷病手当金の額を超える場合にあっては、当該額
ⓓ報酬、出産手当金及び障害年金	「報酬の額及び報酬との差額分が支給される出産手当金の額の合算額(注)と障害年金の額のいずれか多い額」と傷病手当金の差額 （注）当該合算額が傷病手当金の額を超える場合にあっては、当該額

調　整

❹障害手当金との調整

傷病手当金の受給期間中に、同一の疾病又は負傷及びこれにより発した疾病につき**障害手当金**の支給を受けることができるときは、仮に受けるとした場合の傷病手当金の合計額が障害手当金の額に達するまでの間、傷病手当金は支給しない

※その合計額が当該障害手当金の額に達するに至った日において当該合計額が当該障害手当金の額を超える場合において、報酬の全部若しくは一部又は出産手当金の支給を受けることができるときその他の政令で定めるときは、当該合計額と当該障害手当金の額との差額その他の政令で定める差額については、支給する

❺老齢退職年金給付との調整

被保険者の資格を喪失した後に**傷病手当金の継続給付**を受けるべき者（傷病手当金を受けることができる日雇特例被保険者等である者を除く）が**老齢退職年金給付**の支給を受けることができるときは、傷病手当金は支給しない

※その受けることができる老齢退職年金給付の額を360で除して得た額が、傷病手当金の額より少ないときは、その差額を支給する

支給期間　**支給を始めた日**から**通算して１年６月間**とする

4 死亡及び出産に関する保険給付

CH7 Sec6

1 埋葬料等

	埋葬料	埋葬費	家族埋葬料
支給要件	**被保険者が死亡**したときに、その者により生**計を維持していた者**であって、**埋葬を行うもの**に対し支給	埋葬料の支給を受けるべき者がいない場合においては、**埋葬を行った者**に対し支給	被保険者の**被扶養者が死亡**したときに、**被保険者に対し**支給
支給額	5万円	**埋葬料（5万円）の範囲内**で**埋葬に要した費用**相当額	5万円

2 出産育児一時金及び家族出産育児一時金

	出産育児一時金	家族出産育児一時金
支給要件	被保険者が出産	被保険者の被扶養者が出産
支給額	48.8万円（次のいずれにも該当するときは**50万円**） ❶産科医療補償制度に加入する医療機関等による医学的管理下における出産である ❷在胎週数が22週以降の出産（死産を含む）である	

3 出産手当金

対象者	被保険者（**任意継続被保険者を除く**）
支給期間	**出産の日**（出産の日が出産の予定日後であるときは、出産の予定日）**以前42日**（**多胎妊娠**の場合においては、98日）から**出産の日後56日**までの間において**労務に服さなかった**期間支給される
支給額	1日につき、**傷病手当金と同額**を支給
調　整	報酬の全部又は一部を受けることができる者に対しては、これを受けることができる期間は、支給しない（傷病手当金と同じく差額支給あり）

5 資格喪失後の給付

CH7 Sec6

1 資格喪失後の手当金の継続給付

	傷病手当金	出産手当金
支給要件	◆被保険者の**資格を喪失した日の前日**まで**引き続き1年以上被保険者**（任意継続被保険者又は共済組合の組合員である被保険者を除く）**であった**こと ◆**資格を喪失した際**に**傷病手当金又は出産手当金を受けている**ものであること ※資格喪失時に、傷病手当金又は出産手当金の支給要件を満たしていたものの報酬等との調整のために支給が停止されていた場合は、資格喪失後の継続給付が行われる	
支給期間	法定の支給期間が終了するまで（3 11の支給期間、4 3の支給期間参照）	

2 資格喪失後の埋葬料（埋葬費）の支給

支給要件	◆資格喪失後の傷病手当金又は出産手当金の**継続給付を受ける者**が**死亡**したとき ◆資格喪失後の傷病手当金又は出産手当金の**継続給付を受けていた者**がその給付を**受けなくなった日後3月以内**に死亡したとき ◆その他の被保険者であった者が**被保険者の資格を喪失した日後3月以内**に死亡したとき
支　給	被保険者であった者により生計を維持していた者であって、埋葬を行うものは、被保険者の**最後の保険者**から**埋葬料**の支給を受けることができる ※**埋葬料**の支給を受けるべき者がいない場合は、埋葬を行った者が**埋葬費**の支給を受けることができる

3 資格喪失後の出産育児一時金

支給要件	◆被保険者の**資格を喪失した日の前日**まで**引き続き1年以上**被保険者（任意継続被保険者又は共済組合の組合員である被保険者を除く）であったこと ◆被保険者の**資格を喪失した日後6月以内**に**出産**したこと
支給額	4 2 出産育児一時金と同額を支給

6 日雇特例被保険者の保険給付

CH7 Sec8

1 療養の給付

保険料納付要件	初めて療養の給付を受ける日の属する月前の保険料納付状況が以下のいずれかに該当すること ❶前２月間に通算して26日分以上納付 ❷前６月間に通算して78日分以上納付
受給方法	**受給資格者票**を保険医療機関等のうち自己の選定するものに提出
支給期間	■原則■　**1年** ■結核性疾病■　**5年**

2 傷病手当金

保険料納付要件	1 **療養の給付**と同様
支給要件	◆**労務不能となった際**にその原因となった傷病について**療養の給付等**を受けていたこと ◆療養のため**労務に服することができない**こと ◆**継続した３日間の待期**を満たしたこと
支給額	日雇特例被保険者に支給される傷病手当金の額は、次の❶❷の区分に応じ、１日につき、当該区分に定める金額（いずれにも該当するときは、高い方の金額）

	保険料納付	支給額
❶	**前２月間**に通算して**26日分**以上	当該期間において保険料が納付された日に係るその者の**標準賃金日額**の**各月ごとの合算額**のうち**最大**のものの**45分の１**に相当する金額
❷	**前６月間**に通算して**78日分**以上	当該期間において保険料が納付された日に係るその者の標準賃金日額の各月ごとの合算額のうち最大のものの**45分の１**に相当する金額

支給期間	■原則■　支給を始めた日から起算して**6月** ■結核性疾病■　〃　**1年6月**

3 傷病に関するその他の給付

保険料納付要件	1 **療養の給付**と同様
保険給付	❶入院時食事療養費 ❷入院時生活療養費 ❸保険外併用療養費 ❹療養費 ❺家族療養費 ❻訪問看護療養費 ❼家族訪問看護療養費 ❽高額療養費・高額介護合算療養費 ❾移送費 ❿家族移送費
支給期間	■**原則**■ **1年** ■**結核性疾病**■ **5年**

4 死亡に関する給付

	埋葬料	埋葬費	家族埋葬料
支給要件	日雇特例被保険者が死亡した場合において次のいずれかに該当するときに、その者により**生計を維持**していた者であって**埋葬を行うもの**に支給 ❶死亡月前2**月間**に通算**26日分**以上保険料納付 ❷死亡月前6**月間**に通算**78日分**以上保険料納付 ❸**死亡の際**に**療養の給付等**を受けていたとき ❹死亡が療養の給付等を**受けなくなった日後3月以内**であったとき	埋葬料の支給を受けるべき者がない場合に、**埋葬を行った者**に対し支給	日雇特例被保険者の被扶養者が死亡した場合であって、日雇特例被保険者が次のいずれかに該当するときに、**日雇特例被保険者**に対し支給 ❶死亡月前2**月間**に通算**26日分**以上保険料納付 ❷死亡月前6**月間**に通算**78日分**以上保険料納付
支給額	5万円	埋葬料（5万円）の範囲内で埋葬に要した費用相当額	5万円

5 出産育児一時金及び家族出産育児一時金

	出産育児一時金	家族出産育児一時金
支給要件	日雇特例被保険者が出産	日雇特例被保険者の被扶養者が出産
保険料納付要件	出産月前**4月間**に通算26日分以上納付	出産月前**2月間**に通算**26日分**以上又は前**6月間**に通算**78日分**以上納付
支給額	4 2 の額と同額を日雇特例被保険者に支給	

6 出産手当金

対象者	出産育児一時金の支給を受けることができる日雇特例被保険者
支　給	**出産の日**（出産の日が出産の予定日後であるときは、出産の予定日）**以前42日**（多胎妊娠の場合においては、98日）から**出産の日後56日**までの間において**労務に服さなかった期間**支給される
支給額	1日につき、出産月の**前4月間**の保険料が納付された日に係る日雇特例被保険者の標準賃金日額の**各月**ごとの**合算額**のうち**最大**のものの**45分の1**に相当する金額

7 特別療養費

対象者	次のいずれかに該当する日雇特例被保険者又はその被扶養者 ❶初めて日雇特例被保険者手帳の交付を受けた者 ❷保険料納付要件を満たした月において日雇特例被保険者手帳に健康保険印紙をはり付けるべき余白がなくなった者 ❸保険料納付要件を満たした月の翌月中に日雇特例被保険者手帳を返納した後、初めて日雇特例被保険者手帳の交付を受けた者 ❹前に交付を受けた日雇特例被保険者手帳に健康保険印紙をはり付けるべき余白がなくなった日又は日雇特例被保険者手帳を返納した日から起算して１年以上を経過した後に日雇特例被保険者手帳の交付を受けた者
受給方法	**特別療養費受給票**を、保険医療機関等又は指定訪問看護事業者のうち自己の選定するものに提出
支給期間	**特別療養費**の支給に係る日雇特例被保険者手帳の交付を受けた日の属する月の初日から起算して**3月**（月の初日に日雇特例被保険者手帳の交付を受けた者については、**2月**）を経過するまでの間

総まとめ編

8 国民年金法及び厚生年金保険法

1 老齢給付Ⅰ　－受給資格要件①－

CH8 Sec4/CH9 Sec4·5

老齢基礎年金

受給資格要件

❶**65歳以上**であること
❷**保険料**納付済**期間**、**保険料**免除**期間**及び**合算対象期間**を合算した期間が**10年以上**あること

保険料納付済期間 ＋ 保険料免除期間 ＋ 合算対象期間 ≧ 10年

老齢厚生年金

受給資格要件		
	本来の老齢厚生年金	❶**65歳以上**であること ❷厚生年金保険の被保険者期間を**1月以上**有すること ❸保険料納付済期間、保険料免除期間及び合算対象期間を合算した期間が**10年以上**あること（**老齢基礎年金**の**受給資格期間**を満たしていること）
	特別支給の老齢厚生年金	❶**60歳以上**であること ❷厚生年金保険の被保険者期間を**1年以上**有すること ❸老齢基礎年金の受給資格期間を満たしていること

2　老齢給付Ⅱ　－受給資格要件②－

CH8 Sec4

1 保険料納付済期間

厚生年金保険制度等に加入していた期間	❶ **第2号被保険者**であった期間のうち、**20歳以上60歳未満**の期間 ❷ **昭和36年4月1日**から**昭和61年3月31日**までの厚生年金保険の被保険者又は共済組合の組合員等であった期間のうち、**20歳以上60歳未満**の期間
厚生年金保険制度等に加入していなかった期間	❶ **第1号被保険者**（任意加入被保険者を含む）であった期間のうち、保険料の全額を**納付**した期間 ❷ **第1号被保険者**（任意加入被保険者を含まない）の**産前産後期間**の**保険料免除**により**免除**を受けた期間 ❸ **第3号被保険者**であった期間 ❹ **昭和36年4月1日**から**昭和61年3月31日**までの国民年金の被保険者（任意加入被保険者を含む）であった期間のうち、保険料の全額を**納付**した期間

2 保険料免除期間

保険料全額免除期間	❶ **第1号被保険者**であった期間のうち、**法定免除**、**全額免除**、**学生納付特例**又は**納付猶予**により、保険料の**全額**につき**免除**を受けた期間 ❷ **昭和36年4月1日**から**昭和61年3月31日**までの国民年金の被保険者であった期間のうち、保険料の**全額**につき**免除**を受けた期間
保険料一部免除期間	第1号**被保険者**であった期間のうち、**保険料の4分の3免除**、**半額免除**又は**4分の1免除**を受け、免除された額**以外の額**につき保険料を**納付**した期間

3 合算対象期間

厚生年金保険制度等に加入していた期間

◆**昭和61年4月1日以後の期間**

昭和61年4月1日以後の第2号**被保険者**であった期間のうち、20**歳未満及び**60**歳以上**の期間

◆**昭和36年4月1日から昭和61年3月31日までの期間**

昭和36年4月1日から**昭和61年3月31日**までの厚生年金保険制度等の加入期間のうち、次の期間

❶ 厚生年金保険の被保険者又は共済組合の組合員等であった期間のうち、20**歳未満**及び60**歳以上**の期間

❷ **昭和61年3月31日**までに厚生年金保険又は船員保険の脱退手当金を受けた者の、当該脱退手当金の**計算の基礎**となった期間（**昭和**61**年4月1日以後**65**歳に達する日の前日**までに保険料納付済期間**又は**保険料免除期間を有するに至った場合に限る）

❸ 共済組合の組合員等であった期間のうち、共済組合が支給する**退職年金又は減額退職年金**の額の計算の基礎となった期間〔**昭和6年4月2日以後**に生まれた者（昭和61年3月31日に55歳未満の者）に限る〕

❹ 共済組合が支給した**退職一時金**で政令で定めるものの計算の基礎となった期間

◆**昭和36年3月31日までの期間**

❶ 通算対象期間のうち、**昭和36年3月31日**までの第1号厚生年金被保険者期間（昭和36年4月1日以後の被保険者期間と合わせて**1年以上**の場合に限る）

❷ **昭和36年4月1日**から**昭和61年3月31日**までの間に通算対象期間を有しない者が、**昭和61年4月1日以後**に保険料納付済期間又は保険料免除期間を有するに至った場合における、**昭和36年3月31日**までの第1号厚生年金被保険者期間（昭和61年4月1日以後の期間と合わせて**1年以上**の場合に限る）

❸ 通算対象期間のうち、**昭和36年3月31日**までの共済組合の組合員等であった期間（昭和36年4月1日まで引き続く期間であり、かつ、組合員等の資格喪失日まで引き続く組合員等の期間が**1年以上**である場合に限る）

厚生年金保険制度等に加入していなかった期間①

◆**昭和36年４月１日以後の期間**

昭和36年４月１日以後の厚生年金保険制度等に加入していなかった期間のうち、次の**20歳以上60歳未満**の期間

❶ 厚生年金保険法等に基づく**老齢給付等の受給権者**であったために国民年金の適用を除外されていた者が、国民年金に任意加入しなかった期間

❷ 日本国内**に**住所**を有さず**、かつ、日本国籍を有していた者が**任意加入することができなかった昭和36年４月１日**から**昭和61年３月31日**までの期間

❸ 日本国内**に**住所**を有さず**、かつ、日本国籍を有していた者が**任意加入しなかった昭和61年４月１日**以後の期間

◆**昭和36年４月１日から昭和61年３月31日までの期間**

昭和36年４月１日から**昭和61年３月31日**までの厚生年金保険制度等に加入していなかった期間のうち、次の**20歳以上60歳未満**の期間

❶ 厚生年金保険の被保険者等の配偶者であったために国民年金の適用を除外されていた者が、国民年金に任意加入しなかった期間

❷ 厚生年金保険法等に基づく**老齢給付等の受給権者の配偶者**であったために国民年金の適用を除外されていた者が、国民年金に任意加入しなかった期間

❸ 厚生年金保険法等に基づく**障害給付の受給権者及びその配偶者**又は**遺族給付の受給権者**であったために国民年金の適用を除外されていた者が、国民年金に任意加入しなかった期間

❹ **国会議員**であったために国民年金の適用を除外されていた**昭和36年４月１日**から**昭和55年３月31日**までの期間、及び国会議員であったために国民年金の適用を除外されていた者が国民年金に任意加入しなかった**昭和55年４月１日**から**昭和61年３月31日**までの期間（国会議員は、昭和55年３月31日までは任意加入することができなかった）

❺ **国会議員の配偶者**であったために国民年金の適用を除外されていた者が、国民年金に任意加入しなかった期間

❻ **地方議会議員又はその配偶者**であったために国民年金の適用を除外されていた者が、国民年金に任意加入しなかった**昭和37年12月１日**から**昭和61年３月31日**までの期間（地方議会議員又はその配偶者については、昭和37年11月30日までは国民年金の強制適用であった）

❼ 旧国民年金法の規定により、都道府県知事の承認に基づき**任意脱退**した期間（機能強化法による改正前の規定により厚生労働大臣の承認に基づき任意脱退した昭和61年４月以降の期間も同様）

厚生年金保険制度等に加入していなかった期間②

◆昭和36年４月１日から平成３年３月31日までの期間

昭和36年４月１日から**平成３年３月31日**までの厚生年金保険制度等に加入していなかった期間のうち、**昼間学生**であったために国民年金の適用を除外されていた者が国民年金に任意加入しなかった**20歳以上60歳未満**の期間

◆外国人であった期間

昭和36年５月１日以後、**20歳以上65歳未満**の間に日本国籍を取得した者（永住許可を受けた者を含む）についての次の期間（**20歳以上60歳未満**の期間に限り、厚生年金保険制度等に加入していた期間を除く）

❶ **日本国内に住所を有していた**期間のうち、国民年金の被保険者とならなかった**昭和36年４月１日**から**昭和56年12月31日**までの期間

❷ **日本国内に住所を有していなかった**期間のうち、**昭和36年４月１日**から**日本国籍を取得した日等の前日**までの期間

◆任意加入未納期間

任意加入被保険者期間のうちの保険料未納期間（**任意加入未納期間**）である次の期間

❶ 昭和36年４月１日から昭和61年３月31日までの任意加入未納期間

❷ 昭和61年４月１日から平成３年３月31日までの任意加入未納期間（学生であった期間に限る）

❸ 昭和61年４月１日から平成26年３月31日までの任意加入未納期間（昭和61年４月１日から平成３年３月31日までの任意加入未納期間のうち、学生であった期間を除く）

❹ 平成26年４月１日以後における任意加入未納期間

3　老齢給付Ⅲ　－支給開始年齢－

CH8 Sec4/CH9 Sec4･5

1 本来の支給開始年齢

老齢基礎年金 本来の老齢厚生年金	原則として、**65歳**から支給される

2 特別支給の老齢厚生年金の支給開始年齢①（一般男子・一般女子）

※1　以下において、「**1号女子**」とは、第1号厚生年金被保険者であり、又は第1号厚生年金被保険者期間を有する者である女子をいうものとします。

※2　以下において、「**2号～4号女子**」とは、第2号厚生年金被保険者であり、若しくは第2号厚生年金被保険者期間を有する者、第3号厚生年金被保険者であり、若しくは第3号厚生年金被保険者期間を有する者、又は第4号厚生年金被保険者であり、若しくは第4号厚生年金被保険者期間を有する者である女子をいうものとします。

①60歳から定額部分が加算された特別支給の老齢厚生年金が支給される者

男子 / 2号～4号女子	1号女子
S16.4.1**以前**に生まれた者	S21.4.1**以前**に生まれた者

②60歳から報酬比例部分のみの特別支給の老齢厚生年金が支給され、61歳より64歳の途中から定額部分が加算された特別支給の老齢厚生年金が支給される者

男子 / 2号〜4号女子

60歳から報酬比例部分が支給され、生年月日に応じて下表の年齢から**定額部分が加算**される

生年月日	支給開始年齢
S16.4.2 〜 S 18.4.1	61歳
S 18.4.2 〜 S 20.4.1	62歳
S 20.4.2 〜 S 22.4.1	63歳
S 22.4.2 〜 **S 24**.4.1	64歳

1号女子

60歳から報酬比例部分が支給され、生年月日に応じて下表の年齢から**定額部分が加算**される

生年月日	支給開始年齢
S21.4.2 〜 S 23.4.1	61歳
S 23.4.2 〜 S 25.4.1	62歳
S 25.4.2 〜 S 27.4.1	63歳
S 27.4.2 〜 **S 29**.4.1	64歳

③60歳から65歳に達するまで報酬比例部分のみの特別支給の老齢厚生年金が支給される者

男子 / 2号〜4号女子	1号女子
S 24.4.2 から **S 28.4.1** までの間に生まれた者	**S 29.4.2** から **S 33.4.1** までの間に生まれた者

④61歳より64歳の途中から報酬比例部分のみの特別支給の老齢厚生年金が支給される者

男子 / 2号〜4号女子

生年月日に応じて下表の年齢から**報酬比例部分のみ**の年金が支給される

生年月日	支給開始年齢
S28.4.2 〜 S 30.4.1	61歳
S 30.4.2 〜 S 32.4.1	62歳
S 32.4.2 〜 S 34.4.1	63歳
S 34.4.2 〜 **S 36**.4.1	64歳

1号女子

生年月日に応じて下表の年齢から**報酬比例部分のみ**の年金が支給される

生年月日	支給開始年齢
S33.4.2 〜 S 35.4.1	61歳
S 35.4.2 〜 S 37.4.1	62歳
S 37.4.2 〜 S 39.4.1	63歳
S 39.4.2 〜 **S 41**.4.1	64歳

⑤特別支給の老齢厚生年金が支給されない者

男子 / 2号〜4号女子	1号女子
S 36. 4. 2以後に生まれた者	**S 41. 4. 2以後**に生まれた者

3 特別支給の老齢厚生年金の支給開始年齢②（障害者の特例）

（注） 以下では、被用者年金一元化法による改正前からの厚生年金保険の被保険者であった期間（現行の第1号厚生年金被保険者期間）のみを有する者を前提に記載しています

障害者の特例

要　件	特別支給の老齢厚生年金の受給権者であって、以下の要件を満たすものは、老齢厚生年金の額の計算に係る特例の適用を**請求**することができる ❶S16.4.2からS36.4.1まで（**女子**は、S21.4.2からS41.4.1まで）の間に生まれた者であること ❷厚生年金保険の**被保険者でない**こと ❸傷病により**障害等級**（**1～3級**）に該当する程度の障害の状態にあること ❹**初診日から起算して1年6月**（その期間内に治ゆしたときは、その治ゆした日）を経過していること	
請求みなし	次の❶～❸のいずれかに該当するときは、障害者の特例の請求をすることができ、それぞれの日に**請求があった**ものと**みなされる**	
	❶**老齢厚生年金の受給権者となった日**において、被保険者でなく、かつ、障害状態にあるとき（障害厚生年金等を受けることができるときに限る）	老齢厚生年金の受給権者となった日
	❷**障害厚生年金等を受けることができることとなった日**において、老齢厚生年金の受給権者であって、かつ、被保険者でないとき	障害厚生年金等を受けることができることとなった日
	❸**被保険者の資格を喪失した日**（引き続き被保険者であった場合には、引き続く被保険者の資格を喪失した日）において、老齢厚生年金の受給権者であって、かつ、障害状態にあるとき（障害厚生年金等を受けることができるときに限る）	被保険者の資格を喪失した日

支給開始年齢

男子

生年月日に応じて下表の年齢から報酬比例部分と定額部分とを合わせた額の特別支給の老齢厚生年金が支給される

生年月日	支給開始年齢	
	定額	報酬
S 16.4.2 ～ S 28.4.1	60歳	
S 28.4.2 ～ S 30.4.1	61歳	
S 30.4.2 ～ S 32.4.1	62歳	
S 32.4.2 ～ S 34.4.1	63歳	
S 34.4.2 ～ S 36.4.1	64歳	
S 36.4.2以後	支給なし	

女子

生年月日に応じて下表の年齢から報酬比例部分と定額部分とを合わせた額の特別支給の老齢厚生年金が支給される

生年月日	支給開始年齢	
	定額	報酬
S 21.4.2 ～ S 33.4.1	60歳	
S 33.4.2 ～ S 35.4.1	61歳	
S 35.4.2 ～ S 37.4.1	62歳	
S 37.4.2 ～ S 39.4.1	63歳	
S 39.4.2 ～ S 41.4.1	64歳	
S 41.4.2以後	支給なし	

4 特別支給の老齢厚生年金の支給開始年齢③（長期加入者、坑内員・船員の特例）

（注） 以下では、被用者年金一元化法による改正前からの厚生年金保険の被保険者であった期間（現行の第1号厚生年金被保険者期間）のみを有する者を前提に記載しています

長期加入者の特例

要件

特別支給の老齢厚生年金の受給権者であって、以下の要件を満たすものであること

❶ **S16.4.2**から**S36.4.1**まで（**女子は、S21.4.2**から**S41.4.1**まで）の間に生まれた者であること
❷厚生年金保険の**被保険者でない**こと
❸厚生年金保険の被保険者期間が**44年以上**あること

支給開始年齢

男子

生年月日に応じて下表の年齢から報酬比例部分と定額部分とを合わせた額の特別支給の老齢厚生年金が支給される

生年月日	支給開始年齢（定額・報酬）
S16.4.2～S28.4.1	60歳
S28.4.2～S30.4.1	61歳
S30.4.2～S32.4.1	62歳
S32.4.2～S34.4.1	63歳
S34.4.2～S36.4.1	64歳
S36.4.2以後	支給なし

女子

生年月日に応じて下表の年齢から報酬比例部分と定額部分とを合わせた額の特別支給の老齢厚生年金が支給される

生年月日	支給開始年齢（定額・報酬）
S21.4.2～S33.4.1	60歳
S33.4.2～S35.4.1	61歳
S35.4.2～S37.4.1	62歳
S37.4.2～S39.4.1	63歳
S39.4.2～S41.4.1	64歳
S41.4.2以後	支給なし

坑内員・船員の特例

要件

特別支給の老齢厚生年金の受給権者であって、以下の要件を満たすものであること

❶**S41.4.1以前**に生まれた者であること
❷坑内員**たる被保険者であった期間**と船員**たる被保険者であった期間**とを合算した期間（4/3倍、6/5倍しない実期間）が**15年以上**あること

支給開始年齢

生年月日に応じて下表の年齢から報酬比例部分と定額部分とを合わせた額の特別支給の老齢厚生年金が支給される

生年月日	支給開始年齢	
	定額	報酬
S21.4.1以前	55歳	
S21.4.2～S23.4.1	56歳	
S23.4.2～S25.4.1	57歳	
S25.4.2～S27.4.1	58歳	
S27.4.2～S29.4.1	59歳	
S29.4.2～S33.4.1	60歳	
S33.4.2～S35.4.1	61歳	
S35.4.2～S37.4.1	62歳	
S37.4.2～S39.4.1	63歳	
S39.4.2～S41.4.1	64歳	
S41.4.2以後	支給なし	

坑内員・船員の特例では、障害者の特例及び長期加入者の特例の場合と異なり、「被保険者でないこと」は要件とされていないことに注意しましょう。

ワンポイントアドバイス

障害者の特例における支給開始年齢と長期加入者の特例における支給開始年齢は、同じです。

4 老齢給付Ⅳ　－支給の繰上げ－

CH8 Sec4/CH9 Sec4・5

老齢基礎年金の支給繰上げ

要　件	次の要件を満たす者は、**厚生労働大臣**に**老齢基礎年金**の**支給繰上げの**請求をすることができる ❶老齢基礎年金の**受給資格期間**を満たす者であること ❷60歳**以上**65歳**未満**であること ❸65歳**に達する前**に請求すること ❹任意加入**被保険者**でないこと **請求**　老齢厚生年金**の支給繰上げの請求をすることができる者**にあっては、その支給繰上げの請求と同時に行わなければならない
支給開始時期	支給繰上げの請求をした日の属する月の**翌月**～
年金額の減額	「年金額✕減額率」が減額される **減額率＝** **（「繰上げ請求月～65歳到達月の前月」の月数）✕**0.004※ ※　**昭和**37**年4月1日以前**生まれの者は、0.005

ワンポイントアドバイス

老齢基礎年金及び老齢厚生年金の支給繰上げにおける減額率を計算する際に用いる乗率は「0.004（0.005）」、老齢基礎年金及び老齢厚生年金の支給繰下げにおける増額率を計算する際に用いる乗率は「0.007」です。両者を混同しないようにしましょう。

老齢厚生年金の支給繰上げ（原則）

要件	次の⑴～⑹の要件を満たす者は、**実施機関**に**老齢厚生年金**の**支給繰上げの請求**をすることができる ⑴ 以下の者であること ❶男子又は２号～４号女子であって**S36.4.2以後**に生まれた者 ❷１号女子であって**S41.4.2以後**に生まれた者 ❸**坑内員**たる被保険者であった期間と**船員**たる被保険者であった期間とを合算した期間（４/３倍、６/５倍しない実期間）が**15年以上**ある者であって、**S41.4.2以後**に生まれたもの ❹**特定警察職員等**である者で**S42.4.2以後**に生まれたもの ⑵ 厚生年金保険の**被保険者期間**を有すること ⑶ 老齢基礎年金の**受給資格期間**を満たす者であること ⑷ **60歳以上65歳未満**であること ⑸ **65歳に達する前**に請求すること ⑹ 国民年金の**任意加入被保険者**でないこと **請求**　**老齢基礎年金の支給繰上げの請求をすることができる者**にあっては、その支給繰上げの請求と**同時**に行わなければならない
支給開始時期	支給繰上げの請求をした日の属する月の**翌月**～
年金額の減額	〔「繰上げ請求日の属する月の前月までの厚生年金保険の被保険者期間を基礎として老齢厚生年金の額の計算の例によって計算した額」**×**「減額率」〕が減額される **減額率＝** **（「繰上げ請求月～65歳到達月の前月」の月数）×0.004**※ ※　**昭和37年4月1日以前**生まれの者は、0.005

老齢厚生年金の支給繰上げ（特例）

要件

特別支給の老齢厚生年金の受給権者で、次の(1)〜(3)の要件を満たすものは、**実施機関**に**老齢厚生年金**の**支給繰上げ**の**請求**をすることができる

(1) 以下の者であること

❶男子又は２号〜４号女子であって、**S28.4.2**から**S36.4.1**までの間に生まれた者
❷１号女子であって**S33.4.2**から**S41.4.1**までの間に生まれた者
❸**坑内員**たる被保険者であった期間と**船員**たる被保険者であった期間とを合算した期間（4/3倍、6/5倍しない実期間）が**15年以上**ある者であって、**S33.4.2**から**S41.4.1**までの間に生まれたもの
❹**特定警察職員等**である者であって、**S34.4.2**から**S42.4.1**までの間に生まれたもの

(2) **老齢厚生年金の支給開始年齢に達する前**に請求すること
(3) 国民年金の**任意加入被保険者**でないこと

請求　**老齢基礎年金の支給繰上げの請求をすることができる者**にあっては、その支給繰上げの請求と**同時**に行わなければならない

支給開始時期

支給繰上げの請求をした日の属する月の**翌月**〜

年金額の減額

〔「繰上げ請求日の属する月の前月までの厚生年金保険の被保険者期間を基礎として老齢厚生年金の額の計算の例によって計算した額」**×**「減額率」〕が減額される

減額率＝
（「繰上げ請求月〜年金支給開始年齢到達月の前月」の月数）×0.004※

※　**昭和37年４月１日以前**生まれの者は、0.005

5 老齢給付Ⅴ　－支給の繰下げ・失権－

CH8 Sec4/CH9 Sec4･5

老齢基礎年金の支給繰下げ

要　件

次の要件を満たす者は、**厚生労働大臣**に**老齢基礎年金**の**支給繰下げの申出**をすることができる

(1) **老齢基礎年金の**受給権を有すること
(2) **66歳に達する前**に当該老齢基礎年金を請求していなかったこと
(3) **65歳に達したとき**、又は65歳**に達した日から**66歳**に達した日まで**の間において、**老齢年金以外の年金**(注)の受給権者となっていないこと

(注) **障害基礎年金**、遺族基礎年金、障害厚生年金又は遺族厚生年金等をいう

申出　老齢基礎年金の支給繰下げの申出は、これを単独で行うことも、老齢厚生年金の支給繰下げの申出と同時に行うこともできる

申出のみなし

(1) **66歳に達した日**後に次表の左欄に掲げる者が老齢基礎年金の**支給繰下げの申出**をしたときは、右欄に定める日において、当該**申出があったものと**みなす

❶	**75歳に達する日**前に**老齢年金以外の年金の受給権者**となった者	老齢年金以外の年金を**支給すべき事由が生じた日**
❷	**75歳に達した日**後にある者（❶に該当する者を除く）	75**歳に達した日**

(2) 老齢基礎年金の支給繰下げの申出をすることができる者が、**70歳に達した日**後に当該老齢基礎年金を**請求**し、かつ、当該請求の際に**支給繰下げの申出を**しないときは、当該**請求をした日の**5**年前の日**に**支給繰下げの申出があったものと**みなす。ただし下表の❶、❷のいずれかに該当する場合は、当該みなす扱いは行わない

❶	**80歳に達した日**以後にあるとき
❷	当該請求をした日の５年**前の日**以前に**老齢年金以外の年金の受給権者であった**とき

支給開始の時期	支給繰下げの申出をした者に対する老齢基礎年金の支給は、当該**申出のあった日の属する月の翌月**から始めるものとする ※前記「申出みなし」の場合には、老齢基礎年金の支給は、実際に申出（請求）があった日ではなく、「申出があったものとみなした日」の属する月の翌月にさかのぼって開始する（後記の「年金額の加算」における増額率についても、「申出があったものとみなした日」を基準として計算する）
年金額の加算	「年金額✕増額率」が加算される **増額率＝〔「受給権取得月(65歳到達月)〜繰下げ申出月の前月」の月数(上限120月)〕✕0.007**

老齢厚生年金の支給繰下げ

要　件	次の要件を満たす者は、**実施機関**に**老齢厚生年金**の**支給繰下げの申出**をすることができる (1) **老齢厚生年金**の受給権を有する者であること (2) 老齢厚生年金の受給権を取得した日から起算して**1年を経過した日前**に当該老齢厚生年金を請求していなかったこと (3) **老齢厚生年金の受給権を取得**したとき、又は老齢厚生年金の受給権を取得した日から当該**1年を経過した日**までの間において、**老齢年金及び障害基礎年金以外の年金**(注)の受給権者となっていないこと （注）遺族基礎年金、障害厚生年金又は遺族厚生年金等をいう **申出**　老齢厚生年金の支給繰下げの申出は、これを**単独**で行うことも、老齢基礎年金の支給繰下げの申出と**同時**に行うこともできる

申出のみなし	(1) **1年を経過した日後**に次表の左欄に掲げる者が老齢厚生年金の**支給繰下げの申出**をしたときは、右欄に定める日において、当該**申出があったものとみなす** <table><tr><td>❶</td><td>老齢厚生年金の受給権を取得した日から起算して**10年**を経過した日（以下「**10年を経過した日**」という）前に**老齢年金及び障害基礎年金以外の年金の受給権者**となった者</td><td>老齢年金及び障害基礎年金以外の年金を**支給すべき事由が生じた日**</td></tr><tr><td>❷</td><td>**10年を経過した日後**にある者（❶に該当する者を除く）</td><td>**10年を経過した日**</td></tr></table> (2) 老齢厚生年金の支給繰下げの申出をすることができる者が、その受給権を取得した日から起算して**5年を経過した日後**に当該老齢厚生年金を**請求**し、かつ、当該請求の際に**支給繰下げの申出をしない**ときは、当該**請求をした日の5年前の日**に**支給繰下げの申出があったものとみなす**。ただし下表の❶、❷のいずれかに該当する場合は、当該みなす扱いは行わない <table><tr><td>❶</td><td>老齢厚生年金の受給権を取得した日から起算して**15年を経過した日**以後にあるとき</td></tr><tr><td>❷</td><td>当該請求をした日の**5年前の日**以前に**老齢年金及び障害基礎年金以外の年金の受給権者であった**とき</td></tr></table>
支給開始の時期	支給繰下げの申出をした者に対する老齢厚生年金の支給は、当該**申出のあった月の翌月**から始めるものとする ※上記「申出みなし」の場合には、老齢厚生年金の支給は「申出があったものとみなした月の翌月」にさかのぼって開始し、後記の「年金額の加算」における増額率についても、同月を基準として計算する

年金額の加算	年金額（高在老の仕組みが適用される場合は、これを**適用した後の額**）に**繰下げ加算額**(注)が加算される （注）**繰下げ加算額** 〔老齢厚生年金の受給権取得月の前月までの被保険者期間を基礎として老齢厚生年金の額の計算の例によって計算した額 × 平均支給率〕 × 増額率 ※経過的加算が適用される場合は、経過的加算額を加算 **増額率＝〔「受給権取得月（65歳到達月）～繰下げ申出月の前月」の月数（上限120月）〕×0.007**

老齢基礎年金の支給繰上げの請求と老齢厚生年金の支給繰上げの請求は、同時に行わなければならないのに対して、老齢基礎年金の支給繰下げの申出と老齢厚生年金の支給繰下げの申出は、単独で行うこともできます（同時に行っても、別々に行ってもかまいません）。

失　権

	失権時期	
老齢基礎年金	受給権者が**死亡**したとき	
本来の老齢厚生年金		
特別支給の老齢厚生年金		受給権者が**65歳**に達したとき

6 老齢給付Ⅵ　－基本年金額－

CH8 Sec4/CH9 Sec4・5

老齢基礎年金

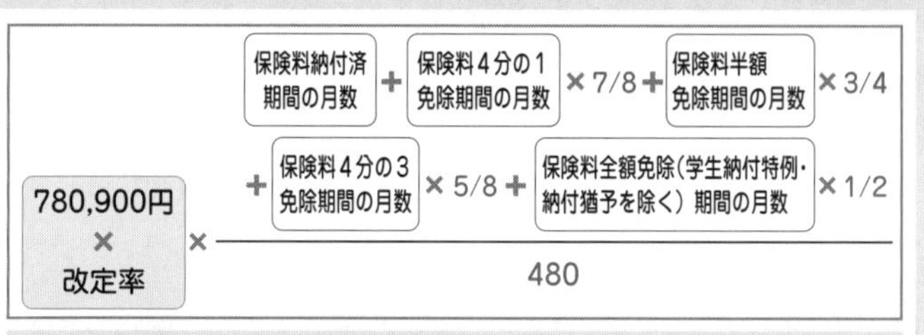

※1　**平成21年3月以前**の保険料免除期間については、上記計算式の「**7/8**」は「5/6」に、「**3/4**」は「2/3」に、「**5/8**」は「1/2」に、「**1/2**」は「1/3」に、それぞれ読み替える

※2　保険料納付済期間の月数、保険料4分の1免除期間の月数、保険料半額免除期間の月数、保険料4分の3免除期間の月数、保険料全額免除期間の月数の順に合算して480を超えた期間については、保険料**4分の1**免除期間の月数であれば「**3/8**（**平成21年3月以前**の期間については、**1/2**）」、保険料**半額**免除期間の月数であれば「**1/4**（同**1/3**）」、保険料**4分の3**免除期間の月数であれば「**1/8**（同**1/6**）」、保険料**全額**免除期間の月数であれば「**0**」を乗じて年金額を計算する

※3　S16.4.1以前に生まれた者については、「**480**」を「加入可能年数×12」に置き換える

生年月日	加入可能年数	生年月日	加入可能年数
T15.4.2～S2.4.1	25年	S 9.4.2～S10.4.1	33年
S2.4.2～S3.4.1	26年	S10.4.2～S11.4.1	34年
S3.4.2～S4.4.1	27年	S11.4.2～S12.4.1	35年
S4.4.2～S5.4.1	28年	S12.4.2～S13.4.1	36年
S5.4.2～S6.4.1	29年	S13.4.2～S14.4.1	37年
S6.4.2～S7.4.1	30年	S14.4.2～S15.4.1	38年
S7.4.2～S8.4.1	31年	S15.4.2～S16.4.1	39年
S8.4.2～S9.4.1	32年	**S16.4.2以後**	40年

老齢厚生年金

定額部分の額

定額単価：1,628円×改定率×(1～1.875) × 被保険者期間の月数（上限は原則480月）

※1 S21.4.1以前生まれの者の定額単価は、生年月日に応じ、**1,628円×改定率**に**1.032 ～ 1.875**を乗じた額となる

※2 被保険者期間の月数については、次のように計算する

①中高齢者の特例適用者は、240月を最低保障する

②被保険者期間の上限は生年月日に応じて以下の通りである

生年月日	被保険者期間の上限
S4.4.1以前	420月（35年）
S 4.4.2 ～ S 9.4.1	432月（36年）
S 9.4.2 ～ S19.4.1	444月（37年）
S19.4.2 ～ S20.4.1	456月（38年）
S20.4.2 ～ S21.4.1	468月（39年）
S21.4.2以後	480月（40年）

報酬比例部分の額（原則）

新再評価率を用いて算定したH15.3までの期間の平均標準報酬月額 × $\frac{7.125 \sim 9.5}{1000}$ × H15.3までの被保険者期間の月数

＋

新再評価率を用いて算定したH15.4以後の期間の平均標準報酬額 × $\frac{5.481 \sim 7.308}{1000}$ × H15.4以後の被保険者期間の月数

※1 被保険者期間の月数については、実期間で計算する（240月の最低保障や480月等の上限はない）

※2 平均標準報酬月額＝**標準報酬月額**（再評価率を乗じて得た額）の総額÷被保険者期間の月数

※3 平均標準報酬額＝**標準報酬月額と標準賞与額**（再評価率を乗じて得た額）の総額÷被保険者期間の月数

7 老齢給付Ⅶ　－加算・加給－

CH8 Sec4/CH9 Sec4･5

老齢基礎年金の振替加算

支給要件

❶**T15.4.2**から**S41.4.1**までの間に生まれたこと

❷**老齢基礎年金**の受給権者であること

❸**65歳**に達した日に次のⓐ又はⓑに該当する**配偶者**によって**生計を維持**していた（その前日において、当該配偶者の年金給付の**加給年金額の計算の基礎**となっていなければならない）か、又は**65歳**に達した日以後に**配偶者**が次のⓐ又はⓑに該当し、その配偶者によって**生計を維持**していること

ⓐその額の計算の基礎となる被保険者期間が**240月以上**（中高齢者の特例あり）である**老齢厚生年金**の受給権者

ⓑ同一の支給事由に基づく障害基礎年金の受給権を有する**障害厚生年金**の受給権者

◆振替加算

妻65歳▼
妻：振替加算／老齢基礎年金
夫：妻に係る加給年金額（→妻の振替加算へ）／特別支給の老齢厚生年金（夫60歳▲～夫65歳▲）／老齢厚生年金・老齢基礎年金（夫65歳▲～）

夫60歳▼
妻：老齢基礎年金（妻65歳▼～）／振替加算（夫60歳▼～）
夫：特別支給の老齢厚生年金（夫60歳▲～夫65歳▲）／老齢厚生年金・老齢基礎年金（夫65歳▲～）

支給額

224,700円 × 改定率 × **生年月日に応ずる率**（1.000 ～ 0.067）

支給停止

❶その額の計算の基礎となる被保険者期間が**240月以上**（中高齢者の特例あり）の**老齢厚生年金**を受けることができるとき

❷**障害基礎年金**又は**障害厚生年金**を受けることができるとき（全額支給停止の場合を除く）

（注）振替加算が行われている老齢基礎年金の受給権者が配偶者と**離婚**した場合であっても、原則として、**振替加算は引き続き行われる**。ただし、当該受給権者が老齢厚生年金の受給権者でもある場合であって、合意分割による「**離婚時みなし被保険者期間**」が付加されたために、それまで240未満であった当該老齢厚生年金の額の計算の基礎となる被保険者期間の月数が**240以上**となるに至った場合には、**振替加算は行われなくなる**

老齢厚生年金の加給年金額

支給要件

❶**定額部分**が加算されている特別支給の老齢厚生年金又は本来の老齢厚生年金の受給権者であること

❷年金額の計算の基礎となる厚生年金保険の被保険者期間が**240月以上**（中高齢者の特例あり）であること

❸受給権を取得した当時等に、その者によって生計を維持していたその者の**65歳未満の配偶者**（**T15.4.1**以前生まれの配偶者については年齢制限なし）**又は子**（**18歳**に達する日以後の最初の３月31日までの間にある子及び**20歳未満**で**障害等級の１級若しくは２級**に該当する障害の状態にある子に限る）があること

支給額

224,700円 × 改定率 ×（配偶者・１子・２子の数）
＋ 74,900円 × 改定率 ×（３子以降の子の数）
＋ 特別加算※
※配偶者のある受給権者がS9.4.2以後生まれのとき

受給権者の生年月日	特別加算額
S9.4.2 ～ S15.4.1	33,200円×改定率
S15.4.2 ～ S16.4.1	66,300円×改定率
S16.4.2 ～ S17.4.1	99,500円×改定率
S17.4.2 ～ S18.4.1	132,600円×改定率
S18.4.2以後	165,800円×改定率

<table>
<tr><td rowspan="2">支給停止</td><td>配偶者</td><td>❶年金額の計算の基礎となる被保険者期間が240月以上（中高齢者の特例あり）である老齢厚生年金を受けることができるとき
❷障害厚生年金、障害基礎年金など障害を支給事由とする年金たる給付を受けることができるとき（全額支給停止の場合を除く）</td></tr>
<tr><td>子</td><td>老齢厚生年金と障害基礎年金が併給される場合において、当該障害基礎年金に子の加算が行われているとき（全額支給停止の場合を除く）
（➡ 障害基礎年金の子の加算額が支給され、老齢厚生年金の子に係る加給年金額は支給停止となる）</td></tr>
<tr><td>改　定</td><td colspan="2">増額改定　老齢厚生年金の受給権を取得した当時（被保険者期間が240月以上となるに至った当時）胎児であった子が出生したとき
減額改定　加算対象者である配偶者又は子が、次のいずれかに該当するに至ったとき
❶死亡したとき
❷受給権者による生計維持の状態がやんだとき
❸配偶者が、離婚又は婚姻の取消しをしたとき
❹配偶者が、65歳に達したとき（T15.4.1以前生まれの者を除く）
❺子が、養子縁組によって受給権者の配偶者以外の者の養子となったとき
❻養子縁組による子が、離縁をしたとき
❼子が、婚姻をしたとき
❽子（障害等級の1級又は2級に該当する障害の状態にある子を除く）について、18歳に達した日以後の最初の3月31日が終了したとき
❾障害等級の1級又は2級に該当する障害の状態にある子（18歳に達する日以後の最初の3月31日までの間にある子を除く）について、その事情がやんだとき
❿子が、20歳に達したとき</td></tr>
</table>

8 老齢給付Ⅷ －在職老齢年金－

CH9 Sec4・5

在職老齢年金

<table>
<tr><th></th><th>高在老</th><th>低在老</th></tr>
<tr><td rowspan="3">支給停止される場合</td><td colspan="2">総報酬月額相当額と基本月額（年金月額）との合計額が50万円（支給停止調整額）を超えるとき
基本月額（年金月額）
総報酬月額相当額
50万円</td></tr>
<tr><td colspan="2">〈総報酬月額相当額〉
被保険者の場合、標準報酬月額とその月以前1年間の標準賞与額の総額を12で除して得た額との合算額</td></tr>
<tr><td>〈基本月額〉
報酬比例部分の額（老齢厚生年金の額から加給年金額、経過的加算額及び繰下げ加算額を控除した額）の12分の1相当額</td><td>〈基本月額〉
報酬比例部分と定額部分を合わせた額（老齢厚生年金の額から加給年金額を控除した額）の12分の1相当額</td></tr>
<tr><td rowspan="3">支給停止額の算定</td><td colspan="2">❶総報酬月額相当額と基本月額との合計額が50万円を超えるとき
支給停止額：(総報酬月額相当額 ＋ 基本月額 － 50万円)×1/2
基本月額（年金月額）
総報酬月額相当額
50万円
この額の2分の1相当額（支給停止額）が支給停止</td></tr>
<tr><td colspan="2">❷支給停止額（総報酬月額相当額と基本月額との合計額から50万円を控除して得た額の2分の1相当額）が基本月額以上であるとき</td></tr>
<tr><td>支給停止額
全額（加給年金額を含み、経過的加算額及び繰下げ加算額を除く）
※加給年金額も停止となるが、この場合でも、経過的加算額及び繰下げ加算額は停止とならない</td><td>支給停止額
全額（加給年金額を含む）
※加給年金額も停止となる</td></tr>
<tr><td>端数処理</td><td colspan="2">支給停止調整額は、1万円未満の端数を四捨五入して算定する</td></tr>
</table>

9 障害給付Ⅰ －支給要件－

CH8 Sec5/CH9 Sec6

1 一般的な障害基礎年金・障害厚生年金

		障害基礎年金	障害厚生年金
被保険者等要件		初診日において以下のいずれかに該当すること ❶被保険者であること ❷**被保険者であった者**であって、日本国内に住所を有し、かつ、**60歳以上65歳未満**であること	初診日において**被保険者**であること（「被保険者であった者」は含まれない）
障害の要件		障害認定日(注1)に**障害等級**(注2)（**1級又は2級**）に該当する程度の障害の状態にあること	障害認定日(注1)に障害等級(注2)（**1級、2級又は3級**）に該当する程度の障害の状態にあること
		（注1）障害認定日…**初診日**から起算して**1年6月**を経過した日。ただし、その期間内に傷病が治った場合は、その治った日 （注2）障害等級 **1級**…**日常生活の用**を弁ずることがほぼ**不能**な状態 **2級**…**日常生活**が**著しい制限**を受けるか、又は日常生活に著しい制限を加えることを必要とするような状態 **3級**…**労働**が**著しい制限**を受けるか、又は労働に著しい制限を加えることを必要とするような状態	
保険料納付要件	原則	**初診日の前日**において、初診日の属する月の**前々月**までに**国民年金の被保険者期間**があるときは、その被保険者期間に係る保険料納付済期間と保険料免除期間とを合算した期間がその被保険者期間の**3分の2以上**であること	
	特例	**初診日**が**R8.4.1前**にある傷病による障害については、初診日において**65歳未満**であり、かつ、初診日の前日において、初診日の属する月の**前々月**までの**1年間**に保険料納付済期間及び保険料免除期間以外の期間がないこと	

2 事後重症による障害基礎年金・障害厚生年金

	障害基礎年金	障害厚生年金
被保険者等要件	**初診日**において**一般的な**障害基礎年金・障害厚生年金と同様の被保険者等要件を満たしていること	
障害の要件	障害認定日に障害等級（1級又は2級）に該当しなかったが、**65歳に達する日の前日**までの間に、**障害等級**（1級**又は**2級）に該当したこと	障害認定日に障害等級（1級、2級又は3級）に該当しなかったが、65歳に達する日の前日までの間に、**障害等級**（1級、2級**又は**3級）に該当したこと
保険料納付要件	**初診日の前日**において**一般的な**障害基礎年金・障害厚生年金と同様の保険料納付要件を満たしていること	
その他の要件	**65歳に達する日の前日**までの間に**請求**すること	
留意点	**繰上げ支給の老齢基礎年金・老齢厚生年金の受給権者**には、**事後重症**による障害基礎年金・障害厚生年金に関する規定は適用されない	

3 基準障害による障害基礎年金・障害厚生年金

	障害基礎年金	障害厚生年金
被保険者等要件	**基準傷病**（後発の傷病）に係る**初診日**において**一般的な**障害基礎年金・障害厚生年金と同様の被保険者等要件を満たしていること	
障害の要件	傷病により障害の状態（**他の障害**）にある者が、新たに基準傷病にかかり、**基準傷病**に係る障害認定日以後**65歳に達する日の前日**までの間において、**初めて**、基準傷病による障害（**基準障害**）と他の障害とを併合して**障害等級**（1級**又は**2級）に該当する程度の障害の状態に該当したこと	傷病により障害の状態（他の障害）にある者が、新たに基準傷病にかかり、基準傷病に係る障害認定日以後65歳に達する日の前日までの間において、初めて、基準傷病による障害（基準障害）と他の障害とを併合して**障害等級**1級**又は**2級に該当する程度の障害の状態に該当したこと
保険料納付要件	**基準傷病**に係る**初診日の前日**において**一般的な**障害基礎年金・障害厚生年金と同様の保険料納付要件を満たしていること	
留意点	**繰上げ支給の老齢基礎年金・老齢厚生年金の受給権者**には、**基準障害**による障害基礎年金・障害厚生年金に関する規定は適用されない	

10 障害給付Ⅱ －年金額－

CH8 Sec5/CH9 Sec6

1 基本年金額

障害基礎年金

障害等級	基本年金額
１級	２級の1.25倍の額
２級	780,900円×改定率

障害厚生年金

老齢厚生年金の報酬比例部分の額の計算の例により計算した額
（１級の年金額➡２級の**1.25倍**の額）

給付乗率の読替	**なし** 〔7.125/1000や5.481/1000（従前額保障の場合は、7.5/1000や5.769/1000）のみを用いる〕
最低保障	❶ 年金額（1～3級）の計算の基礎となる被保険者期間 ⬇ **300月**の**最低保障** ❷ 障害厚生年金の給付事由となった障害について障害基礎年金を受けることができない場合（障害等級３級の場合など） ⬇ **障害等級２級の障害基礎年金×3/4** **（780,900円×改定率）**を**最低保障**
年金額の計算基礎	障害厚生年金の支給事由となった障害に係る**障害認定日の属する月後**における被保険者であった期間は、**年金額の計算の基礎としない**（障害認定日の属する**月**までを計算の基礎とする）

2 加算額・加給年金額

	子の加算	配偶者加給年金額
加算対象年金	障害基礎年金	1級又は2級の障害厚生年金
加算対象者	受給権者により**生計を維持**する次のいずれかの子(注) ❶**18歳**年度末までの間にある子 ❷**20歳未満**で**障害等級**（1級又は2級）に該当する障害の状態にある子 （注）障害基礎年金には、配偶者に係る加算は行われない	受給権者により**生計を維持**する**65歳未満**(注1)の**配偶者**(注2) （注1）T15.4.1以前生まれの配偶者の場合は、65歳以上であっても加給年金額が加算される （注2）障害厚生年金には子に係る加算は行われない。また、特別加算は行われない
額	子 / 1人につき 1人目・2人目：224,700円×改定率 3人目以降：74,900円×改定率	224,700円×改定率

3 基本年金額の改定

	障害基礎年金	障害厚生年金
職権改定	**厚生労働大臣**（障害基礎年金の場合）又は**実施機関**（障害厚生年金の場合）は、**障害の程度を診査**し、その程度が**従前の障害等級以外の障害等級**に該当すると認めるときは、年金額を改定することができる	
増進改定請求	**障害の程度が増進**したことによる年金額の改定請求は、当該年金の**受給権を取得した日**又は**厚生労働大臣**若しくは**実施機関の診査を受けた日**から起算して**1年を経過した日後**でなければ行うことができない ただし、**障害の程度が増進したことが明らかな場合**には、当該1年を経過した日後でなくても、年金額の改定請求を行うことができる	
その他障害との併合	**65歳に達する日の前日**までの間に、**障害基礎年金**の支給事由となった障害と**その他障害**とを併合して**障害の程度が増進**したときは、その**期間内**に年金額の改定を**請求**することができる	65歳に達する日の前日までの間に、1級**又は**2級**の障害厚生年金**の支給事由となった障害とその他障害とを併合して障害の程度が増進したときは、その期間内に年金額の改定を請求することができる

4 加算額・加給年金額の改定・支給停止

障害基礎年金の加算額の改定

増額改定	障害基礎年金の受給権者が、その**受給権を取得した日の翌日以後**に、加算対象者となる**子**を有するに至ったとき
減額改定	加算対象者である**子**が、次のいずれかに該当するに至ったとき ❶**死亡**したとき ❷受給権者による**生計維持の状態**がやんだとき ❸婚姻をしたとき ❹受給権者の**配偶者以外の者の養子**となったとき ❺離縁によって**受給権者の子**でなくなったとき ❻18歳到達年度末が終了したとき〔**障害等級**（1級又は2級）に該当する障害の状態にあるときを除く〕 ❼**障害等級**（**1級又は2級**）に該当する障害の状態にある子について、その事情がやんだとき（その子が**18歳**到達年度末までの間にあるときを除く） ❽20歳に達したとき

障害厚生年金の加給年金額の支給停止・改定

支給停止	加算対象者である**配偶者**が、次のいずれかに該当するとき ❶年金額の計算の基礎となる被保険者期間が**240月以上**（中高齢者の特例あり）である**老齢厚生年金**を受けることができるとき ❷**障害基礎年金**など障害を支給事由とする年金たる給付を受けることができるとき（全額支給停止の場合を除く）
増額改定	障害厚生年金の受給権者が、その**権利を取得した日の翌日以後**に、その者によって**生計を維持**している**65歳未満の配偶者**を有するに至ったとき
減額改定	加算対象者である**配偶者**が、次のいずれかに該当するに至ったとき ❶**死亡**したとき ❷受給権者による**生計維持の状態**がやんだとき ❸**離婚又は婚姻の取消し**をしたとき ❹**65歳**に達したとき（T15.4.1以前生まれの者を除く）

ワンポイントアドバイス

障害厚生年金の加給年金額の支給停止事由は、老齢厚生年金の配偶者に係る加給年金額の支給停止事由と同じです。また、障害厚生年金の加給年金額の減額改定事由は、老齢厚生年金の配偶者に係る加給年金額の減額改定事由（配偶者及び子の減額改定事由から子のみに係る事由を除いたもの）と同じです。両者を併せて押さえておきましょう。

11 障害給付Ⅲ　－支給停止・失権－

CH8 Sec5/CH9 Sec6

1 支給停止

	障害基礎年金	障害厚生年金
障害補償による停止	当該傷病（による障害）について**労働基準法の規定による**障害補償を受けることができるときは、６**年間**、支給停止される	
障害の程度による停止	**障害等級**（障害基礎年金 ➡ **１・２級**、障害厚生年金 ➡ **１～３級**）に該当する程度の障害の状態に該当しなくなったときは、その間、支給停止される	
支給停止の解除	障害等級に該当する程度の障害の状態に該当しなくなったことにより**支給が停止**された**障害基礎年金・障害厚生年金の受給権者**が、**その他障害の状態**（被保険者等要件及び保険料納付要件を満たす場合に限る）となり、**65歳に達する日の前日**までの間に、障害基礎年金・障害厚生年金の支給事由となった障害とその他障害とを**併合**した障害の程度が**障害等級**１級**又は**２級に該当するに至ったときは、**支給停止が解除**される	

2 失　権

	障害基礎年金	障害厚生年金
❶	**併合認定**が行われたとき	
❷	**死亡**したとき	
❸	厚生年金保険法に規定する**障害等級**［**１～３級**］に該当する程度の障害の状態にない者が、**65歳**に達したとき （**65歳**に達した日において、障害等級［１～３級］に該当する程度の障害の状態に該当しなくなった日から起算して当該障害の状態に該当することなく**３年**を経過していないときを除く） 例 64歳で障害等級［１～３級］に該当しなくなったため支給停止されていた障害厚生年金の受給権者が、66歳で障害等級［１～３級］に該当したときは、再び障害厚生年金の支給が開始される	
❸	厚生年金保険法に規定する**障害等級**［**１～３級**］に該当する程度の障害の状態に該当しなくなった日から起算して当該障害の状態に該当することなく**３年**を経過したとき （**３年**を経過した日において、**65歳未満**であるときを除く）	

12　障害給付Ⅳ　－その他の給付－

CH8 Sec5/CH9 Sec6

20歳前傷病による障害基礎年金

支給要件	❶傷病の**初診日**において**20歳未満**であった者が、障害認定日以後に20歳に達したときは**20歳に達した日**において、**障害認定日**が**20歳**に達した日後であるときはその**障害認定日**において、**障害等級**（1級又は2級）に該当する程度の障害の状態にあるとき ❷傷病の**初診日**において**20歳未満**であった者が、**障害認定日**以後に**20歳**に達したときは**20歳に達した日後**において、**障害認定日**が**20歳**に達した日後であるときはその**障害認定日後**において、その傷病により、**65歳に達する日の前日**までの間に、**障害等級**（1級又は2級）に該当する程度の障害の状態に該当するに至ったときであって、その期間内に請求したとき ※傷病の初診日に**20歳未満**であっても**第2号被保険者**であれば、「**一般的な障害基礎年金**」が支給される
独自の支給停止	❶**恩給法**に基づく年金給付（**増加恩給**、公務扶助料等の給付であって、障害又は死亡を事由として大尉以下の旧軍人又はその遺族に支給されるものを除く）、**労働者災害補償保険法**の規定による年金給付等を受けることができるとき ❷**刑事施設**、労役場等の施設に**拘禁**、又は**少年院**等の施設に**収容**されているとき ❸**日本国内**に住所を有しないとき ❹**前年の所得**が、政令で定める額を超えるとき ➡ その年の**10月**から翌年の**9月**まで、その**全部又は**2分の1（子の加算額が加算された障害基礎年金にあっては、その額からその加算額を控除した額の**2分の1**）に相当する部分の支給が停止される

障害手当金

支給要件	傷病の**初診日**において**被保険者**であった者（当該初診日の前日において保険料納付要件を満たしている者に限る）が、当該初診日から起算して**5年**を経過する日までの間におけるその**傷病の治った日**において、その傷病により**政令で定める程度の障害の状態**にあること
支給されない者	障害の程度を定めるべき日（傷病の治った日）において次のいずれかに該当する者には、支給されない ❶**厚生年金保険法**又は国民年金法の規定による**年金給付**の受給権者。ただし、最後に**障害等級**（**1級、2級又は3級**）に該当する程度の障害の状態に該当しなくなった日から起算して当該障害状態に該当することなく3年を経過した**障害厚生年金又は障害基礎年金**の受給権者であって、現に当該障害状態に該当しない者には、支給される ❷当該傷病について**労働基準法**の規定による**障害補償**、**労災保険法**の規定による**障害（補償）等給付**、国家（地方）公務員災害補償法等の規定による**障害補償**等を受ける権利を有する者
支給額	❶原則として、障害厚生年金（老齢厚生年金の**報酬比例部分**）の額の算式により計算した額の**2倍**相当額となる ❷**2級の障害基礎年金の額**（**780,900円×改定率**）**×**3/4**×2**を最低保障する ❸給付乗率については、**生年月日による読替**（**給付乗率の引上げ**）**は行わない** ❹額の計算の基礎となる被保険者期間は、**300月を最低保障**する ❺障害手当金の支給事由となった障害に係る**傷病の治った日の属する月後**における被保険者であった期間は、**額の計算の基礎としない**

13 遺族給付Ⅰ　－支給要件－

CH8 Sec6/CH9 Sec7

1 死亡者の要件

		遺族基礎年金	遺族厚生年金
被保険者等要件		❶**被保険者**が、死亡したとき ❷**被保険者であった者**であって、**日本国内**に住所を有し、かつ、**60歳以上65歳未満**であるものが、死亡したとき ❸**老齢基礎年金の受給権者**（保険料納付済期間及び保険料免除期間を合算した期間が**25年以上**である者※に限る）が、死亡したとき ❹**保険料納付済期間**及び**保険料免除期間**を合算した期間が**25年以上**である者※が、死亡したとき ❶❷ ➡ 保険料納付要件が問われる	❶**被保険者**が、死亡したとき ❷**被保険者であった者**が、被保険者の**資格を喪失した後**に、**被保険者であった間に初診日**がある傷病により当該**初診日**から起算して**5年を経過する日前**に死亡したとき ❸障害等級**1級又は2級**に該当する障害の状態にある**障害厚生年金**の受給権者が、死亡したとき ❹**老齢厚生年金の受給権者**（保険料納付済期間及び保険料免除期間を合算した期間が**25年以上**である者※に限る）が、死亡したとき ❺**保険料納付済期間**及び**保険料免除期間**を合算した期間が**25年以上**である者※が、死亡したとき ❶❷ ➡ 保険料納付要件が問われる
保険料納付要件	原則	**死亡日の前日**において、死亡日の属する月の**前々月**までに**国民年金の被保険者期間**があるときは、その被保険者期間に係る保険料納付済期間と保険料免除期間とを合算した期間がその被保険者期間の**3分の2以上**であること	**死亡日の前日**において、死亡日の属する月の**前々月**までに**国民年金の被保険者期間**があるときは、その被保険者期間に係る保険料納付済期間と保険料免除期間とを合算した期間がその被保険者期間の**3分の2以上**であること
	特例	**死亡日**が**R8.4.1前**にある場合については、死亡日において**65歳未満**であり、かつ、死亡日の前日において、死亡日の属する月の**前々月**までの**1年間**に保険料納付済期間及び保険料免除期間以外の期間がないこと	**死亡日**が**R8.4.1前**にある場合については、死亡日において**65歳未満**であり、かつ、死亡日の前日において、死亡日の属する月の**前々月**までの**1年間**に保険料納付済期間及び保険料免除期間以外の期間がないこと
	留意点	「初診日」が「死亡日」になることを除き、障害基礎年金・障害厚生年金の保険料納付要件と同様である	「初診日」が「死亡日」になることを除き、障害基礎年金・障害厚生年金の保険料納付要件と同様である

※25年以上ない者であっても、「保険料納付済期間」又は「学生納付特例期間・納付猶予期間以外の保険料免除期間」を有しており、かつ、保険料納付済期間、保険料免除期間及び合算対象期間を合算した期間が25年以上あれば、25年以上である者とみなされる

2 遺族の範囲及び順位

<table>
<tr><th></th><th colspan="2">遺族基礎年金</th><th colspan="2">遺族厚生年金</th></tr>
<tr><td rowspan="4">遺族の範囲</td><td colspan="2">被保険者又は被保険者であった者の死亡の当時その者によって生計を維持していた以下の要件を満たす配偶者又は子</td><td colspan="2">被保険者又は被保険者であった者の配偶者、子、父母、孫又は祖父母であって、被保険者又は被保険者であった者の死亡の当時その者によって生計を維持し、かつ、以下の要件に該当するもの</td></tr>
<tr><td>配偶者</td><td>下記の要件を満たす子と生計を同じくすること</td><td>妻</td><td>なし
（生計維持関係のみでよい）</td></tr>
<tr><td rowspan="2">子</td><td rowspan="2">以下のいずれかに該当し、かつ、現に婚姻をしていないこと
❶18歳到達年度末までの間にある子
❷20歳未満で障害等級（1級又は2級）に該当する障害の状態にある子</td><td>夫・父母・祖父母</td><td>55歳以上であること</td></tr>
<tr><td>子・孫</td><td>以下のいずれかに該当し、かつ、現に婚姻をしていないこと
❶18歳到達年度末までの間にあること
❷20歳未満で障害等級1級又は2級に該当する障害の状態にあること</td></tr>
<tr><td>遺族の順位</td><td colspan="2"></td><td colspan="2">❶配偶者と子
❷父母
❸孫
❹祖父母</td></tr>
<tr><td>胎児の出生</td><td colspan="4">被保険者又は被保険者であった者の死亡の当時胎児であった子が出生したときは、将来に向かって、その子は、被保険者又は被保険者であった者の死亡の当時その者によって生計を維持していた子とみなされる（遺族基礎年金の場合は、さらに、配偶者は、その者の死亡の当時当該子と生計を同じくしていたものとみなされる）
➡ 遺族基礎年金・遺族厚生年金の受給権が発生する</td></tr>
</table>

14 遺族給付Ⅱ －年金額－

CH8 Sec6/CH9 Sec7

遺族基礎年金

配偶者に支給される場合の年金額

基本年金額（780,900円×改定率）に、下記の子の加算額を加算した額になる

1人目・2人目の子	➡1人につき224,700円×改定率
3人目以降の子	➡1人につき74,900円×改定率

※保険料の免除期間中に被保険者が死亡した場合に、年金額が減額されるわけではない

子のみに支給される場合の年金額

❶子が1人のときは**基本年金額**になる
❷子が2人以上のときは、基本年金額に、下記の「1人目**の子を除いた**子の加算額」を加算した額を、子の数で除して得た額になる

2人目の子	➡224,700円×改定率
3人目以降の子	➡1人につき74,900円×改定率

※例えば、受給権者が子3人の場合の年金額（1人当たりの額）は、（780,900円×改定率＋224,700円×改定率＋74,900円×改定率）÷3と計算する

遺族厚生年金

原則としての年金額	❶原則として、死亡した被保険者又は被保険者であった者の被保険者期間を基礎として**老齢厚生年金の報酬比例部分**の額の算式により計算した額の**4分の3**に相当する額となる ❷13 1 被保険者等要件の❶～❸（**短期要件**）に該当する場合は、 ⓐ給付乗率については**生年月日による読替**（**引上げ**）**を行わない** ⓑ年金額の計算の基礎となる被保険者期間の月数については300の最低保障を**行う** ❸13 1 被保険者等要件の❹❺（**長期要件**）に該当する場合は、 ⓐ給付乗率については**生年月日による読替**（**引上げ**）**を行う** ⓑ年金額の計算の基礎となる被保険者期間の月数については**300の最低保障を行わない**
配偶者の特例による年金額	**老齢厚生年金**の受給権を有する**65歳以上の配偶者**に対する遺族厚生年金の額は、次の❶❷の額のうちいずれか多い額となる（ただし、当該遺族厚生年金については当該**老齢厚生年金に相当する額が支給停止**される） ❶原則としての**遺族厚生年金**の額 ❷「原則としての**遺族厚生年金**の額の**3分の2**に相当する額」と「**老齢厚生年金**の額（加給年金額については、これを含めない額）の**2分の1**に相当する額」を合算した額

15 遺族給付Ⅲ　－年金額の改定及び寡婦加算－

CH8 Sec6/CH9 Sec7

1 年金額の改定

遺族基礎年金

配偶者の年金額の改定	**増額改定**	配偶者が遺族基礎年金の受給権を取得した当時**胎児であった子**が生まれたとき
	減額改定	子が２人以上ある場合であって、その子のうち１人を除いた子の１人又は２人以上が次のいずれかに該当するに至ったとき ❶**死亡**したとき ❷**婚姻**をしたとき ❸**配偶者以外の者の養子**となったとき ❹**離縁**によって、死亡した**被保険者又は被保険者であった者の子**でなくなったとき ❺**配偶者と生計を同じく**しなくなったとき ❻**18歳**到達年度末が終了したとき〔ただし、**障害等級**（１級**又は**２級）に該当する障害の状態にあるときを除く〕 ❼**障害等級**（１級**又は**２級）に該当する障害の状態にある子について、その事情がやんだとき（ただし、その子が**18歳**到達年度末までの間にあるときを除く） ❽**20歳**に達したとき
子の年金額の改定	**増額改定** **減額改定**	遺族基礎年金の受給権を有する子の数に**増減**を生じたとき

遺族厚生年金

配偶者以外の者の年金額の改定	増額改定 減額改定	受給権者の数に**増減**を生じたとき
配偶者の年金額の改定	増額改定	**配偶者**に支給する遺族厚生年金であって、「原則としての年金額」が支給されているものについては、受給権者が**65歳に達した日以後**に**老齢厚生年金の受給権を取得した日**（繰上げ支給の老齢厚生年金の受給権を有する者にあっては、**65歳に達した日**）において、「配偶者の特例による年金額」が前者の額を上回ることとなったとき

2 遺族厚生年金の寡婦加算

遺族厚生年金

中高齢寡婦加算	対象者	遺族厚生年金(注)の受給権者である**65歳未満の妻** （注）**長期要件**に該当することにより支給されるものは、その額の計算の基礎となる被保険者期間が**240月**（中高齢者の特例あり）以上でなければならない
	要　件	以下のいずれかに該当すること ❶受給権取得当時に**40歳以上65歳未満**であったこと ❷妻が**40歳**に達した当時に、**遺族基礎年金**を受けることができる遺族の範囲に属する**子**（被保険者等の死亡後、妻に支給される遺族基礎年金の減額改定事由のいずれかに該当したことがあるものを除く）**と生計を同じく**していること
	加算額	**遺族基礎年金の額（780,900円×改定率）×3/4**
	支給停止	夫の死亡について**遺族基礎年金**の支給を受けることができる期間は、**中高齢寡婦加算は支給停止**される

経過的寡婦加算		
	対象者	遺族厚生年金の受給権者である妻（**S31.4.1以前**に生まれた者に限る）
	要　件	以下のいずれかに該当すること ❶中高齢寡婦加算額が加算されている遺族厚生年金の受給権者が**65歳**に達したこと ❷遺族厚生年金〔**長期要件**に該当することにより支給されるものについては、その額の計算の基礎となる被保険者期間が**240月**（中高齢者の特例あり）**以上**である場合に限る〕の受給権を取得した当時**65歳以上**であること
	加算額	**中高齢寡婦加算額** − （**老齢基礎年金の満額** × **妻の生年月日に応じた率**（0 ～ 348/480））（注） （注）**S61.4.1以後60歳まで**の国民年金に加入できる期間を保険料納付済期間とみなして計算した老齢基礎年金相当額
	支給停止	受給権者である妻が以下に該当するときは、その間、**経過的寡婦加算は支給停止**される ❶**障害基礎年金**（旧国年法による障害年金を含む）の受給権を有するとき（その支給を停止されている場合を除く） ❷夫の死亡について**遺族基礎年金**の支給を受けることができるとき

16 遺族給付Ⅳ －支給停止－

CH8 Sec6/CH9 Sec7

遺族基礎年金

遺族補償による停止	配偶者・子	被保険者又は被保険者であった者の死亡について、**労働基準法の規定**に**よる遺族補償**が行われるべきものであるときは、死亡日から**6年間**、支給停止される
所在不明による停止	配偶者	**配偶者**に対する遺族基礎年金は、その者の所在が**1年以上明らかでない**ときは、遺族基礎年金の受給権を有する子の申請によって、その所在が明らかでなくなった時に**さかのぼって**、支給停止される
	子	遺族基礎年金の受給権を有する子が2人以上ある場合において、その子のうち1人以上の子の所在が**1年以上明らかでない**ときは、**その子に対する遺族基礎年金**は、他の子の申請によって、その所在が明らかでなくなった時に**さかのぼって**、支給停止される
子の停止		**子**に対する遺族基礎年金は、以下のいずれかに該当する場合は、その間、支給停止される ❶**配偶者が遺族基礎年金の受給権**を有するとき（配偶者に対する遺族基礎年金が、配偶者の**申出**又は**所在不明**により支給停止されているときを除く） ❷**生計を同じく**するその子の**父又は母**があるとき

遺族厚生年金

遺族補償による停止	**共　通**	被保険者又は被保険者であった者の死亡について**労働基準法の規定による遺族補償**の支給が行われるべきものであるときは、死亡日から**6年間**、支給停止される
所在不明による停止	**配偶者又は子**	**配偶者又は子**に対する遺族厚生年金は、その配偶者又は子の所在が**1年以上**明らかでないときは、遺族厚生年金の受給権を有する**子又は配偶者の申請**によって、その所在が明らかでなくなった時に**さかのぼって**、支給停止される
	配偶者以外の者	**配偶者以外の者**に対する遺族厚生年金の受給権者が2人以上である場合において、受給権者のうち1人以上の者の所在が**1年以上**明らかでないときは、**その者に対する遺族厚生年金**は、**他の受給権者の申請**によって、その所在が明らかでなくなった時に**さかのぼって**、支給停止される
配偶者の停止		**配偶者**に対する遺族厚生年金は、当該被保険者又は被保険者であった者の死亡について、**配偶者が遺族基礎年金の受給権を有しない**場合であって**子が当該遺族基礎年金の受給権を有する**ときは、その間、支給停止される。ただし、子に対する遺族厚生年金が**所在不明**により支給停止されている間は、配偶者に支給される
子の停止		**子**に対する遺族厚生年金は、**配偶者が遺族厚生年金の受給権**を有する期間、支給停止される。ただし、次の場合は、子に支給される ❶**子のみが遺族基礎年金の受給権**を有するため、**配偶者**に対する**遺族厚生年金が支給停止**されている場合 ❷配偶者に対する遺族厚生年金が**所在不明**により支給停止されている場合 ❸**夫**が**60歳**に達していないため、当該夫に対する遺族厚生年金が支給停止されている場合

夫・父母・祖父母の停止	夫、父母**又は**祖父母に対する遺族厚生年金は、受給権者が60歳**に達するまでの期間**、支給停止される ただし、**夫**に対する遺族厚生年金は、当該夫が遺族基礎年金**の受給権**を有するときは、60歳前であっても支給停止されない
65歳以上の受給権者に対する停止	65歳**以上**の受給権者に対する遺族厚生年金は、その受給権者が老齢厚生年金の受給権を有するときは、当該老齢厚生年金**の額（加給年金額を除く）に相当する部分**が支給停止される
留意点	❶所在不明により支給停止された者は、**いつでも**、支給停止の解除を申請することができる ❷所在不明により支給が停止され、又はその停止が解除されたときは、支給が停止され、又はその停止が解除された日の属する**月の翌月**から年金額が改定される ※遺族基礎年金についても同様である

ワンポイントアドバイス

遺族厚生年金の支給停止について学習する際は、遺族の順位を念頭においてマスターするようにしましょう。特に、配偶者と子がともに第１順位であることには、注意してください。

17 遺族給付Ⅴ　－失権－

CH8 Sec6/CH9 Sec7

遺族基礎年金

共　通 **(配偶者・子)**	❶死亡したとき ❷婚姻をしたとき ❸直系血族**又は**直系姻族**以外の者の**養子となったとき
配偶者	子が１人であるときはその子が、子が２人以上であるときは同時に又は時を異にしてその**全ての子**が、配偶者の年金額の**減額改定事由**のいずれかに該当するに至ったとき
子	❶18歳到達年度末が終了したとき〔**障害等級**（**１級又は２級**）に該当する障害の状態にあるときを除く〕 ❷**障害等級**（１級**又は**２級）に該当する障害の状態にある者について、その事情がやんだとき（**18歳**到達年度末までの間にあるときを除く） ❸20歳に達したとき ❹離縁によって、死亡した**被保険者又は被保険者であった者の子**でなくなったとき

ワンポイントアドバイス

遺族基礎年金の子のみの失権事由のうち、❶～❸は、遺族厚生年金の「子又は孫」の失権事由（❶～❸）と同じであり、遺族基礎年金の子のみの失権事由❹は、遺族厚生年金の共通の失権事由❹と同じです。

遺族厚生年金

共　通	❶**死亡**したとき ❷**婚姻**をしたとき ❸**直系血族及び直系姻族以外の者の養子**となったとき ❹**離縁**によって、死亡した被保険者又は被保険者であった者との**親族関係が終了**したとき
妻	❶遺族厚生年金の**受給権を取得した当時30歳未満である妻**が当該遺族厚生年金と同一の支給事由に基づく**遺族基礎年金の受給権を取得しない**場合において、当該遺族厚生年金の**受給権を取得した日**から起算して**5年**を経過したとき ❷遺族厚生年金と当該遺族厚生年金と同一の支給事由に基づく**遺族基礎年金の受給権を有する妻が30歳に到達する日前**に当該**遺族基礎年金の受給権が消滅**した場合において、当該**遺族基礎年金の受給権が消滅した日**から起算して**5年**を経過したとき
子又は孫	❶**18歳**到達年度末が終了したとき（**障害等級1級又は2級**に該当する障害の状態にあるときを除く） ❷**障害等級1級又は2級**に該当する障害の状態にある者について、その事情がやんだとき（**18歳**到達年度末までの間にあるときを除く） ❸**20歳**に達したとき
父母、孫又は祖父母	被保険者又は被保険者であった者の死亡の当時胎児であった**子が出生**したとき

18 その他の給付Ⅰ －脱退一時金・付加年金－

CH8 Sec7/CH9 Sec7

国民年金の脱退一時金

支給要件

❶**請求日の前日**において、請求日の属する月の**前月**までの**第1号被保険者**としての被保険者期間に係る下表の月数を合算した月数（保険料納付済期間等の月数）が**6月以上**であること

保険料納付済期間等の月数	
	保険料納付済期間の月数
	保険料4分の1免除期間の月数 × 3/4
	保険料半額免除期間の月数 × 1/2
	保険料4分の3免除期間の月数 × 1/4

❷**老齢基礎年金**の受給資格期間を満たしていないこと
❸**障害基礎年金等**の受給権を有したことがないこと
❹**日本国籍**を有しない者であること
❺**日本国内**に住所を有しないこと
❻**国民年金の被保険者**でないこと
❼最後に**国民年金の被保険者の資格を喪失した日**（同日において**日本国内に住所を有していた者**にあっては、同日後初めて、**日本国内に住所を有しなくなった日**）から起算して**2年**を経過していないこと

支給額

基準月の属する年度における**保険料額** × 1/2 × 保険料納付済期間等の月数に応じて政令で定める数（6～60）

※基準月……**請求日の属する月の前月まで**の第1号被保険者としての保険料納付済期間、4分の1・半額・4分の3免除期間のうち、請求日の前日までに**納付**された保険料に係る月のうち直近**の月**

厚生年金保険の脱退一時金

支給要件	❶厚生年金保険の被保険者期間が**6月以上**であること ❷**老齢厚生年金**（老齢基礎年金）の受給資格期間を満たしていないこと ❸**障害厚生年金**又は**障害手当金**等の受給権を有したことがないこと ❹～❼国民年金の脱退一時金と同じ ※1　支給を受けたときは、額の計算の基礎となった被保険者であった期間は、**被保険者でなかったもの**とみなされる（国年も同様） ※2　同一人に対する**脱退一時金の支給回数**について、制限が設けられているわけではない（国年も同様）
支給額	**被保険者であった期間の**平均標準報酬額**×**支給率 ※「**支給率**」とは、最終月（最後に被保険者の資格を喪失した日の属する月の前月）の属する年の前年10月の保険料率（最終月が1月から8月までの場合にあっては、前々年10月の保険料率）に2分の1を乗じて得た率に、被保険者であった期間に応じて政令で定める数（6～60）を乗じて得た率（小数点以下1位未満四捨五入）をいう

付加年金

支給要件	付加保険料に係る保険料納付済期間を有する者が**老齢基礎年金**の受給権を取得すること
支給額	**200円×付加保険料納付済期間の月数**
支給停止	老齢基礎年金がその全額**につき**支給停止されているときは、その間、支給停止される
失　権	死亡したとき

19 その他の給付Ⅱ －寡婦年金・死亡一時金－

CH8 Sec7

寡婦年金

支給要件	夫の要件	❶**保険料**納付済**期間**又は**学生納付特例・納付猶予期間以外の保険料**免除**期間**を有する者であること ❷死亡日の前日において、死亡日の属する月の前月までの**第1号被保険者**としての被保険者期間に係る**保険料納付済期間**と**保険料免除期間**とを合算した期間が、**10年以上**あること ❸老齢基礎年金**又は**障害基礎年金の**支給を受けたことがない**こと
	妻の要件	❶夫によって**生計を維持**していたこと ❷夫との婚姻関係が**10年以上継続**したこと ❸65歳**未満**であること
支給額	死亡日の属する月の前月までの第1号被保険者としての被保険者期間に係る死亡日の前日における**保険料納付済期間**及び**保険料免除期間**につき、老齢基礎年金**の額**の計算の例によって計算した額 ×3/4	
支給期間	60歳に達した日の属する**月の翌月**（夫の死亡の当時60歳以上の妻については、夫の**死亡日**の属する**月の翌月**） ～ 65歳に達する日の属する**月**	
支給停止	夫の死亡について、**労働基準法の規定による**遺族補償が行われるべきものであるときは、死亡日から**6年間**、支給停止される	
失　権	❶65歳に達したとき ❷死亡したとき ❸婚姻をしたとき ❹直系血族**又は**直系姻族**以外の者の養子**となったとき ❺繰上げ支給**の**老齢基礎年金の受給権を取得したとき	

死亡一時金

支給要件

死亡者の要件

❶**死亡日の前日**において、死亡日の属する**月の前月**までの**第１号被保険者**としての被保険者期間に係る下表の月数を合算した月数（対象月数）が**36月以上**であること

対象月数
保険料納付済期間の月数
保険料４分の１免除期間の月数**×3/4**
保険料半額免除期間の月数**×1/2**
保険料４分の３免除期間の月数**×1/4**

❷**老齢基礎年金**又は**障害基礎年金**の支給を受けたことがないこと

遺族の要件

❶死亡した者の死亡により、**遺族基礎年金**の支給を受けることができる者がいないこと（原則）

❷死亡した者の①**配偶者**、②**子**、③**父母**、④**孫**、⑤**祖父母**、⑥**兄弟姉妹**（順位は①から⑥の順）であって、その者の死亡の当時その者と**生計を同じく**していたものであること（原則）

支給額

基本額

死亡一時金の基本額は、対象月数に応じて、以下の額となる

対象月数	金額
36月以上180月未満	**120,000円**
180月以上240月未満	145,000円
240月以上300月未満	170,000円
300月以上360月未満	220,000円
360月以上420月未満	270,000円
420月以上	**320,000円**

加算額

（加算の要件）　死亡日の属する月の**前月**までの第１号被保険者としての被保険者期間に係る死亡日の前日における**付加保険料に係る保険料納付済期間**が**３年以上**あること

（加算額）**8,500円**

併給調整	死亡一時金の支給を受ける者が、同一人の死亡により**寡婦年金**を受けることができるときは、その者の選択により、死亡一時金と寡婦年金とのうち、その**一方のみが支給**され、他方は支給されない

寡婦年金では、第１号被保険者（であった者）の保険料全額免除期間（学生納付特例及び納付猶予期間を除く）についても、年金額に反映されることに注意しましょう。
国民年金の第１号被保険者に係る独自給付のうち、加算額があるのは、「死亡一時金」だけです。

20 合意分割と3号分割

CH9 Sec8

	合意分割	3号分割
要件	**離婚等をした当事者**（第1号**改定者**と第2号**改定者**）は、次のいずれかに該当するときは、**実施機関**に対し、**標準報酬改定請求**（合意分割の請求）をすることができる ❶当事者が標準報酬改定請求をすること及び請求すべき**按分割合**について**合意**しているとき ❷標準報酬改定請求について、当事者の**合意のための協議**が調わず又は**協議**をすることができないため、当事者の一方の申立てにより、**家庭裁判所**が請求すべき**按分割合**を定めたとき	**被扶養配偶者**は、その配偶者（**特定被保険者**）と離婚等した場合には、**実施機関**に対し、**3号分割標準報酬改定請求**（3号分割の請求）をすることができる ※3号分割標準報酬改定請求の対象となるのは、被扶養配偶者が第3号被保険者であった**平成20年4月1日以後**の期間に限られる
請求ができない場合	❶離婚等をしたときから**2年**を経過したとき ※離婚等をしたときから2年を経過したときであっても、裁判所に審判申立て等をしていた場合は、その審判が確定した日等から**6月以内**であれば請求を行うことができる	
		❷特定被保険者が、下記の**特定期間の全部**をその額の計算の基礎とする**障害厚生年金の受給権者**であるとき
分割対象となる期間	**対象期間**（婚姻成立日から離婚成立日までの期間等）	**特定期間**（特定被保険者が被保険者であった期間で、かつ、その被扶養配偶者が当該特定被保険者の配偶者として第3号被保険者であった期間）
分割割合	**按分割合**の**上限を50%**として分割	特定被保険者と被扶養配偶者で**50%ずつに自動分割**（協議・合意等は不要）

	合意分割	3号分割
情報提供の請求	当事者の双方又は一方は、**実施機関**に対し、標準報酬改定請求を行うために**必要な情報の提供**を請求することができる。ただし、次の場合には請求することができない ❶標準報酬改定請求後に請求する場合 ❷情報提供を受けた日の翌日から起算して3月を経過していない場合 ❸離婚等をしたときから2年を経過した場合	
みなし被保険者期間の扱い	**離婚時みなし被保険者期間** 対象期間のうち**第1号改定者の被保険者期間**であって**第2号改定者の被保険者期間でない期間**について、標準報酬改定請求により第2号改定者の被保険者期間であったものとみなされた期間	**被扶養配偶者みなし被保険者期間** **特定期間に係る被保険者期間**のうち、3号分割標準報酬改定請求により被扶養配偶者の被保険者期間であったものとみなされた期間

離婚時みなし被保険者期間・被扶養配偶者みなし被保険者期間の算入・不算入

❶	**報酬比例部分の計算**	○
❷	**定額部分の計算**	×
❸	老齢厚生年金(老齢基礎年金)の**受給資格期間**(10年以上)	×
❹	**特別支給の老齢厚生年金**の支給要件となる被保険者期間(1年以上)	×
❺	**長期加入者の特例**(44年以上)	×
❻	**加給年金額**の支給要件となる被保険者期間(原則240月以上)	×
❼	**脱退一時金**の支給要件となる被保険者期間(6月以上)	×

○:算入する ×:算入しない

分割の効果	改定され又は決定された標準報酬は、標準報酬改定請求又は3号分割標準報酬改定請求のあった日から**将来に向かってのみ**その**効力**を有する

	合意分割	3号分割
年金額の改定	**老齢厚生年金の受給権者**について、標準報酬改定請求又は3号分割標準報酬改定請求による標準報酬の改定又は決定が行われたときは、当該請求のあった日の属する**月の翌月**から**年金の額を改定**する	
	障害厚生年金の受給権者について、標準報酬改定請求による標準報酬の改定又は決定が行われたときは、当該請求のあった日の属する**月の翌月**から、**年金の額を改定**する。ただし、被保険者期間の**300月の最低保障**が適用されている障害厚生年金については、**離婚時みなし被保険者期間**は、その**計算の基礎としない**	**障害厚生年金の受給権者である被扶養配偶者**について、3号分割標準報酬改定請求による標準報酬の決定が行われたときは、当該請求のあった日の属する**月の翌月**から、年金の額を改定する。ただし、被保険者期間の**300月の最低保障**が適用されている障害厚生年金については、**被扶養配偶者みなし被保険者期間**は、その**計算の基礎としない**
その他の留意点	❶**合意分割の対象期間に特定期間が含まれている**場合、合意分割の標準報酬改定請求があったときは、併せて3号分割標準報酬改定請求があったものとみなされる ❷**厚生年金保険の被保険者でなかった者**であっても、みなし被保険者期間を有する者が死亡した場合には、老齢厚生年金の受給権者又は受給資格期間を満たす者の死亡として**遺族厚生年金が支給されることがある**	

ワンポイントアドバイス

合意分割・3号分割は、範囲が広いので、ポイントとなる論点（本書に記載した事項）を中心に学習するようにしましょう。

総まとめ編

9 社会保険に関する一般常識

1 国民健康保険法

CH10 Sec1

1 健康保険法との差異

	国民健康保険法	健康保険法
被扶養者	世帯主又は組合員及びその家族は、原則として、**被保険者**となる。「**被扶養者**」という概念はない	被保険者により生計を維持（又は生計維持＋世帯同一）されている一定範囲の者で、**日本国内に住所を有するもの**又は外国において留学をする学生等で日本国内に住所を有しないもの
		直系尊属、配偶者、子、孫、兄弟姉妹は、**生計維持**関係があればよい（世帯を同じくしていることを要しない）
給　付	**特別療養費**の支給あり	なし（日雇特例被保険者に対する同一名称の保険給付はあるが、支給事由は異なる）
	出産育児一時金、葬祭費（葬祭の給付）は、特別の理由があるときは、その全部又は一部を行わないことができる	実施
	傷病手当金の支給は、条例又は規約の定めによる（任意給付）	
一定以上所得者（療養の給付等）	原則として、課税所得が**145万円**以上	原則として、標準報酬月額が**28万円**以上
審査請求	国民健康保険審査会…一審制	**社会保険審査官（会）**…二審制 ※保険料等の処分に対する不服申立ては一審制

2 船員保険法

CH10 Sec1

1 職務外の傷病等

療養の給付等

健康保険法と同様の保険給付が行われる

※健康保険法との差異
- ◆療養の給付に「**自宅以外**の場所における療養に必要な宿泊及び食事の支給」が含まれる
- ◆「(家族）埋葬料」は「(家族）葬祭料」として支給される
- ◆傷病手当金は、「待期期間」が設けられておらず、また支給期間は支給を始めた日から通算して3年間とされている
- ◆資格喪失後に傷病手当金等を受けるときは、次のいずれかの要件を満たせばよい
  ❶資格喪失日前1年間に3月以上の被保険者期間
  ❷資格喪失日前3年間に1年以上の被保険者期間

2 職務上の事由又は通勤による傷病等

上乗せ給付

労災保険の保険給付の**上乗せ**として「休業手当金」等の支給が行われる

独自給付（行方不明手当金）

被保険者が職務上**の事由**により1月以上行方不明となったときに、行方不明となった日の翌日から起算して3月**を限度**として、被扶養者に対して、1日につき被保険者が行方不明となった当時の**標準報酬日額**に相当する金額を支給する

3 付加給付

全国健康保険協会は、政令で定めるところにより、1の給付に併せて、保険給付としてその他の給付を行うことができる

3 高齢者の医療の確保に関する法律

CH10 Sec1

1 被保険者、後期高齢者医療給付の種類等

<table>
<tr><td>被保険者</td><td>❶後期高齢者医療広域連合の区域内に住所を有する75歳以上の者
❷後期高齢者医療広域連合の区域内に住所を有する65歳以上75歳未満の者であって、政令で定める程度の障害の状態にある旨の当該後期高齢者医療広域連合の認定を受けたもの</td></tr>
<tr><td>医療給付</td><td>❶療養の給付
❷入院時食事療養費
❸入院時生活療養費
❹保険外併用療養費
❺療養費
❻訪問看護療養費
❼特別療養費
❽移送費
❾高額療養費及び高額介護合算療養費
❿❶～❾の他、後期高齢者医療広域連合の条例で定めるところにより行う給付</td></tr>
<tr><td>療養の給付</td><td>療養の給付を受ける者は、次の区分に応じ一部負担金を当該保険医療機関等に支払う
<table><tr><td>❶</td><td>下記❷❸以外の者</td><td>100分の10</td></tr><tr><td>❷</td><td>一定以上の所得がある場合（下記❸に該当する者を除く）</td><td>100分の20</td></tr><tr><td>❸</td><td>現役並み所得者</td><td>100分の30</td></tr></table></td></tr>
<tr><td>費用負担</td><td><table><tr><td colspan="3">6/12</td><td colspan="2">6/12</td></tr><tr><td colspan="3">公費（50%）</td><td colspan="2">保険料（50%）</td></tr><tr><td>国</td><td>都道府県</td><td>市町村</td><td>保険料（約13%）</td><td>後期高齢者交付金（約37%）</td></tr><tr><td>4/12</td><td>1/12</td><td>1/12</td><td></td><td></td></tr></table></td></tr>
<tr><td>審査請求</td><td>医療給付、保険料等徴収金に関する処分の不服については後期高齢者医療審査会（各都道府県に設置）に審査請求</td></tr>
</table>

4 介護保険法

CH10 Sec1

1 被保険者

被保険者	❶**第１号被保険者**（市町村の区域内に住所を有する**65歳以上**の者） ❷**第２号被保険者**（市町村の区域内に住所を有する**40歳以上65歳未満**の**医療保険加入者**）

2 介護給付の種類

居宅介護サービス費	居宅要介護被保険者が指定**居宅サービス**を受ける ※要介護認定の効力が生ずる前にやむを得ず受けるとき…特例居宅介護サービス費
地域密着型介護サービス費	要介護被保険者が、指定**地域密着型サービス**を受ける ※要介護認定の効力が生ずる前にやむを得ず受けるとき…特例地域密着型介護サービス費
居宅介護福祉用具購入費	福祉用具のうち、入浴又は排せつの用に供するもの等を**指定居宅サービス事業者**から購入
居宅介護住宅改修費	手すりの取付け等、住宅改修を行う
居宅介護サービス計画費	居宅要介護被保険者が、居宅サービス計画の作成等の指定居宅介護支援を受ける ※指定居宅介護支援以外の居宅介護支援を受けたとき…特例居宅介護サービス計画費
施設介護サービス費	要介護被保険者が、**指定介護福祉施設サービス**、**介護保健施設サービス**又は**介護医療院サービス**を受けたとき ※要介護認定の効力が生ずる前にやむを得ず受けるとき…特例施設介護サービス費

高額介護サービス費・高額医療合算介護サービス費	居宅サービス等に要した費用の利用者負担額（高額医療合算介護サービス費は医療費と介護費に係る負担額の合算額）が著しく高額であるとき
特定入所者介護サービス費	要介護被保険者のうち、所得及び資産の状況等をしん酌した一定のものが、特定介護サービスを受けたときに、食事の提供に要した費用、居住等に要した費用について支給される ※要介護認定の効力が生ずる前にやむを得ず受けるとき…特例特定入所者介護サービス費

※上記「介護給付」の他、要支援者に対する「予防給付」等がある

3 支給額

原　則	90/100（一定以上所得者80/100又は70/100）
（特例）居宅介護サービス計画費	全額
高額介護サービス費・高額医療合算介護サービス費	一定額を超えた部分
（特例）特定入所者介護サービス費	食費及び居住費の負担限度額を超えた部分

4 事業者等の指定等

事業者・施設		申請者	指定・許可	
指定居宅サービス事業者		当該サービス事業を行う者	都道府県知事	指定
指定介護予防サービス事業者				
指定地域密着型サービス事業者			市町村長	
指定地域密着型介護予防サービス事業者				
指定居宅介護支援事業者		当該支援事業を行う者	市町村長	
指定介護予防支援事業者		**地域包括支援センターの設置者**		
		指定居宅介護支援事業者		
介護保険施設	指定介護老人福祉施設	開設者	都道府県知事	
	介護老人保健施設			許可
	介護医療院			

※指定・許可の有効期間はいずれも6年

5 児童手当法

CH10 Sec1

児童	**18歳に達する日以後の最初の３月31日**までの間にある者であって、日本国内に住所を有するもの又は留学その他の内閣府令で定める理由により日本国内に住所を有しないものをいう
児童手当の支給要件 改正	児童手当は、次の❶から❹のいずれかに該当する者に支給する ❶施設入所等児童以外の児童（以下「支給要件児童」という）を**監護**し、かつ、これと**生計を同じく**するその**父母等**であって、**日本国内に住所を有する**もの ❷「**日本国内に住所を有しない父母等**がその**生計を維持**している支給要件児童」と**同居**し、これを**監護**し、かつ、これと**生計を同じく**する者のうち、当該支給要件児童の生計を維持している父母等が**指定**する者であって、**日本国内に住所を有する**もの（以下「父母指定者」という） ❸「父母等又は父母指定者のいずれにも監護されず又はこれらと生計を同じくしない支給要件児童」を監護し、かつ、その生計を維持する者であって、日本国内に住所を有するもの ❹施設入所等児童に対し児童自立生活援助を行う者、施設入所等児童が委託されている小規模住居型児童養育事業を行う者若しくは里親又は施設入所等児童が入所若しくは入院をしている障害児入所施設等の設置者

上記❷の父母指定者とは、下の図の祖父母等がこれに該当します

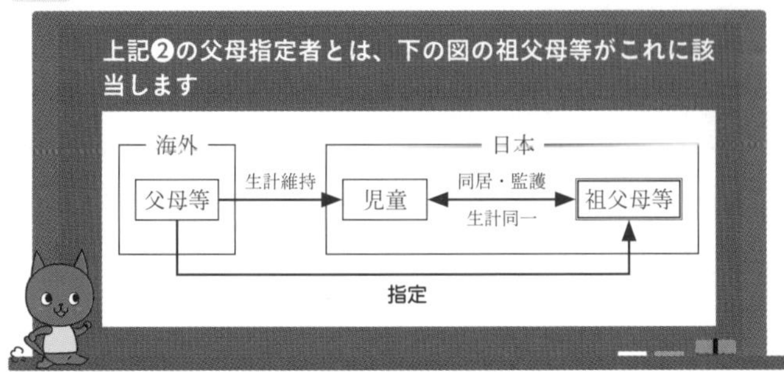

児童手当の額 改正

(1) **個人受給資格者**（前記❶[※]から❸に該当する場合）

年齢	1人当たり月額
3歳未満	15,000円（第3子以降は30,000円）
3歳以上18歳年度末まで	10,000円（第3子以降は30,000円）

※　前記❶の父母等が未成年後見人であり、かつ、法人である場合（法人受給資格者）は、下記(2)の施設等受給資格者と同じ額となる

(2) **施設等受給資格者**（前記❹に該当する場合）

年齢	1人当たり月額
3歳未満	15,000円
3歳以上18歳年度末まで	10,000円

「第3子以降」のカウント方法

児童手当の支給対象となる児童は18歳年度末（高校生年代）までであるが、個人受給資格者の場合、22歳年度末（大学生年代）までは支給額算定上の人数に含まれる

【例】25歳、20歳、15歳、10歳の子がいる場合
25歳（対象外）
20歳（第1子）支給なし
15歳（第2子）10,000円
10歳（第3子）30,000円

費用負担 改正

被用者（3歳未満）

	国	
内訳	支援納付金[※1] 3/5	拠出金[※2] 2/5

被用者等でない者（3歳未満）

	国		都道府県	市町村
内訳	支援納付金 3/5	国庫 4/15	1/15	1/15

3歳以降（被用者・被用者等でない者）

	国		都道府県	市町村
内訳	支援納付金 1/3	国庫 4/9	1/9	1/9

※1　政府が健康保険者等から徴収する子ども・子育て支援納付金
※2　政府が一般事業主から徴収する拠出金

公務員（3歳未満・3歳以降）

各所属庁が全額負担

6 確定拠出年金法・確定給付企業年金法

CH10 Sec2

	確定拠出年金		確定給付企業年金
特徴	**自己の責任**において運用指図		事業主が従業員と給付の内容を約す
種類	◆企業**型**年金 ◆個人**型**年金		◆**規約型**企業年金 ◆**基金型**企業年金
加入者	**企業型年金** ❶**第1号厚生年金被保険者** ❷**第4号厚生年金被保険者**	**個人型年金** ❶**第1号加入者** 〔国民年金の第1号**被保険者**（保険料免除者を除く）〕 ❷**第2号加入者** 〔国民年金の第2号**被保険者**（企業型掛金拠出者等を除く）〕 ❸**第3号加入者** （国民年金の第3号**被保険者**） ❹**第4号加入者** 〔国民年金の任意加入被保険者（20歳以上60歳未満の国内居住者を除く）〕	実施事業所に使用される**第1号厚生年金被保険者**又は**第4号厚生年金被保険者**

<table>
<tr><th rowspan="2"></th><th colspan="2">確定拠出年金</th><th rowspan="2">確定給付企業年金</th></tr>
<tr><th>企業型年金</th><th>個人型年金</th></tr>
<tr><td>適用除外者</td><td>❶企業型年金規約で一定の資格を定めた場合における当該資格を有しない者
❷企業型年金の老齢給付金の受給権を有する者又はその受給権を有する者であった者</td><td>❶個人型年金の老齢給付金の受給権を有する者又はその受給権を有する者であった者
❷国年法又は厚年法による老齢を支給事由とする年金たる給付等の受給権を有する者</td><td>規約で一定の資格を定めた場合における当該資格を有しない者</td></tr>
<tr><td>掛金負担</td><td>事業主が負担
（規約により加入者の負担可）</td><td>加入者が負担
（過半数組織労働組合等の同意により中小事業主の上乗せ拠出可）</td><td>事業主が負担
（規約により加入者が掛金一部負担可）</td></tr>
<tr><td>掛金拠出</td><td>《月額上限※1》
❶他制度加入者以外
55,000円
❷他制度加入者 改正
55,000円－他制度掛金相当額</td><td>《月額上限※2》
❶第1号加入者
68,000円
❷第2号加入者 改正
ⓐ下記ⓑⓒⓓ以外
23,000円
ⓑ企業型年金加入者（下記ⓒを除く）
20,000円※3
ⓒ他制度加入者
20,000円※3</td><td>年1回以上定期的に拠出
掛金の額は、規約で定めるところにより算定した額</td></tr>
</table>

掛金拠出		ⓓ第２号厚生年金被保険者又は第３号厚生年金被保険者 20,000円※3 ❸第３号加入者 23,000円 ❹第４号加入者 68,000円	
給付	❶老齢給付金 ❷障害給付金 ❸死亡一時金 ・当分の間、脱退一時金		❶老齢給付金 ❷脱退一時金 （任意） ❶障害給付金 ❷遺族給付金

※１　企業型年金加入者が企業型年金加入者掛金を拠出する場合にあっては、事業主掛金の額と企業型年金加入者掛金の額との合計額

※２　中小事業主が中小事業主掛金を拠出する場合にあっては、個人型年金加入者掛金の額と中小事業主掛金の額との合計額

※３　ⓑⓒⓓは、それぞれ事業主掛金の額、他制度掛金相当額、共済掛金相当額との合計で**55,000円**を超えることはできない（例えば、事業主掛金の額が40,000円の場合、ⓑの企業型年金加入者である第２号加入者の拠出限度額は15,000円となる）

7 社会保険労務士法

CH10 Sec2

1 業　務

社労士及び特定社労士	❶労働社会保険諸法令に基づく**申請書等の作成** ❷申請書等の**提出代行** ❸申請等の**事務代理** ❹労働社会保険諸法令に基づく帳簿書類の作成 ❺労務管理その他の労働及び社会保険に関する事項の**相談又は指導** ❻労務管理その他の労働及び社会保険に関する事項に係る裁判所における**補佐人**としての**出頭・陳述**
特定社労士のみ	**紛争解決手続代理業務**

2 資格等

資　格	以下の❶又は❷のいずれかに該当する者であって、実務経験が**通算して2年以上**になるもの（又は厚生労働大臣がこれと同等以上の経験を有すると認めるもの）は、社会保険労務士となる資格を有する ❶社会保険労務士**試験に合格**した者 ❷社会保険労務士試験の免除科目が試験科目の全部に及ぶ者　等
欠格事由	❶未成年者 ❷破産手続開始の決定を受けて復権を得ない者 ❸懲戒処分により社会保険労務士の**失格処分**を受けた者で、その処分を受けた日から**3年**未経過 ❹社労士法又は労働社会保険諸法令の規定により**罰金**以上の刑に処せられた者で、その刑の執行が終わった日等から**3年**未経過 ❺上記❹の法令以外の法令の規定により**禁錮**以上の刑に処せられた者で、その刑の執行が終わった日等から**3年**未経過

欠格事由	❻社会保険労務士の**登録の取消し**の処分を受けた者で、その処分を受けた日から**3年**未経過 ❼公務員等で懲戒免職の処分を受け、その処分を受けた日から**3年**未経過 ❽懲戒処分により、弁護士会から除名され、公認会計士の登録の抹消の処分を受け、税理士の業務を禁止され又は行政書士の業務を禁止された者で、これらの処分を受けた日から**3年**未経過 ❾税理士法の規定により**税理士業務の禁止処分**を受けるべきであったことについて決定を受けた税理士であった者であって、当該決定を受けた日から**3年**未経過

3 登 録

名　簿	全国社会保険労務士会連合会に備える
登　録	◆連合会は、申請者が社会保険労務士となる**資格を有し、**かつ、登録拒否事由に該当しない者であると認めたときは、遅滞なく、社会保険労務士**名簿に登録**しなければならない ◆連合会は、申請者が社会保険労務士となる**資格を有せず**、又は登録拒否事由のいずれかに該当する者であると認めたときは、**資格審査会**の議決に基づき、登録を拒否しなければならない
登録拒否	次のいずれかに該当する者は、社会保険労務士の登録を受けることができない ❶**懲戒処分**により、弁護士、公認会計士、税理士又は行政書士の業務を停止された者で、現にその処分を受けているもの ❷税理士法の規定により2年以内の**税理士業務の停止処分**を受けるべきであったことについて決定を受けた税理士であった者で、財務大臣によって明らかにされた業務停止期間を経過しないもの ❸**心身の故障**により社会保険労務士の業務を行うことができない者

登録拒否	❹登録申請日の前日までに、労働・社会保険料の**滞納処分を受け**、かつ、当該処分を受けた日から正当な理由なく**3月以上**の期間にわたり、当該処分を受けた日以降に納期限の到来した保険料の全てを引き続き滞納している者 ❺社会保険労務士の**信用又は品位**を害するおそれがある者その他社会保険労務士の職責に照らし社会保険労務士としての適格性を欠く者
登録取消	連合会は、社会保険労務士の登録を受けた者が、次のいずれかに該当するときは、**資格審査会**の議決に基づき、当該登録を取り消すことができる ❶登録を受ける資格に関する重要事項について、告知せず又は不実の告知を行って当該登録を受けたことが判明したとき ❷**心身の故障**により社会保険労務士の業務を行うことができない者に該当するに至ったとき ❸**2年以上**継続して**所在が不明**であるとき

4 社会保険労務士の義務等

不正行為指示禁止	社会保険労務士又は社会保険労務士法人は、 **不正に**労働社会保険諸法令に基づく**保険給付を受ける**こと、**不正に**労働社会保険諸法令に基づく**保険料の賦課又は徴収を免れる**ことその他労働社会保険諸法令に**違反する行為**について**指示**をし、**相談**に応じ、その他これらに類する行為をしてはならない
信用失墜行為禁止	社会保険労務士又は社会保険労務士法人は、 社会保険労務士の**信用又は品位**を害するような行為をしてはならない
研　修	社会保険労務士は、 社会保険労務士会及び連合会が行う**研修**を受け、その資質の向上を図るように**努め**なければならない

事務所	開業社会保険労務士は、 原則として、業務を行うための事務所を**2以上**設けてはならない
帳　簿	開業社会保険労務士又は社会保険労務士法人は、 ❶業務に関する帳簿を備え、これに事件の名称、依頼を受けた年月日、受けた報酬の額、依頼者の住所及び氏名又は名称その他厚生労働大臣が定める事項を記載しなければならない ❷帳簿をその関係書類とともに、帳簿閉鎖の時から**2年間**保存しなければならない
依　頼	開業社会保険労務士又は社会保険労務士法人は、 正当な理由がある場合でなければ、依頼（紛争解決手続代理業務に関するものを除く）を拒んではならない
守秘義務	開業社会保険労務士又は社会保険労務士法人の社員は、 正当な理由がなくて、その業務に関して知り得た秘密を他に漏らし、又は盗用してはならない
本人への通知	社会保険労務士又は社会保険労務士法人は、 **事務代理**等をする場合において、行政機関等から当該事務代理等に係る事務に関し指導等が行われたときは、その内容を**本人に通知**しなければならない
報酬基準	社会保険労務士又は社会保険労務士法人は、 事務を受任しようとする場合には、あらかじめ、依頼をしようとする者に対し、報酬額の算定の方法その他の**報酬の基準**を示さなければならない

5 懲　戒

不正行為に対する懲戒	故意に又は相当の注意を怠って、真正の事実に反して申請書等の作成、事務代理、紛争解決手続代理業務等を行ったときは、厚生労働大臣は、以下の処分をすることができる 故意に { **❶失格処分** / **❷1年以内の業務の停止** / **❸戒告** } 相当の注意を怠り 不正行為の指示等を行った場合は、上記❶又は❷の処分をすることができる
一般の懲戒	申請書等に添付する書面若しくは付記に**虚偽の記載**をしたとき、社労士法等に違反したとき、又は社会保険労務士たるにふさわしくない**重大な非行**があったときは、厚生労働大臣は、上記❶～❸の懲戒処分をすることができる

6 社会保険労務士法人

設立要件（社員の資格）	社会保険労務士法人の社員は、**社会保険労務士**でなければならない
設立の手続	❶社員になろうとする社会保険労務士が定款を定める ❷社会保険労務士法人は、主たる事務所の所在地において設立の登記をする
業務執行の制限	社会保険労務士法人は、社会保険労務士でない者に、いわゆる１・２号業務を行わせたり、特定社会保険労務士でない者に**紛争解決手続代理業務**を行わせたりしてはならない
違法行為についての処分	厚生労働大臣は、社会保険労務士法人が社労士法等に違反し、又は運営が著しく不当と認められるときは、その社会保険労務士法人に対し、**戒告**し、若しくは**1年以内の期間を定めて業務の全部**若しくは**一部の停止**を命じ、又は**解散**を命ずることができる
解　散	社会保険労務士法人は、次に掲げる理由によって解散する ❶定款に定める理由の発生 ❷総社員の同意 ❸他の社会保険労務士法人との**合併** ❹**破産手続開始**の決定 ❺解散を命ずる裁判 ❻厚生労働大臣による**解散の命令** ❼**社員の欠亡** 清算人は、社員の死亡により❼**に該当するに至った場合に限り**、当該社員の相続人の同意を得て、新たに社員を加入させて社会保険労務士法人を継続することができる

執　筆　者

全科目横断編

適用等 …… 仲尾将一

通則事項 …… 跡部大輔

総まとめ編

労働基準法 …… 仲尾将一

労働安全衛生法 …… 仲尾将一

労働者災害補償保険法 …… 跡部大輔

雇用保険法 …… 跡部大輔

労働保険の保険料の徴収等に関する法律 …… 跡部大輔

労務管理その他の労働に関する一般常識 …… 仲尾将一

健康保険法 …… 仲尾将一

国民年金法及び厚生年金保険法 …… 仲尾将一

社会保険に関する一般常識 …… 跡部大輔

編 集 協 力

滝澤ななみ

みんなが欲しかった！　社労士シリーズ

2025年度版　みんなが欲しかった！　社労士全科目横断総まとめ

（『ナンバーワン社労士　必修横断整理』
平成19年度版　2007年4月　初版 第1刷発行）

2024年12月5日　初　版　第1刷発行

編著者　TAC株式会社
（社会保険労務士講座）
発行者　多田敏男
発行所　TAC株式会社　出版事業部
（TAC出版）

〒101-8383
東京都千代田区神田三崎町3-2-18
電話　03(5276)9492(営業)
FAX　03(5276)9674
https://shuppan.tac-school.co.jp

組　版　朝日メディアインターナショナル株式会社
印　刷　株式会社　ワコー
製　本　東京美術紙工協業組合

© TAC 2024　Printed in Japan
ISBN 978-4-300-11364-6
N.D.C. 364

本書は，「著作権法」によって，著作権等の権利が保護されている著作物です。本書の全部または一部につき，無断で転載，複写されると，著作権等の権利侵害となります。上記のような使い方をされる場合，および本書を使用して講義・セミナー等を実施する場合には，小社宛許諾を求めてください。

乱丁・落丁による交換，および正誤のお問合せ対応は，該当書籍の改訂版刊行月末日までといたします。なお，交換につきましては，書籍の在庫状況等により，お受けできない場合もございます。
また，各種本試験の実施の延期，中止を理由とした本書の返品はお受けいたしません。返金もいたしかねますので，あらかじめご了承くださいますようお願い申し上げます。

社会保険労務士講座

2025年合格目標 開講コース

学習レベル・スタート時期にあわせて選べます!

一般教育訓練給付制度の指定コースがあります。
詳細は、TAC各校へお問い合わせください。

初学者対象
順次開講中
まずは年金から着実に学習スタート!
総合本科生Basic(ベーシック)
初めて学ぶ方も無理なく合格レベルに到達できるコース。Basic講義で年金科目の基礎を理解した後は、労働基準法から効率的に基礎力&答案作成力を身につけます。

初学者対象
順次開講中
Basic講義つきのプレミアムコース!
総合本科生Basic+Plus(ベーシック/プラス)
大好評のプレミアムコース「総合本科生Plus」に、Basic講義がついたコースです。Basic講義から直前期のオプション講義まで豊富な内容で合格へ導きます。

初学者・受験経験者対象
2024年9月より順次開講
基礎知識から答案作成力まで一貫指導!
総合本科生
長年の指導ノウハウを凝縮した、TAC社労士講座のスタンダードコースです。【基本講義 → 実力テスト → 本試験レベルの答練】と、効率よく学習を進めていきます。

初学者・受験経験者対象
2024年9月より順次開講
充実度プラスのプレミアムコース!
総合本科生Plus(プラス)
「総合本科生」を更に充実させたプレミアムコースです。「総合本科生」のカリキュラムを詳細に補足する講義を加え、充実のオプション講義で万全な学習態勢です。

受験経験者対象
2024年10月より順次開講
今まで身につけた知識を更にレベルアップ!
上級本科生
受験経験者(学習経験者)専用に独自開発したコース。受験経験者専用のテキストを用いた講義と問題演習を繰り返すことによって、強固な基礎力に加え応用力を身につけていきます。

受験経験者対象
2024年11月より順次開講
インプット期から十分な演習量を実現!
上級演習本科生
コース専用に編集されたハイレベルな演習問題をインプット期から取り入れ、解説講義を行いながら知識を確認していくことで、受験経験者の得点力を更に引き上げていきます。

初学者・受験経験者対象
2024年10月開講
合格に必要な知識を効率よくWebで学習!
スマートWeb本科生(ウェブ)
「スマートWeb」ならではの効率良いスマートな学習が可能なコースです。テキストを持ち歩かなくても、隙間時間にスマホ一つで楽しく学習できます。

※上記コースは諸般の事情により、開講月が変更となる場合がございます。

詳細はTAC HPまたは2025年合格目標パンフレットにてご確認ください。

……… ライフスタイルに合わせて選べる3つの学習メディア ………
【通 学】 教室講座・ビデオブース講座　【通 信】 Web通信講座

※「総合本科生」のみDVD通信講座もご用意しております。
※「スマートWeb本科生」はWeb通信講座のみの取り扱いとなります。

資格の学校 TAC

はじめる前に体験できる。だから安心! 無料体験入学

実際の講義を無料で体験! あなたの目で講義の質を実感してください。

お申込み前に講座の第1回目の講義を無料で受講できます。講義内容や講師、雰囲気などを体験してください。ご予約は不要です。開講日につきましては、TACホームページまたは講座パンフレットをご確認ください。

※教室での生講義のほか、TAC各校舎のビデオブースでも体験できます。ビデオブースでの体験入学は事前の予約が必要です。詳細は各校舎にお問合わせください。

https://www.tac-school.co.jp/ → 社会保険労務士へ

まずはこちらへお越しください 無料公開セミナー・講座説明会

予約不要・参加無料　知りたい情報が満載!
参加者だけのうれしい特典あり

参加者に
入会金免除券
プレゼント!

専任講師によるテーマ別セミナーや、カリキュラムについて詳しくご案内する講座説明会を実施しています。終了後は質問やご相談にお答えする「個別受講相談」を承っております。実施日程はTAC HPまたはパンフレットにてご案内しております。ぜひお気軽にご参加ください。

Web上でもセミナーが見られる! TAC動画チャンネル

セミナー・体験講義の映像など
役立つ情報をすべて無料で視聴できます。

●テーマ別セミナー　●体験講義　等

https://www.tac-school.co.jp/ → TAC動画チャンネル へ

PCやスマホで快適に閲覧 デジタルパンフレット

紙と同じ内容のパンフレットをPCやスマートフォンで!
郵送も待たずに今すぐにご覧いただけます。

⬇登録はこちらから

https://www.tac-school.co.jp/ → デジタルパンフ登録フォームに入力

コチラからもアクセス! ▶▶

資料請求・お問い合わせはこちらから!

電話でのお問い合わせ・資料請求　通話無料 0120-509-117（ゴウカク イイナ）
※携帯・自動車電話からもご利用いただけます。

【受付時間】
10:00〜19:00(月曜〜金曜)
10:00〜17:00(土曜・日曜・祝日)
※営業時間は変更の場合がございます。詳しくはTAC HPをご確認ください。

TACホームページからのご請求　https://www.tac-school.co.jp/

TAC出版 書籍のご案内

TAC出版では、資格の学校TAC各講座の定評ある執筆陣による資格試験の参考書をはじめ、資格取得者の開業法や仕事術、実務書、ビジネス書、一般書などを発行しています！

TAC出版の書籍

＊一部書籍は、早稲田経営出版のブランドにて刊行しております。

資格・検定試験の受験対策書籍

- 日商簿記検定
- 建設業経理士
- 全経簿記上級
- 税　理　士
- 公認会計士
- 社会保険労務士
- 中小企業診断士
- 証券アナリスト
- ファイナンシャルプランナー(FP)
- 証券外務員
- 貸金業務取扱主任者
- 不動産鑑定士
- 宅地建物取引士
- 賃貸不動産経営管理士
- マンション管理士
- 管理業務主任者
- 司法書士
- 行政書士
- 司法試験
- 弁理士
- 公務員試験(大卒程度・高卒者)
- 情報処理試験
- 介護福祉士
- ケアマネジャー
- 電験三種　ほか

実務書・ビジネス書

- 会計実務、税法、税務、経理
- 総務、労務、人事
- ビジネススキル、マナー、就職、自己啓発
- 資格取得者の開業法、仕事術、営業術

一般書・エンタメ書

- ファッション
- エッセイ、レシピ
- スポーツ
- 旅行ガイド（おとな旅プレミアム/旅コン）

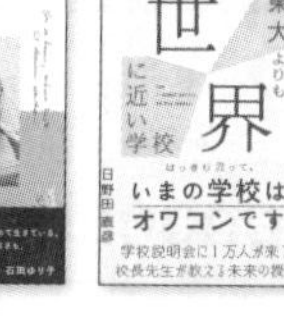
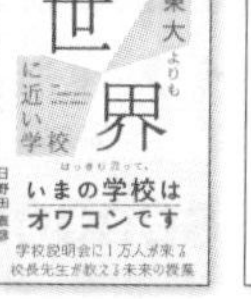

(2024年2月現在)

書籍のご購入は

1 全国の書店、大学生協、ネット書店で

2 TAC各校の書籍コーナーで

資格の学校TACの校舎は全国に展開!
校舎のご確認はホームページにて

資格の学校TAC ホームページ
https://www.tac-school.co.jp

3 TAC出版書籍販売サイトで

CYBER BOOK STORE TAC出版書籍販売サイト

TAC 出版 で 検索

24時間 ご注文 受付中

https://bookstore.tac-school.co.jp/

新刊情報をいち早くチェック!

たっぷり読める立ち読み機能

学習お役立ちの特設ページも充実!

TAC出版書籍販売サイト「サイバーブックストア」では、TAC出版および早稲田経営出版から刊行されている、すべての最新書籍をお取り扱いしています。
また、会員登録(無料)をしていただくことで、会員様限定キャンペーンのほか、送料無料サービス、メールマガジン配信サービス、マイページのご利用など、うれしい特典がたくさん受けられます。

サイバーブックストア会員は、特典がいっぱい!(一部抜粋)

通常、1万円(税込)未満のご注文につきましては、送料・手数料として500円(全国一律・税込)頂戴しておりますが、1冊から無料となります。

専用の「マイページ」は、「購入履歴・配送状況の確認」のほか、「ほしいものリスト」や「マイフォルダ」など、便利な機能が満載です。

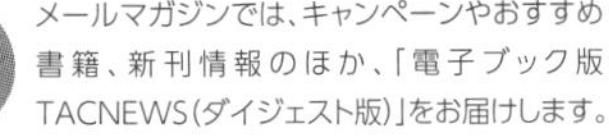

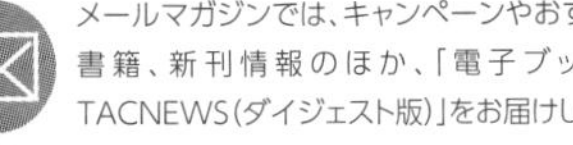

メールマガジンでは、キャンペーンやおすすめ書籍、新刊情報のほか、「電子ブック版TACNEWS(ダイジェスト版)」をお届けします。

書籍の発売を、販売開始当日にメールにてお知らせします。これなら買い忘れの心配もありません。

2025年度版 社労士試験対策書籍のご案内

TAC出版では、独学用、およびスクール学習の副教材として、各種対策書籍を取り揃えています。
学習の各段階に対応していますので、あなたのステップに応じて、合格に向けてご活用ください!

（刊行内容、発売月、表紙は変更になることがあります。）

みんなが欲しかった! シリーズ

わかりやすさ、学習しやすさに徹底的にこだわった、TAC出版イチオシのシリーズ。
大人気の『社労士の教科書』をはじめ、合格に必要な書籍を網羅的に取り揃えています。

基礎学習

『みんなが欲しかった! 社労士合格へのはじめの一歩』
A5判、8月　貫場 恵子 著
- 初学者のための超入門テキスト!
- 概要をしっかりつかむことができる入門講義で、学習効率ぐーんとアップ!
- フルカラーの巻頭漫画とスタートアップ講座は必見!

『みんなが欲しかった! 社労士の教科書』
A5判、10月
- 資格の学校TACが独学者・初学者専用に開発! フルカラーで圧倒的にわかりやすいテキストです。
- 2冊に分解OK! セパレートBOOK形式。
- 便利な赤シートつき!

『みんなが欲しかった! 社労士の問題集』
A5判、10月
- この1冊でイッキに合格レベルに! 本試験形式の択一式&選択式の過去問、予想問を必要な分だけ収載。
- 『社労士の教科書』に完全準拠。

実力アップ

『みんなが欲しかった! 社労士合格のツボ 選択対策』
B6判、11月
- 基本事項のマスターにも最適! 本試験のツボをおさえた選択式問題厳選333問!!
- 赤シートつきでパパッと対策可能!

『みんなが欲しかった! 社労士合格のツボ 択一対策』
B6判、11月
- 択一の得点アップに効く1冊! 本試験のツボをおさえた一問一答問題厳選1600問!! 基本と応用の2step式で、効率よく学習できる!

『みんなが欲しかった! 社労士全科目横断総まとめ』
B6判、12月
- 各科目間の共通・類似事項をこの1冊で整理!
- 赤シート対応で、まとめて覚えられるから効率的!

実践演習

『みんなが欲しかった! 社労士の年度別過去問題集　5年分』
A5判、12月
- 年度別にまとめられた5年分の過去問で知識を総仕上げ!
- 問題、解説冊子は取り外しOKのセパレートタイプ!

『みんなが欲しかった! 社労士の直前予想模試』
B5判、4月
- みんなが欲しかったシリーズの総仕上げ模試!
- 基本事項を中心とした模試で知識を一気に仕上げます!

TAC出版

よくわかる社労士シリーズ

なぜ？　どうして？　を確実に理解しながら、本試験での得点力をつける!
本気で合格することを考えてできた、実践的シリーズです。受験経験のある方にオススメ!

『よくわかる社労士 合格するための過去10年本試験問題集』
A5判、9月～10月 **全4巻**

1 労基・安衛・労災　2 雇用・徴収・労一
3 健保・社一　4 国年・厚年

●過去10年分の本試験問題を「一問一答式」「科目別」「項目別」に掲載! 2色刷で見やすく学びやすい!
●合格テキストに完全準拠!
●テキストと一緒に効率よく使える、過去問検索索引つき!

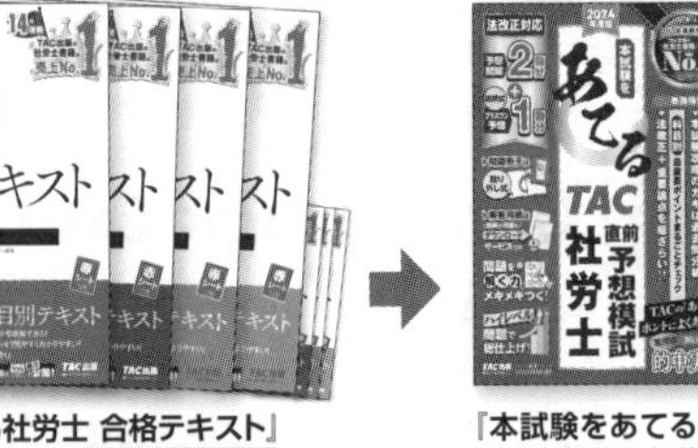

『よくわかる社労士 合格テキスト』
A5判、10月～4月 **全10巻+別冊1巻**

1 労基法　2 安衛法　3 労災法　4 雇用法　5 徴収法
6 労一　7 健保法　8 国年法　9 厚年法　10 社一
別冊. 直前対策(一般常識・統計／白書／労務管理)

●科目別重点学習で、しっかり学べる!
●受験経験者やより各科目の知識を深めたい方にぴったり。
●TAC上級(演習)本科生コースの教材です。
●全点赤シートつき!

『本試験をあてる TAC直前予想模試 社労士』
B5判、4月

●本試験形式の予想問題を2回分収録! 難易度を高めに設定した総仕上げ模試!
●マークシート解答用紙つき!

無敵シリーズ

年3回刊行の無敵シリーズ。完全合格を実現するためのマストアイテムです!

『無敵の社労士1 スタートダッシュ』
B5判、8月

『無敵の社労士2 本試験徹底解剖』
B5判、12月

『無敵の社労士3 完全無欠の直前対策』
B5判、5月

こちらもオススメ!

『岡根式 社労士試験はじめて講義』
B6判、8月　岡根 一雄 著

●"はじめて"でも"もう一度"でも、まずは岡根式から! 社労士試験の新しい入門書です。

啓蒙書

好評発売中!

『専業主婦が社労士になった!』
四六判　竹之下 節子 著

●社労士の竹之下先生が、試験合格、独立開業の体験と、人生を変えるコツを教えます!!

TACの書籍は こちらの方法で ご購入いただけます

1 全国の書店・大学生協　2 TAC各校 書籍コーナー　3 インターネット

CYBER BOOK STORE　TAC出版書籍販売サイト
アドレス https://bookstore.tac-school.co.jp/

・2024年7月現在　・とくに記述がある商品以外は、TAC社会保険労務士講座編です

書籍の正誤に関するご確認とお問合せについて

書籍の記載内容に誤りではないかと思われる箇所がございましたら、以下の手順にてご確認とお問合せをしてくださいますよう、お願い申し上げます。
なお、正誤のお問合せ以外の**書籍内容に関する解説および受験指導などは、一切行っておりません。**
そのようなお問合せにつきましては、お答えいたしかねますので、あらかじめご了承ください。

1 「Cyber Book Store」にて正誤表を確認する

TAC出版書籍販売サイト「Cyber Book Store」の
トップページ内「正誤表」コーナーにて、正誤表をご確認ください。

CYBER BOOK STORE TAC出版書籍販売サイト

URL:https://bookstore.tac-school.co.jp/

2 1の正誤表がない、あるいは正誤表に該当箇所の記載がない ⇒ 下記①、②のどちらかの方法で文書にて問合せをする

★ご注意ください★

お電話でのお問合せは、お受けいたしません。
①、②のどちらの方法でも、お問合せの際には、「お名前」とともに、
「対象の書籍名(○級・第○回対策も含む)およびその版数(第○版・○○年度版など)」
「お問合せ該当箇所の頁数と行数」
「誤りと思われる記載」
「正しいとお考えになる記載とその根拠」
を明記してください。
なお、回答までに1週間前後を要する場合もございます。あらかじめご了承ください。

① ウェブページ「Cyber Book Store」内の「お問合せフォーム」より問合せをする

【お問合せフォームアドレス】

https://bookstore.tac-school.co.jp/inquiry/

② メールにより問合せをする

【メール宛先　TAC出版】

syuppan-h@tac-school.co.jp

※土日祝日はお問合せ対応をおこなっておりません。
※正誤のお問合せ対応は、該当書籍の改訂版刊行月末日までといたします。

乱丁・落丁による交換は、該当書籍の改訂版刊行月末日までといたします。なお、書籍の在庫状況等により、お受けできない場合もございます。
また、各種本試験の実施の延期、中止を理由とした本書の返品はお受けいたしません。返金もいたしかねますので、あらかじめご了承くださいますようお願い申し上げます。

TACにおける個人情報の取り扱いについて
■お預かりした個人情報は、TAC(株)で管理させていただき、お問合せへの対応、当社の記録保管にのみ利用いたします。お客様の同意なしに業務委託先以外の第三者に開示、提供することはございません(法令等により開示を求められた場合を除く)。その他、個人情報保護管理者、お預かりした個人情報の開示等及びTAC(株)への個人情報の提供の任意性については、当社ホームページ(https://www.tac-school.co.jp)をご覧いただくか、個人情報に関するお問い合わせ窓口(E-mail:privacy@tac-school.co.jp)までお問合せください。

(2022年7月現在)